教育部哲学社会科学研究重大课题攻关项目“我国学校教育创新研究”成果
“守望者的凝思：读懂学校、读懂校长”系列论丛

主编 裴娣娜

追求一种与众不同的特殊

ZHUIQIU YIZHONG YUZHONGBUTONG DE TESHU

——上海市长宁区初级职业技术学校教育创新研究

夏峰 等 著

教育科学出版社
·北京·

追求一种与众不同的特殊

——上海市长宁区初级职业技术学校教育创新研究

基于学校教育变革性实践的反思与建构
——中国基础教育改革创新之路

裴娣娜

学校教育创新是目前世界各国基础教育改革中一个具有战略意义的重要问题。如何变革学校教育观念，培养具有创新精神和实践能力的高素质人才，是世界各国共同关注的问题。事实证明，以创新挑战危机，谁最先把握了时代发展变化的需求，谁就掌握了发展的主动权。

“守望者的凝思：读懂学校、读懂校长”系列论丛，是“十一五”期间教育部哲学社会科学研究重大课题攻关项目“我国学校教育创新研究”的研究成果，是对改革开放三十多年来中国基础教育阶段学校教育创新发展的思路、策略及方法基本脉络的全面系统的反思梳理。这套论丛有着独特的时空定位，限定在我国改革开放以来学校办学层面的改革与创新，采取自下而上的分析思路，是对学校已有的基于变革性实践的学校现代发展经验的总结提升。系列论丛中一本本研究性的专著翔实地记录了这些学校的校长基于不同的办学实际带领各自团队所走过的学校发展之路，这些学校的办学理念及经验经过了时间积淀和实践的检验，是富有鲜明特色、带有中国本土气息的原创性实践。

反思总结来自实践的学校创新经验，从中解读并汇集学校教育创新力指标，从而为进一步探讨学校教育创新发展理论模型与实践模式的建构、形成有较强的实践操作策略奠定坚实的基础。因此，我们的研究，以反思与建构为主线，聚焦“两个读懂”：读懂学校、读懂校长。这套系列论丛所呈现的不仅是每个学校独特的“我”，更重要的是通过一个个独特的“我”集合形成的具有一定典范意义的学校变革性实践的基本认识。

一、学校教育创新理论反思与现实建构的战略性意义

进入21世纪，面对世界各国对于经济社会可持续发展目标的诉求以及日益激烈的国际竞争对高素质人才提出的更高要求，面对工业社会和信息社会发展的要求，面对极不平衡的区域性社会经济发展以及多元文化价值取向、伦理道德问题、文化生态危机等一系列严峻挑战，中国基础教育的改革与发展进入一个十分关键的时期，正是社会转型凸显了中国学校教育创新发展的主题。

教育创新是学校教育发展的根本动力。学校需要变革，学校必须变革，变革的目的在于坚持“以人为本”的科学发展观，办好让人民满意的学校。学校教育创新研究的重要意义在于以下三个方面。

（一）为构建优质高效的学校办学模式提供一种理论分析框架

学校教育创新研究旨在对中国学校教育创新发展进程中的若干重要问题作出理性的思考和科学的回答，探索适应社会发展和人的自身发展需要的、优质高效的学校教育发展模式与育人模式。通过教育学、心理学工作者的跨学科研究，跨校际的教育工作者协同研究，以及理论与实践工作者的合作研究，为有中国特色的基础教育改革和发展提供思路，为构建优质高效的学校教育提供一种理论准备和分析框架，为促进青少年儿童全面发展提供一种新的教育方式，为教育行政部门和教育机构的相关决策与措施的制定提供科学依据。因此，这一研究成果是中华民族的，也是世界的；既有本土性，又有国际的普遍意义。

（二）通过典型个案研究，呈现我国当前具有特色的和有代表性的学校教育创新发展实践模式、评价指标、推进机制及成功经验

系列论丛的内容强调以下三点。

一是以学校教育改革与发展为中心线索，阐明项目学校从学校教育价值观念的重新定位到学校教育体系的全面更新，从改造教育过程到改

变教育教学各个环节中的方法与手段，从全方位地营造育人环境到创造性地开拓各种教育教学模式，从而提升学校整体的综合实力，形成学校教育创新的思路和特色的历程。

二是尝试揭示学校教育创新主体的培育与生成过程。论丛力图在深层次上揭示创新主体如何建构一种创新的观念、思想与目标，从而进一步生成为具体的办学行为的复杂过程。

三是表明学校创新发展是基于学校自身条件的特殊性，展现我国中小学校现代发展的多样化发展形态，同时也展现我国中小学校长追求持续发展和创建一流教育的特色与智慧。

（三）通过解读，将学校办学理念与行为提升到自觉和自为层面，进一步促进学校教育创新的实践探索

通过对不同学校教育创新力形成与发展过程的审视，有效促进科学的质量意识、特色意识的确立，提升对学校办学特色和学校潜在的创新能力的认识。

当然还应看到，项目研究成为高师院校集教育科研、人才培养、为基础教育改革提供咨询服务三种职能于一体的重要平台，从而对参与研究的高等院校在凝练学术方向、汇聚学术队伍、开展高水平学术交流等方面同样发挥重要作用。

通过研究，我们认识到，尽管学校发展存在差异，但有一点是共同的。那就是随着国家教育体制改革的推进，学校作为办学主体，面临前所未有的生存和发展的压力。实质是，变革的时代要求学校通过变革进行根本性的转型。我国的中小学校，正是顺应时代发展的潮流，不失时机地抓住发展机遇，凭借校长的胆识和战略思想，挖掘学校的优势和潜力，形成应对变革的自我更新机制，提升学校整体的综合实力，从而走出竞争中的劣势处境，构筑起了学校新的竞争优势。创新已成为学校发展的内在生命力。

论丛的撰写是一个大工程，不仅推动了学校对自我办学理念、举措的反思，而且为项目研究在理论的概括提升上提供了丰富厚实的思想资源。研究具有开拓意义，而且是原创性的，是项目研究重要的标志性

成果。

二、项目研究的共识与思考

作为一项国家级的高端科研项目，论丛从实践研究层面反映了研究成果的创新性及实践效益，我们概括为以下几个主要方面。

（一）回应了我国社会转型时期政治、经济、文化变革关于教育的现实诉求

一个具有强大生命力的思想和理论的孕育形成与发展，关键在于它对所处时代改革中重大的理论和实践问题的回答。始于20世纪末的中国社会转型，将现代化、市场化、社会主义改革三重重大的社会变革浓缩在同一时空，构成了一场极特殊复杂又波澜壮阔的社会变迁。正如有的学者所指出的，社会变迁的核心在于人的生存方式的变化。

正是当前中国社会的现代转型，从根本上决定了中国基础教育学校创新发展的主题，而回应中国社会的现代化发展与基础教育改革提出的新矛盾、新问题，在很大程度上又进一步决定了中国学校教育创新发展过程中关注和研究的问题。

现代教育的本质在于解决人自身的发展与价值问题，是人的发展的潜在可能的现实实现，而不是把人作为社会的被动客体来塑造。人的个体与群体的发展是现代教育的出发点和归宿，是使学校实现跨越式超常发展的生命力，是激发教育工作者潜在创造力的原动力。将这一主题置于中国社会的特殊语境中，置于中国基础教育现代化发展的历史进程中，置于多元文化的多种价值选择并存的环境中，从而形成了目前研究的论域（范畴）和主线。这就是在学校教育中，关注学生的文化生存环境和活动方式，关注学生的生存状况和生命价值，尊重学生的主体地位和主体人格，培养学生自主性、主动性和创造性，使他们在掌握人类优秀文化基础上学会学习、学会创造。这一价值目标定位，从根本上反映了学校教育创新发展研究主题从工具理性到价值理性的转化。

学校教育的创新发展，不仅是对工具化的教育追求、人的发展目标偏离、主体缺位的反动，而且是对迷茫的教育理论、观念的价值澄清。正是敏锐地抓住了时代的挑战，回应了时代发展的需求，才形成了学校

现代发展的视阈，导致学校教育进行结构性调整而实现了功能、形态上的根本性转变。

（二）形成我国学校教育创新的基本理论分析框架

1. 学校教育创新是学校教育主体，通过新的创意、新的构想、新的思维和行为方式、新的教育技术和手段，对原有不合理的理论观点、思想方法、技术手段进行突破和超越，在学校变革与发展中更有效地实现教育目的的一种创造性活动。这一定义强调通过创新性活动，构建有变革创新能力的学校教育，从而突破种种阻碍学校改革与发展的限制，使学校实现根本性的变革。

2. 学校教育创新的基本内涵是以科学发展观为核心的现代教育理念，是一种勇于变革的实践活动，是一种先进的学校文化，是一种在不断回答每一时代提出的重大问题的过程中获得发展的内在生命力。创新是一个过程，创新的实质在于变革、超越和发展。

3. 学校教育创新的目标是促进高素质人才的培育成长和学校的现代发展。(1) 培养学生的自主性、主动性和创造性，使他们具有正确人生观、价值观，基础扎实，有创新精神、独立思考和实践能力，从而最大限度地实现每个人的个性与才能的发展。(2) 形成锐意改革、张扬个性、鼓励探索、宽容失误的有特色的学校教育创新文化。(3) 创建具有生成性的学校生态制度与管理系统。(4) 营造内外部良好育人环境。(5) 塑造具有“生成”意识、“理论”气质、“变革”能力的校长。

（三）初步构建学校教育创新力评价指标

学校教育创新力评价指标，旨在用统计体系构建学校教育创新的内涵与本质。通过研究，我们初步构建了由四个要素组成的学校教育创新力评价指标体系：办学理念、办学目标组成的价值目标系统；课程开发、课堂教学、班级建设组成的育人模式系统；人事制度、组织管理制度组成的制度与管理系统；战略性谋划能力、领导者品格组成的校长领导力。通过四个子系统以及系统的优化组合，学校不断调整内部结构，扩大自组织的功能，成为一个自我更新、自我发展的有机体，成为一个具有强适应能力的教育生态系统，以期达到提高质量、增长效益、有序运行的效果。

（四）形成学校育人模式创新的基本思路和举措

立足于读懂变革性实践，我们将“优质高效的学校教育发展模式及育人模式”作为探讨的重要内容。汇集众多学校的实践探索，形成的基本思路是：依据学校的培养目标及办学方略，重点在育人模式的创新。

1. 学校课程系统的创新

取得的主要突破如下。

第一，以人为本的课程目标的创新以及课程功能的创新。

基础教育的课程功能，由普及功能与选拔（筛选）功能、个体功能与社会功能、适应功能与超越功能之间的矛盾关系所构成。然而应试教育在将“课程考试化”的同时，也造成基础教育课程功能关系的错位、扭曲和失谐。学校课程开发首先要正确处理不同功能之间的矛盾，课程的设置应关注学生学习能力、实践能力和创新能力的培养，并坚持能力培养的层次性。

第二，课程领导力的提升以及基础教育课程结构与形式的变革。

课程领导力指学校按照一定的办学定位、培养目标进行课程开发建设，全面提升学校教育质量的能力。课程领导力的内涵，指校长领导教师团队创造性地实施国家课程计划的能力，合理开发和整合教育资源建设校本课程的能力，组织学校课程实践的决策、引领和调控能力。

针对以学科课程为主课程形态的弊端，我们探索新的课程结构体系的构建，使分科课程与综合课程、必修课程与选修课程、普通教育课程与职业技术教育课程相结合，并设置旨在指导学生进行专题研究性学习的综合实践课程、地方自主选择的课程，体现灵活性、多样性和选择性，从而为不同地区、不同学校以及学生发展提供更大的选择余地。

学校课程结构与形式的变革，大致呈现为以学生素养发展目标为依据，按照课程功能和学习领域知识的重新整合来构建学校课程结构，以及基于学校办学特色的体现对国家规定的课程进行重组和改造几种不同的思路，展现了中国课程存在形态的丰富多样性。

课程建设的创新，还表现在面向社会、生活实践的课程内容的创新以及校本课程开发中的创新。

2. 学校教学系统的创新

学校教学创新发展研究聚焦于从多视角讨论学科教学本质，学生的学习与创造性思维的培养，发展性教学策略，教学内容改革，课堂教学质量观与有效教学的水平评估，教师专业化发展等问题，并形成了若干有创意的认识。

第一，确立现代教学观，关注学生的文化生存环境和活动方式，实现学生的发展。

第二，学生的学习具有选择性、研究性、体验性和反思性，教学设计应体现学生学习的内在机制及学习特点。

第三，教学内容的选择与设计，重在理解和掌握知识，加强学科知识的整合，面向生活实际，体现教学的实践性以及文化性。

第四，通过教与学的行为分析，实施以主体参与、合作学习、差异发展、体验成功为内涵的发展性教学策略。

第五，确立体现学生发展的课堂教学质量观，进行有效教学的水平评估，促进教与学方式变革，使学生会学习、会创造。

第六，揭示现代课堂教学的基本特色，形成教学的不同流派与风格。教师应有发展意识、反思意识、效率意识、特色意识。教学系统要创新就要读懂教师，要培养一批学科带头人并形成教学风格与特色。

3. 学校德育系统的创新

主要包括以下几点。

第一，对德育功能的重新理解。

以“人在社会中生活”为主线，揭示德育的正义功能、意义功能与幸福功能。旨在培养具有独立人格、民主意识、人权理念和公共责任的公民基本特质。对意义的追寻，构成了人之独特的存在方式。通过人性化、个性化和创造性，使人的自由本性得以充分展呈。

第二，构建了“经验—体悟”定向的德育创新体系。

强调通过经验和体悟过程来培养受教育者的价值取向体系，并通过行为实践经验及内在的自我调整和重构的体悟过程，形成稳定的行为驱动体系，并在此基础上逐步养成稳定的行为习惯，形成固化为内在的自觉价值取向体系和外在的习惯化行为方式的稳定品德特点。

第三，在分析当今中国德育实践及其根本性挑战基础上，形成学校德育创新的几个基本命题：

(1) 批判德育中的工具论立场，确立“人是目的”的核心理念；

(2) 道德教育的逻辑起点、核心是价值取向与行为习惯；

(3) 通过对道德教育内容与形式加以审美化改造，实现“价值引导”与“道德主体的自主建构”的统一；

(4) 德育实践需要创造性地拓展有促进意义的资源，引导学生积累经验与重构性体悟（体验）。

项目研究实现了15所高校的跨校际、10个专业方向的跨学科整合，以及高校理论工作者、地方教育行政领导干部、中小学实践工作者多方研究力量的整合，组成优势互补的科研群体协作攻关①，从而使研究体现原创性、过程性和整合性。

三、论丛撰写的特色

论丛从历史、现实和未来三个视角把握总体，每一部专著内容框架由三部分组成。第一部分是学校发展历史及传承文化传统的审视，第二部分是全书主体，以学校教育创新力指标为依据，对学校办学的目标与价值系统、育人模式系统、制度与管理系统以及校长领导力几个方面的改革创新进行全面系统总结，第三部分是学校未来发展的设想。

每部专著的撰写前后历时2—3年，是一个再研究再思考的过程。我们深感每所学校、每位校长本身就是一个故事，而每部专著的问世也

① 15所高等师范院校分别为北京师范大学、西北师范大学、哈尔滨师范大学、南京师范大学、华中师范大学、河南大学、东北师范大学、天津师范大学、广西师范大学、首都师范大学、山东师范大学、四川师范大学、上海师范大学、浙江师范大学、江西师范大学鹰潭分院；3所科研机构分别为中央教育科学研究所、天津教育科学研究院、四川省教育科学研究所；7个区域性教育行政部门分别为北京市海淀区、湖北武汉市武昌区、四川成都市、河北石家庄市桥东区、深圳市南山区、甘肃省兰州市、四川阿坝藏族羌族自治州理县的教育行政部门；参加项目研究的中小学共有95所。

是一个故事。要保证著述的质量，关键在于如何对每所学校多年积淀的丰富鲜活的实践研究成果进行筛选、整理与提升，而不仅是对事实材料的罗列。

反思论丛撰写的全过程，在以下几方面呈现出其独特性。

1. 起点高位。立论于“中国具有进行原创性研究的优势，这种优势潜力的挖掘，主要在于充分调动深厚的本土资源、经验和智慧”这一论断，立论于学校的现代发展实质是变革性实践的判断，所以采用从变革实践的经验中提升的研究范式，定位于读懂学校、读懂校长、读懂变革性实践。

2. 立足研究。每本书的问世，是一系列的选择、提炼、重组、建构的过程。经过多次研讨碰撞，几上几下的反复修改，凝结的是每所学校对变革性实践的基本认识，同时也渗透了热情参与和关注基础教育改革发展的有识之士的心血，它是用“心”写出来的。

3. 理性思考。遵循“问题—思路—举措”这一叙事逻辑，尽可能处理好反思与建构、理论的概括提炼与实际问题的阐述解释、继承与超越、共性与个性的关系，认真搜索和挖掘创新点，在这个过程中不断提升研究意识和研究能力。

4. 个性特色。教育研究需要宽容、尊重和理解。二十余所学校有不同的身份和角色，每位校长也有不同的成长背景和工作风格，正是每个独特的“我”带来了丰富和生动，而在每个个别中展现的是学校锐意改革、开拓创新的可贵精神，因为高尚的心灵都是相通的。

本论丛是教育部哲学社会科学重大攻关项目的研究成果，我们在此谨对教育部社科司批准立项，对社科司杨光司长、张东刚副司长，基础教育司王定华副司长，以及社科司的同志们给予本项目研究的关怀和指导表示衷心感谢。以德高望重的顾明远教授为首的项目指导专家组——谈松华、郭振有、卓晴君、张民生、文喆、谢维和、朱小蔓、周满生、吕达、曹志祥、杨银付等专家，他们四年来对项目研究发表了富有启发性的重要见解并对项目研究寄予了殷切的期盼，他们的很多重要思想和观点对项目研究产生深远影响，我们将铭记在心。

论丛出版之际，我们还要特别感谢教育科学出版社，感谢李东总编辑以及教育科学出版社的所有编辑出版人员。教育科学出版社热心奖掖学术与创新，他们不仅为论丛的出版付出了辛劳，更难能可贵的是对论丛出版予以无偿支持，从而使我们的成果远离了“文化包装”之嫌而保持了学术研究的纯洁，他们的支持和鼓励是我们做好这一论丛的重要动力。

对中国基础教育学校创新发展这一具有战略性、全局性问题的探讨和研究还刚刚起步。《国家中长期教育改革和发展规划纲要（2010—2020年）》（以下简称《教育规划纲要》）描绘了未来10年我国教育改革发展的宏伟蓝图，特别强调“改革创新是教育事业发展的强大动力”。我们将遵循《教育规划纲要》的指示精神，继续不懈地探索，以求在学校教育创新问题上不断取得新的认识。我们深知，在中国基础教育改革的大潮中我们是“之一”而不是唯一，若干重要的理论与实践问题还需要进一步的展开、充实、挖掘和进行深层次的理性思考。我们坚信，在这条教育改革创新之路上，我们会越走越踏实。

目　录
CONTENTS

第八章 基于问题的校长领导力

第九章 愿景展望中的特殊教育学校变革

前　言

伴随着知识经济时代的到来，由此引发的社会变革给教育带来了极大的挑战和极好的机遇。世界各国均以“优质教育促进学生发展”为主题，进行着不同程度的教育创新，以适应社会变革与发展。学校是教育改革和创新的主体，近年来，学校教育的创新发展成为我国基础教育改革的重点。

特殊教育学校作为我国学校教育重要的组成部分，为具有多样化特殊教育需求的孩子提供适切的教育服务，同样离不开创新与变革。由于真正意义上的特殊教育起步较晚，在很长的一个阶段，我国特殊教育学校实质上是充满慈善色彩的残疾人收容机构，与现代学校的本质相距甚远。改革开放以来，我国的特殊教育奋起直追，在政策、体系等方面都获得了较大发展，取得了可喜的成绩。《追求一种与众不同的特殊》呈现了上海市长宁区初级职业技术学校的教育创新实践。

从1926年的傅兰雅学校到1998年的初职校，上海市长宁区初级职业技术学校几经转办和存亡的危机，走过了八十多年的风风雨雨，成为一所在上海市乃至全国都具有一定知名度的特殊教育学校。随着2006年上海市“随班就读”政策的出台，学校面临生源减少而带来的生存危机，亟须变革。自从参与裴娣娜教授主持的“十一五”教育部哲学社会科学研究重大课题攻关项目“我国学校教育创新研究”以来，在总课题组专家的指导下，长宁初职校逐步理清思路，思考学校教育创新实践。

学校教育创新是以“发展”为核心的现代教育的理念，是一种勇于变革、改革的实践活动，是一种先进的学校文化，是在不断回答每一时代提出的重大问题中获得发展的内在生命力。在特殊教育领域，由于教育资源有限，需要每个学校根据面临的实际情境，突破固有模式，实现教育创新。为了实现学校的持续有效发展，八十多年来，学校开展了一次又一次的实践创新。从这一系列的实践创新中，我们得出了三点开展实践创新的认识：只有在学校文化的传承中才能实现有效的学校教育创新；只有在学校本土的实践中才能实现有效的学校教育创新；只有在国际视野的理性物化中，才能实现富有内涵的学校教育创新。

作为“我国学校教育创新研究”子课题的研究成果，本书共分为九章。第一章《历史审视下的创新文化传承》，整体介绍长宁初职的发展历程和创新文化。第二章至第八章是现实回眸中的学校教育特色，具体介绍初职校转办以来的创新实践。1998 年以来，初职校以“全国一流的特教学校”为办学定位，在“每个孩子都是金子”教育哲学思想的指导下，着力打造生命共同体，形成了支持式课程建设、差异性教学的探索、情境—体验—内化的体验性德育实践、智慧型阳光教师发展、研究总揽的立体化管理、基于问题的校长领导力等学校教育特色，促进了学校的变革发展。第九章是《愿景展望中的特殊教育学校变革》，主要介绍区域推进随班就读背景下学校的变革实践。面对区域推进随班就读引发的生存危机，长宁初职主动求变，勾画了“具有较强服务指导功能的新型的特教学校”的变革愿景，形成了“做强随班就读”、“做大终身教育”和“做精职业教育”的三大发展战略，继续跋涉在学校教育创新之路。

回顾研究成果从最初的框架到现在的定稿，历时两年，期间受到了很多老师的支持与帮助。李贞、苏晓平、丁翠、黄昉旻、王丹平、李云淑、周颖芳、胡彩红、范红霞、徐叶、余琨、姚建青、李晓明、赵子文、郭天旻、范莹、邵志明、于忠美、王开妍老师以及小徐、小潘、小王同学为本书的撰写提供了案例；施光宇和李峰老师精心绘制了书中的插图；许汝元校长为我们提供了宝贵的历史资料。总而言之，这本书是集体智慧的结晶。感谢学校所有老师、同学以及家长在研究过程中的通力合作和艰苦奋斗。

夏 峰

2010 年 9 月

第一章 历史审视下的创新文化传承

从上海市最早的聋哑学校，到现在的初级职业技术学校，长宁初职走过了八十多年的风雨。回顾八十多年的历程，变革与创新成为学校发展的主题曲。八十多年来，我们始终以基于问题的创新意识、积极回应环境的变革动力和敢为人先的实验精神，辛勤耕耘在特殊教育这片"贫瘠"的土地，造福残疾人。

一、长宁初职的前身

自从1926年傅兰雅聋哑学校创办以来，随着社会的发展，学校先后在聋人教育、聋儿学前教育、辅读教育和聋生中学分段教育等方面进行了积极的探索，演绎了一部变革与创新的发展史。

（一）上海市傅兰雅学校（1926—1934）

由于时间跨度比较长，学校几经搬迁，上海市傅兰雅学校的历史资料遗留很少。根据有限的资料，我们进行了以下梳理。

新中国成立前，旧中国医学技术落后，有很多孩子患病，有的死亡，有的变成聋哑人，而聋哑人在旧社会里生活是很悲惨的。社会地位低下，工作鄙贱，聋哑人被视为废人，受到人们轻视，得不到社会的同情。为了将智慧的火种带给更多有特殊需要的孩子们，在当年如火如荼的洋务运动中，被称为"传科技之火于华夏的普罗米修斯"的英国传教士傅兰雅[①]（1839—1928，John Fryer）于1926年创办我校的前身——傅兰雅聋哑学校。

（二）上海市福哑学校（1935—1951）

傅兰雅逝世后，由其子傅步兰继任校长。校址在极司非尔路（现万

---

① 傅兰雅出生于英国肯特郡海斯镇（Hythe，Kent）一穷苦牧师家庭。1868年到1896年，他在清政府的江南制造局任翻译馆的主管，与中国同事一起，翻译了大量科学与工程学读本，将19世纪西方科学引入中国。他先后创办了上海格致中学、盲童学校。

航渡路）康家桥。1935 年，学校更名为福哑学校，“福哑”为“傅兰雅”的谐音，意为造福残疾人士，迁址虹桥路盲聋学校内。学校为私立，六年全日制，生源为小学年龄段学生，最初只有十多人。学费很昂贵，学生中大部分是有钱人家的子女，其中有几个是政界高官的儿子、侄女等，也有少数从慈善院送来的孤儿。课程设有国语、发音、英文、珠算、常识、图画、手工、体育等。低年级发音课用的是贝尔字母，中、高年级英文课用美式单手英语手指字母，其他课程用的是一般手势语和板书。当时学校体育设备很差，体育用品少得可怜，只有单杠和跷跷板。解放初期，在党和教育局的关心和催促下，学校才架起一块篮球板。因为经济困难，篮球是由高年级学生和老师凑钱买的。儿童除受教育外，另有手工习作，一部分毕业生以画广告画、印刷、修鞋等为主要职业。1941 年后，学校迁址爱文义路王家库花园 33 号（现北京西路 605 弄 16 号）。那时上课的老师更换频繁，有的老师是打短工的，一个学期结束，新的学期开学时，总有几个老师不见了。当时的学校实际上是汪镜渊先生与他一家人在管理。校长的妻子、儿女，不是员工就是教员，校长的一家牢牢控制着学校经济、教学、人事等所有大权。

福哑学校有两个特点：一是福哑聘用的老师，有不少是聋人，并且都有才华，无论是哪一个老师，教学都很认真，能循循善诱。在课外，老师们还能和同学交心。另一个特点就是课程内容明显带有职业训练的成分。如高年级，除了语、算、史、地、体育等基础课程外，还开设英语课程。每周安排三个半天（每个半天有 3 个课时，共 9 个课时）的美术、劳作，时间大约占总课时的 1/3。劳作可以培养人动手、动脑的能力，也可以为日后进入社会谋生自立打好基础。从实际情况来看，确实有些同学毕业后凭借所学的美术、手艺找到工作，也有的同学继续深造。在旧中国，政治、经济落后，国民教育水平很低，福哑能为聋人提供最低强度的文化知识教育和职业技能训练，获取最低限度的谋生自立的条件已经很不容易。

（三）上海市第二聋哑学校（1952—1992）

在旧中国，由于反动政府不关心，社会不重视，聋哑学校极少，校舍狭窄、设备简陋、经费短缺、师资贫乏、收费昂贵。一般家庭的聋哑孩子被摒弃在学校大门之外。新中国成立后，在优越的社会主义制度下，全国各地开办了许多聋哑学校。截至1949年新中国成立前，中国有42所盲聋哑学校，在校学生近2400人。到1959年，全国已有特殊教育学校297所，在校生17764人①；1991年，全国共有439所，不收学费，国家替聋哑学生免费进行针灸治疗聋哑症，派师范学校毕业的老师来校教课。

新中国成立初期，福哑学校师资水平不高，十多个教职员中除了汪氏父女外，大部分是聋哑人，教学质量不高，校内体罚现象颇为严重，丢粉笔，甚至罚跪，中高年级学生对此非常反感。因而，在1952年八九月份间，发生了聋哑学生自发的罢课闹学潮之事，他们前往市教育局请愿，要求政府接管学校。经过调查研究，市教育局于1953年12月12日正式接管了福哑学校，改名为上海市第二聋哑学校，并明确该校是对听力障碍儿童、青少年实施义务教育的全日制九年制聋哑学校。学校的办学宗旨是对聋哑学生进行德、智、体、美、劳的全面教育，培养他们成为有理想、有文化、有纪律的残而不废的社会主义事业接班人。初办校时，学生只有10多人，后来发展到60多人，教职员10人。学生大多住宿，走读生只有五六人。全校学生分六个年级，最高程度相当于普通小学四年级，课程有国语（语文）发音、美术、英文、珠算、常识、国画、手艺、体育等。

1954年初，教育部召开了部分聋哑学校座谈会，专题研究中国聋哑学校的教学手段问题，是继续沿袭百多年来惯用的手势语教学（依靠手势比画和动作表情传授知识并表达思想感情），还是试用西方国家聋

---

① 中国聋教育大事记一览表（整理版），http://bbs.eduol.cn/post_29_68068_0.html，2004年2月17日上传。

哑学校教学中所采用的口语教学法（通过视力感受说话者说话时的口形达到理解，并模仿健听人说话的口形，学习发音说话）。通过专题研究，当即在会上决定，在哈尔滨、北京（“一聋”、“二聋”）、上海（“二聋”）三个地区的四所聋哑学校进行口语教学的实验工作，我校是其中一所试点学校。传统的聋人教学以手势语为主，易于模仿和交流。由于手势语的表达次序与口语不同，使用手势语的聋儿不适应在普遍环境中进行社会交流，而且书面表达经常是语序颠倒，逻辑混乱。现代的口语教学以培养聋童有声音语言，尤其以口语为主要目的，能够有效地促进聋儿思维和智力的发展。秋季开学，学校就招收了第一个口语教学实验班，由刚从“普小”转来的吴宝玉老师担任班主任工作，校长段颖如带领教师自编教材，使用大量的直观教具，以形象化的教学方法，引导学生通过以目代耳学“看话”和开口发音说话。

1955 年，学校初步总结了一年来口语教学实验工作，向教育部做了书面汇报，市教育局对我校的教学改革十分重视。1955 年秋，从上海第一师范学校毕业生中选派了李云霞、张丽华两位老师来校参加口语教学实验工作。当时，学校有三个口语实验班。1956 年 8 月，在北京举行口语教学实验工作汇报会，“教聋孩子开口说话”的实验成果向全国推广，学校成为了全国文教系统先进集体，段颖如校长赴京受奖并讲学。当年秋季开学，上海市教育局为我校一次派来示范学校和速师毕业生 9 人，大大充实了我校师资力量。这 9 位教师担当起口语教学的实验工作，当时共有九个口语实验班。这批值得信赖的青年教师勤学苦练、富有想象力，敢于创新，不仅为我校，也为上海市聋哑教育的口语教学实验工作奠定了良好的基础。

自 1963 年第一届口语班毕业以来，尤其是 1986 年专设语训课后，口语教学取得显著成绩。其中有一个班（12 人）经过三年的训练，70% 的学生能根据要求用简单的语言表达意思，听懂度（听者听到的程度）占 80% 左右，25% 的学生能读出几十首儿歌，较清晰地读绕口令，很有表情地讲儿童故事，听懂度达 90% 以上，学生还会根据音乐跳舞、唱歌，听话能力有较大提高。有一些国外特殊教育专家来校听课后，深为感动。由于学校重视口语教学，在校学生有了一定的看话能力与说话能力，语言水平和社交能力有很大提高，为他们参与社会创造了良好的条件。

1957年开始，每年上级领导都选派较优秀的师范毕业生到我校来任教。1962年派一名留学苏联攻读特教专业的银春铭到我校工作，为我校的口语教学顺利开展提供了有利条件。而且，我校的教学质量在兄弟学校中始终是名列前茅的，经常有外地聋校教师来校参观学习。

学校认识到聋儿早期开发、教育有助于聋儿说话能力和思维能力的发育，聋儿和普通孩子一样需要接受早期教育。于是，1958年，学校开始尝试进行聋儿学前教育、附设幼儿园，此举走在全国聋教育前沿。三年"自然灾害"时期，聋儿学前教育停办。1987年，学校又开始办起了聋幼儿学前班，这次办班的目的性明确：对聋幼儿进行早期教育，开发智力，重点开展听说训练。聋幼儿经过两年的学前教育能识600个左右的词汇，会写简单通顺的句子，会看话做动作，看话写句子，看图写话以及认识20以内的数字，并会加减法计算。1989年，学前班被上海市三项康复办公室指定为聋儿语训康复班。

"文化大革命"中，我校也同样遭到一场灾难，"四害"横行。1968年第一批工宣队进驻学校（第二皮件厂），1969年第二批工宣队进驻学校（长征糖果厂）时间达8年，教师被作为"再教育"对象，戴上"资产阶级知识分子""臭老九"等帽子，精神枷锁沉重，积极性受到严重打击，对教学工作正是欲抓不敢、欲罢不忍，心情苦闷万分。学生则深受"读书无用论"以及其他极"左"社会思潮的毒害与影响，不愿读书、纪律紊乱。学校知识质量显著下降，学生品德面貌差。

1976年10月，粉碎"四人帮"以后，工宣队撤出学校，领导班子重新调整，组织教师深入批判极"左"路线，开展"真理标准"问题的讨论，分清了是非，落实了政策，调动了广大师生的积极性，逐渐恢复了正常教学秩序，开始重视教育教学质量。在原来的混乱状态下得过且过、滥竽充数的一些特殊儿童，首先是智力低下的弱智儿童，明显地暴露出来，他们面临着留级或辍学的命运。另一方面，学校开始把严入学关，许多弱智儿童已被拒之门外。与此同时，我国的对外交往开始活跃起来。教育部门的领导在会见外宾时，常常被问及特殊儿童的教育问题。通过这些交往，他们对特殊教育的认识也有了变化。原来，人们只知道盲童教育和聋童教育是特殊教育，现在意识到除盲、聋儿童需要特殊教育外，还有许多其他的残疾儿童，首先是弱智儿童，也需要特殊教育。1979 年，在校长许汝元的倡导下，受上海市教育局委托，由时任学校教导主任、后成为全国特教名师的特级教师银春铭创办了辅读班，此后建立了本校的辅读分校——长宁区辅读学校，开创了我国大陆地区辅读教育的新纪元。

当时学校提出的培养目标和任务是①：使学生牢固系统地掌握由专门的教学大纲规定的一般文化科学知识和技能；在教育和教学过程中最大限度地克服和矫正学生的智力缺陷；培养学生的劳动习惯，使他们学会一定的劳动技能；对学生进行共产主义道德品质教育，使他们能分清是非、自觉地遵守纪律、尊重集体生活的准则；采取一定的治疗和体育锻炼措施，增强儿童的健康，克服生理上的缺陷。辅读班开设之初，不是到社会上招生，而是把普通小学二、三年级中的留级生作为对象。由普通学校提供名单，经原上海市第六人民医院小儿神经科医生逐个鉴定，进行针对检查。那时，还很少有人使用智商测试的方法进行弱智诊断。我们使用的实际上是综合分析评定法。一是向家长了解家族史、其子女的发育史和发病史；二是进行基本的体检指标测试和神经科检查；三是提几个能够检查儿童理解和反应能力的问题；四是检查学生的学业知识和技能状况；五是仔细观察儿童在检查过程中的表现；六是通过阅读每个儿童教育鉴定和分析其作业与测试卷，了解在学习过程中的情况。在对这些资料进行综合分析的基础上得出结论：该学生是轻度（一级）、中度（二级）和重度（三级）。通过检查，学校录取了两个班 24

---

① 银春铭．教育战线的一株新苗是怎样出土的［G］//上海市弱智教育二十年论文专集（1979—1999），1999：16－22.

名轻度弱智学生。当时的辅读班开设了 6 门课：语文（16 节）、数学（6 节）、图画（1 节）、唱歌（1 节）、体育（2 节）、劳动（2 节）。由于没有专用教材，语文和数学都是借用普通学校教材。为了使弱智学生能学得懂、学得会、记得住，老师就放慢进度，讲得仔细些，多些练习和复习。而且，每天给每位孩子一个表扬，激发其兴趣。孩子的快乐成长，让家长看到了希望。当年 3 月 13 日，《解放日报》记者庄玉兴以《教育战线的一株新苗——本市第一所智力落后儿童辅读班见闻》为题对此进行了报道。1979 年秋，不少家长慕名而来，两个班已无法容纳。在上海市教育局和长宁区的支持下，落户长宁区少年宫附近愚园路上的长宁区辅读学校正式诞生，银春铭担任校长。更多智障孩子开始接受适合他们的教育。

（四）上海市聋人中学（1992—1997）

学校改为九年学制后，学生年龄跨度大，身心特点差异大，教学活动组织的难度大。对教师而言，9 年才得以完成一个“大循环”，实践一轮完整的教学，不利于教学经验的积累。因此，1992 年，在许汝元校长领导下，进行了聋生中学分段教育的探索，小学和中学分开，小学部学生分流到其他区县学校，学校由小学升格为中学。分流后：学校更名为“上海市聋人中学”，学校有教学班 7 个，70 多名学生，教职工 36 人。学校拥有校园 2446 平方米，校舍 1615 平方米，配备装有绘画设备的美工室两间，理化生综合实验室以及配有钢琴、练功架等设备的律动室，还有可供学生可见活动的图书阅读室、篮球场等设施，并开设校办工厂。学校的教育目标是：把听障学生培养成为德、智、体、美、劳全面发展的，有理想、有道德、有文化、有纪律的残而不废的社会主义事业的接班人和建设者。教学科目有语文、数学、体育、美工、科学、政治、劳动技能等。学校经常组织学生开展各种体育、文艺活动，每周开展美术、摄影、书法、舞蹈、手工制作、球、棋活动等课外小组活动，每年举行体育运动会和艺术节。

作为全国聋哑教育实施口语教学法最早的学校之一，学校注重聋哑学生的语言训练，根据学生的听力水平分班，进行分类教学，发展他们的看话能力与说话能力，为参与社会创造了良好的条件。学校非常重视对学生进行艺术教育，尤其是绘画能力的培养，由受过专门训练，在美术方面有一定才华的青年教师进行美术课教学，在低年级中开展以想象力创造思维为目的的想象变形教学，高年级以速写教学为主、以造型训练为中心的教学，取得了一定的成绩。我校学生王晓的《迎客》获国际儿童画一等奖，并在日本展出；陈悦的《梦中的家》，王迪的《我家的大龙盘》分别获得“90’上海国际儿童画展”三等奖和展出奖；周腾青的《未来浦东》荣获首届“曙光杯”全国少年儿童书法绘画大奖赛一等奖，学校获集体一等奖；还有相当一部分同学在市、区举行的绘画比赛中获优异成绩。学生毕业后在上海新华艺专、张充仁画室、白鹅画社及苏州美专、北京京华艺专学画者很多。有的在上海中华书局、世界书局、商务印书馆工作，有的在上海、南京、武汉等地当广告画师，有的在各地聋哑学校当教师。

学生在校学习三年，初中毕业获上海市教育局认可的毕业文凭，可报考上海市聋哑青年技术学校或直接参加工作。到 20 世纪 80 年代末，先后有近千名学生毕业走上社会，为祖国的社会主义现代化建设贡献自己的力量。他们之中有的取得了工程师、工艺美术师等技术职称，有的被评为先进工作者。全国聋人协会前主席戴目、版画家冒怀苏、工艺美术师肖牧等均为本校毕业生。1986 年，学校被列为上海市对外开放单位，接待了几百位外宾，与许多国外特殊教育专家学者进行了广泛的学术交流。

二、长宁初职的快速发展

世纪交替，喜逢盛世，我们在迎来国家大发展的同时，也迎来了学校发展的新阶段。1998 年起，夏峰校长主持学校工作，将原来的聋校转办为初职校，1999 年 5 月 27 日，学校正式更名为“上海市长宁区初级职业技术学校”，开始了对辅读学校毕业生进行两年制初职教育的新历程，学校开展了一系列具有开创性的工作，实现了跨越式发展，并正在走向可持续发展。在过去的十年里，从一所面临拆并的聋校发展为一所在全国特教界具有较高知名度的智障职业教育学校，形成了立体化管理、支持式课程、数字化生存、多元发展评价等鲜明的办学特色。“教师是学校发展的第一资源”，始终是长宁初职在十年间所秉持的理念，围绕如何开发教师资源，长宁初职形成了学校独特的研修文化，走出了低谷，获得了跨越式发展，成为了全国特教领域的一面旗帜。

（一）转办初期阶段：在危机中走出低谷

1998 年，上海市聋校设点布局调整，学校由上海市聋人中学转办为初级职业技术学校，生源主要为在辅读学校完成了九年义务教育的大龄智障学生。当时我国初职教育只有 20 多年历史，针对辅读学校九年级毕业的大龄智障学生的初职教育只有四五年的历史，在上海乃至全国，针对大龄智障学生的初职教育没有统一的大纲和课程教材。刚刚从聋校转制的初职校没有任何可以开设的“职业技术”方向课程，随时面临被撤销或合并的命运。

学校要生存，就必须解决没有职业技术教材的关键问题。长宁初职的教育对象决定了教材必须既具职业技术专业性，又须符合特殊教育的规律。在查找了当时上海和国内其他职校的教材后，老师们失望地发现，没有一种教材可以直接拿来应用。于是，夏峰校长带领教师们以教育部基教司“十五”特教课题和上海市教育科学研究项目《智障学生初职教育支持式课程的研究》为龙头课题，解决初职教育课程开发和教材编写的现实问题。提出了课程目标，形成了五大类课程结构，编写了校本教材，编制了学生多元发展评价工具，初步构建了学校课程体系。通过对全校教工生存意志和研修意识的激发，长宁初职走上了深入发展的快车道，支持式课程管理机制初显成效，形成了三大类校本课程：学生用的基础类和技术类课程、针对学生课程的教师教育类课程和家长使用的课程，使得学校在短短的三年内走出低谷，形成了立校根基。

（二）内涵发展阶段：制度护航教师群体发展

转办为初职校之初，全校 18 位教工中，除校长外，仅 1 名骨干教师，3 名聋人教工，5 名教师即将退休，其余 8 名教工均非职业技术专业。教师队伍明显存在着教学新手多、年龄老化、缺少骨干、青黄不接等问题，对于没有经历过校本课程开发的教师而言，对于三大类课程的通透理解和实施校本课程的能力亟待提高。面对困难，我们没有退缩，而是高度激发教师的自主发展与团结合作的精神，一方面努力挖掘教师队伍课程开发和课题研究的潜力，并进行多项相关课题的研究；另一方面立足课堂与教学，运用各种形式的校本培训载体，切实提高教师教学实践能力，努力打造一支拥有敬业精神与专业素质的特教教师团队。学校自 2004 年起开展主题式教研——每个教研组每学期确立小组共同攻关的一个研修主题，并在学期中和学期末开展全校的校本教研展示汇报，从校内外获得研修成果的评价和反馈。这一做法在制度保障下已经坚持四年，全校共积累了 78 个研修专题，所有专题的研究资源通过电子平台可以反复调用和二次研究。正是通过制度建设，学校在这一时期实现了全体教师专业水平的大幅提高，教师群体合作研究教育问题的能力获得提升。

回顾长宁初职研修文化的形成，其根本在于把学校生存发展的需求转换为每一位教师的生存和发展需求，金点子卡、精神文明卡、学校年度光荣册、师德征文等一系列看似普通的做法长期坚持，达到了水滴石穿的效果，使得教师的成就感、使命感、生存意志和发展意识被激发了出来——也正是这些做法，逐步调动了教师的内驱力，形成了长宁初职的教师们“努力过程、看淡得失、满怀感激”的独特精神风貌。加强管理起于建章立制，超越规范源于文化再造。随着办学实践中管理高效和有序运行，学校营造了良好的文化氛围，形成了“生命共同体”的组织价值观——“学生、教师、家长、学校是命运的共同体、利益的共同体，也是学习的共同体、价值的共同体，更是幸福的共同体”。

（三）变革转型阶段：主动适应变革需求

2006年，随着“随班就读”政策的出台——义务教育阶段的智障学生必须随基础教育普通班就读，长宁初职的生源面临急剧萎缩的困境。面临这样重大的变革，学校的发展再次陷入危机。

面对区域推进随班就读带来的变革情境，基于多年的办学经验，学校主动承担区域随班就读巡回指导和研究辐射的职能，根据区域特殊教育发展需求，加大对区域普通中小学随班就读学生及教师的专业支持，开展巡回指导、资源教室服务、康复训练、教师培训与教研、家长咨询服务等工作，这对局限于智障职业教育的师资队伍来说是一个挑战。同时，学校还可以以提供某种特殊教育服务为原点，来思考智障学生生存与发展所遇到的各种需求与问题，并以不同于一般学校的途径为智障学生提供“与众不同”的特殊教育服务。虽然智障学生通过职业教育学习了烹饪、面点、园艺、服务等专业技能，获得了职业资格证书，然而踏上社会之后，他们还会遇到许多社会融合与职业适应的问题，需要特教学校提供更多的转衔教育服务，即学校的教育服务可以基于并结合社区教育，向智障学生的终身教育服务延伸。这样一来，学校在承担原有智障职业教育功能的基础上，学校的服务对象将横向拓展，为随班就读提供服务；服务时间将纵向延伸，为学校之后的智障人士提供持续的服务。以上的思考路径，使学校的变革愿景逐渐清晰：由一所相对封闭的特殊学校变革成为一所具有较强服务指导功能的新型的特殊教育学校。新型特教学校不仅服务于原有的智障学生职业教育，还为区域随班就读工作和社区智障人士的终身教育提供服务，服务的对象和服务的时间都有所拓展，具有区域内特殊教育指导服务中心和资源中心的功能。

虽然区域小学随班就读已有15年的经验，但初中随班就读才刚刚起步，与其他区县差距较大，区域中小学随班就读整体情况不佳。因此，本研究将随班就读领域的战略目标确定为“强”，从随班就读的软件、硬件方面增强服务的实力，增强教师服务区域随班就读的专业能力，加强区域随班就读推进的力度，提高区域随班就读质量，力争在全上海市的随班就读工作中脱颖而出。为了促进智障学生适应从“学校人”到“社会人”的转变，早在2001年学校就开展了实习、就业学生的“职后跟踪”服务，取得了显著成效。变革情境下，学校终身教育服务功能，不仅局限于职后跟踪，而且将服务对象主动从实习、就业的智障学生拓展为社区智障人士以及校内在读学生，实现教育目标从“小”到“大”的转变。自从1998年转办以来，学校致力于智障初职教育的研究实践，形成了一整套完善的课程体系和成熟的教育教学方法，变革背景下初职教育目标是好上再好——“精”。因此，在目前随班就读质量不佳，智障人士终身教育体系尚未建立，学校职业教育相对成熟的现实情况下，“做强随班就读”、“做大终身教育”，加上保持现有职业教育的优势——“做精职业教育”，成为实现学校变革愿景的三大战略。学校主动适应变革，开始了新的征程。

三、长宁初职八十年的创新文化

教育是传承文化、创造文化的实践活动，文化创新是学校发展的基本内涵和重要内容。从1926年傅兰雅聋哑学校的成立，到福哑学校，再到今天的初职校，我校已经走过了八十多年的历程。回顾学校的办学历史，我们强调基于问题的创新意识、回应环境的变革动力和敢为人先的实验精神，从而实现学校的创新和发展。

（一）基于问题的创新意识

早在1926年，基于当时残疾人教育缺乏的情况，傅兰雅先生创办了上海市第一所聋哑学校，为聋哑孩子带来了福音。1998年，随着聋哑学生的减少，学校转办为一所对辅读学校毕业的大龄智障学生和随班就读学生进行初级职业教育的学校。转办之初，上海市的各大龄智障学生初职教育学校，既无统一大纲、教材，又无法通过借用教材来解决课程适应性问题。面对这一棘手的课程建设问题，我们依据大龄智障学生身心发展规律和初级职业技术教育特点，以课程结构研究为突破口，自主开发了一整套适合大龄智障学生职业技术教育的支持式学生课程，帮助大龄智障学生进行职业准备和提高职业适应能力，为他们获得充分发展并进入社会打下扎实基础，填补了我国大龄智障学生初职教育课程体系研究的空白点，学校也得以走出转办危机。

由于前期支持式学生课程的开发是面对大龄智障学生这一群体的，伴随着随班就读学生在普通学校教育对象中占比的提高，原先的支持式学生课程的不适应性与局限性逐渐显现，需要持续发展与变革。教师是课程开发的主体，课程的规划者、实施者，更是课程改革成功的基石。在面对学生的巨大差异性进行课程实施与决策中，教师也遇到了很多困惑，特别是激增的新手教师急需增强课程理解。基于学校办学的现实情境与时代的要求，借鉴相关的理论思想，2004—2007 年，我校开展了《特教学校课程领导中教师群体发展的研究》，通过特教学校课程领导实践，形成符合特教学校特点的课程领导运行机制，并以此为背景，开发了一套具有特教学校特色的教师学习课程，探索了促进教师群体发展的学校支持系统，以促进特教学校教师群体发展及课程发展，提升学生学习品质。教师群体通过学校课程领导的赋权，增强了参与课程变革的主动性，提高了自主知识建构的积极性，增强了学校教师的职业认同与专业期许，提升了教师的专业背景与知识基础，促进了教师的教育研究能力的发展，提高了教师课程开发与实施能力。

2007 年 4 月，研究圆满完成了既定任务。教育部领导在学校课题鉴定会上感道：“这里有一个难得的校长，踏踏实实地做事业、搞科研，带出了一所好学校，一群好教师，一批好学生；这里有一个难得的教师群体，任劳任怨、默默无闻，把特教当做神圣的教育领域坚守、耕耘；这里有一个难得的工作氛围，没有你争我夺，一心一意全在工作上、教育上，加班加点、无私奉献；这里还有一个难得的科研意识和做法，特教是一个不被期望有成果的地方，但是这里几十个老师能有那么多研究成果，在这里处处、时时都能感受到科研工作的意识，每位老师都是研究的参与者、实施者。”鉴定专家以“难能可贵、近乎完美，堪称典范”对研究成果给予了高度评价。

2006 年，随着《上海市教委关于加强随班就读工作管理若干意见》的出台，区域全面推进随班就读，学校面临生源逐年萎缩的生存危机。学校必须转型，迫切需要变革。基于多年的办学经验，学校主动承担区域随班就读巡回指导和研究辐射的职能。为此，学校的功能定位、师资队伍安排、课程教学和资源保障等都要发生改变。如何从一所相对隔离的特教学校转变为开放的、具有较强服务指导功能的新型特教学校，是摆在我们面前无法回避的现实问题。于是，我们以全纳教育理念为指导，在实践层面进行特教学校变革的探索，探讨新型特教学校的未来走向，以使学校成为对区域随班就读工作具有较强服务指导功能的新型特教学校，最终率先实现特教学校的变革。

创新意识是人们进行创造活动的出发点和内在动力。问题是创新的重要载体，学校不断创新发展的过程实际上是不断解决问题的过程。在学校发展的历程中，基于聋哑教育缺失和初职教育课程缺乏等问题，学校积极思考，不断探索，寻找问题解决的方法。正是这种基于问题的创新意识，使得学校在发展历程中跨过了一道又一道坎，破解了一个又一个难题，实现了持续发展。

（二）回应环境的变革动力

学校发展是非直线的，充满着不确定性。在这样复杂的过程中，外在和内在的环境要求对学校的走向作出取舍。面对初职校转办之初教材的空白、师资的不足和随班就读工作推进带来的生存危机等学校发展阶段的一个个十字路口，学校没有“等、靠、要”，消极地维持现状，而是全面分析环境的需求和学校发展的各项因素，充分挖掘学校领导和教师的创造性和主体性，形成学校的变革动力。在 2007 学年第一学期“校长推荐”[①] 版块第 8 期《胡萝卜，鸡蛋，咖啡豆》的学习中，老师们的学习感言生动地呈现了长宁初职人回应环境的变革动力。

① “校长推荐”是教师学习课程中心理修炼课程的一个学习版块。

案例1-1 《胡萝卜，鸡蛋，咖啡豆》学习综述

一壶开水，先放上胡萝卜，几分钟之后，胡萝卜变得软软的，再放上鸡蛋，鸡蛋煮硬了，最后在水中放入咖啡，整壶水变成了浓浓的咖啡饮料。

看了变化的三样事物，我们将作何反应？能否回答自己："我是胡萝卜、鸡蛋还是咖啡？"

其实，看似平常的一件小事和同样简单的一句话，带给我们老师的深思却远非如此简单。

一些老师愿意成为咖啡豆，因为在学校变革的日子里，不应因环境或工作性质的改变而迷失了自己，要凭自己能力去改变现状，融入现状，更主动地迎接"热水"，迎接逆境，应该随着变革而使自己更加适应变革，努力提升特殊教育教学的专业化水平，努力提升研究能力，为使自己成为智慧型阳光教师而努力奋斗！

有的老师愿意成为三者，因为三者都经过了"沸水"的洗礼，在不同的时间，不同的地点，不同的情境中，充分展现自己及其作用。在课堂上愿意做咖啡豆，将身上的"香气"撒播给学生，在对待家长、外校老师时我想做胡萝卜，耐心，而又亲切；在遇到变革困难时，愿意做那个坚强的鸡蛋，对于学校变革的信心，那是再硬不过了！

更多老师则认为，事物都是两面性的，而人更是多面性的，不管某一时期的自己属于哪一类，都应该看到自己长进的一面和不足的一面。尤其是在改革时期，更是要有充分的心理准备，随机应变，力争做最优质的胡萝卜，或最优质的鸡蛋，或最优质的咖啡豆！胡萝卜、鸡蛋、咖啡豆三种各有千秋，一旦经过了"沸水"痛苦的磨砺之后，都变成了营养丰富、味道可口的食品。其实，现在无论如何，学校已面临着变革，变革或犹如"沸水"一般，或变革中挫折与困难，对于已身处变革之中的学校及我们，该如何主动地迎接并参与到变革之中？如何在其温度变化的过程中消除一些阻力，积极寻找变革的道路？

（李贞老师提供）

学校变革是一个历程，是朝着未知方向的努力，是在不断地生成，而不是朝着既定目标的一种行动。因此，变革是在动态的变化过程中实现转型。一直以来，我们始终以积极乐观的心态随机应变，接受变革“沸水”般的磨砺，消除阻力，积极寻找变革之路。于是，老师们自主研发课程、教材，建设支持式学习课程；学校探索多渠道校本培训途径，打造“阳光教师”团队；主动发挥区域随班就读工作的巡回指导和研究辐射功能，思考学校发展的战略愿景，以创新性的变革实践来积极回应环境的需求。

（三）敢为人先的实验精神

实验精神是创新文化的核心，是学校在长期的办学实践中积淀形成的内在精神。学校先后开展了聋儿口语实验、聋儿学前教育、辅读分校、初职校等教育改革实验，在聋儿教育和智障教育方面进行了大胆的探索改革，取得了突出的成果。

案例1－2　那年起，特殊孩子有了“乐学园”①

“智障孩子的教育，曾是家长和学校头疼的大问题。不少孩子无法适应普通学校的教学中途辍学，长大后无法自食其力，这是创办辅读学校的初衷。”

1978年初，当时分别任上海市教育局正副局长的杭苇和吕型伟同志产生了试办智力低下儿童教育的想法。我于1956—1961年曾在苏联国立莫斯科列宁师范学院（现俄罗斯莫斯科师范大学）特殊教育系留学，因此，受市教育局委托，由我负责这项工作。

经过商定，我们定于1979年春节后开学，以轻度智力落后儿童为对象，先招24人，开两个班，定名为辅读班。

首先是人事方面的准备。1978年的下半年，区教育局先后派来两

① 选编自：银春铭．教育战线的一株新苗是怎样出土的［G］//上海市弱智教育二十年论文专集（1979—1999），1999：16－23．

位来自普通小学的老师，加上从幼儿园调入第二聋哑学校的一位老师和我，这就是第一所弱智教育机构的基本队伍。由于他们三位老师从没有听到过弱智儿童及其教育的事情，不培训就无法开展工作。这年的暑假，我抓紧翻译苏联的智力落后教育资料，带着他们进行学习，增强他们承担这项新任务的勇气和信心。为智力落后的儿童开设特殊班级属全国首创，引起了轰动。它的问世，承认了孩子的智力差异，开始探索特殊教育模式，产生了深远影响。不过，也有不少人疑惑：谁来认定孩子确实智障？最大的阻力还来自家长："把孩子送进去，不就等于告诉别人孩子是'憨大'吗?"

12 个人的小班，3 位老师任教。智障孩子抽象思维能力落后，但某些方面却很活跃。因为来不及编写专用教材，就暂时使用全国统编的小学教材，不过，教学进度放慢一半，老师详细讲解，不少学生完全跟得上。而且，每天给每个孩子一个表扬，激发其兴趣。一学期下来，这些曾经充满自卑、恐惧的孩子中，不少人重新拥有了笑容。从此，许多智障孩子有了自己的乐学园，《解放日报》以《教育战线的一株新苗》为题进行了报道。霎时，上海市开办弱智教育机构的信息传遍了全国，而且传向境外，引起国外一些专业人士的关注。

如今，1979 年在我校出土的教育战线的"一株新苗"已被公认为我国大陆现代弱智教育事业的开端。回顾历史，学校八十多年发展中进行的一系列改革实验，不仅增强了学校的内部实力，优化了办学的效益，提高了教育质量、办学水平，凸显了实验学校的实验性，还使学校的各项工作走到了教育教学改革的前沿，找到了一条通过改革创新，实现学校自身发展的实验之路。这一路的征途中，是实验精神的创造者、承载者和实践者，是全体教职员工，凭借自己的扎实工作，创新改革，支撑起了实验精神的那份崇高与执著，开创了一个又一个实践的先河，遇到困难不动摇，面对诱惑不迷茫，始终坚守自己的信念，执著于特殊教育的理想。正是有了这样一种崇高执著的精神，有了这样一支忠诚于事业的队伍，才铸就了学校的持续发展，使学校成为学生向往、家长信任、社会赞誉的一流学校，作为上海特殊教育界的一面旗帜，发挥着良好的示范作用。初职校的转办虽然只有十年的办学历史，但是十年的改革创新，成就了上海特殊教育界的一个传奇。

第二章 『每个孩子都是金子』的教育哲学思想

八十多年前，傅兰雅聋哑学校的诞生，将智慧的火种带给特殊孩子，以造福特殊孩子的朴素思想指引学校的发展。从上海市第一所聋哑学校、全国四所聋校口语教学重点实验学校之一到我国大陆地区辅读教育新纪元的开创，长宁初职的前身在历史上都是知名的，为长宁初职校的创新变革奠定了扎实的基础。

因为大脑发育障碍，智障学生不可能取得像普通孩子那样的成绩，智障教育也自然而然地成为不被期望有“奇迹”的贫瘠之地。特教教师的职业成就感低，难以体验学生的发展带来的幸福感，对教学没有信心。针对这样的现实情况，“为何而教”成为老师们首先要思考和回答的问题。每个人都有一定的潜能，当每个人都有机会挖掘自身的潜能而高效地学习时，他们必将在认知、情绪、社会甚至生理各方面展现出前所未有的积极变化。智障孩子也有潜能，也能够通过适切的教育得到良好的发展。因此，我们提出“每个孩子都是金子”的教育哲学思想，我们认为每个人都是一块闪闪发光的金子，只是金子的含金量不同，有的金子蒙上了一层灰。我们认为，学生是金子，我们激发学生；学生是教科书，我们研究学生；学生是活生生的人，我们尊重学生；学生是艺术品，我们欣赏学生；学生是美好生活，我们享受学生。我们倡导以发现和欣赏的眼光去看待我们的学生，用我们的热忱去打磨那一块块金子。在这一哲学思想的指导下，我们以“全国一流的特教学校”为办学定位，以“六会一技能”为培养目标，以“让每个孩子有尊严并幸福地生活”为办学理念，以“生命共同体引领学校变革发展”为办学方略，追求一种与众不同的特殊。

一、办学定位：全国一流的特教学校

智障学生有着各不相同的障碍程度和个性需求，每一所学校中拥有不同的教育资源和教育哲学思想。考虑到智障学生发展的可能性，针对中、重度智障学生的辅读学校教育以生活教育为主，主要教给智障学生怎样适应生活。智障学生由于其智力和适应性行为的局限性，无法在学术上有高深的造诣，并且他们在学习的迁移上存在困难。对于这样一个群体，适应社会是他们所要面对的重要问题。针对大龄智障学生的初级职业技术教育旨在“用智障学生有限的能力去学习最必要的生存技能”。提供适切的职业教育，促进智障学生的终身发展和社会融合。学习应该是快乐的，职业教育是学生迈向生活的窗口。对于长宁初职而言，就是要使学校成为初职学生获得学习自信和体验学习成功的乐园，要成为对初职学生进行职业技术培训和劳动的基地，要成为初职学生面对生活、学会生存、走向社会的窗口，而不仅仅是单纯学习文化知识和技能的场所。因而，初职教育就必然是个性化的和有特色的，有别于普通的九年制辅读学校教育，也有别于其他的针对升入初中阶段后分流学生的初职教育，更有别于一般中等职业技术学校教育，这就是我们与众不同的特殊。

文化、师资、课程、教育教学、管理是学校发展的重要因素。一流的特教学校应该拥有合作互助、积极向上的学校文化，职业道德成熟、心理素质良好、教育观念先进、专业知识与技能娴熟的教师群体，促进智障学生发展的课程，体现智障学生特点的教育教学方法以及民主、科学的管理模式。

作为一所职业教育学校，1998 年转办之初，学校从学生发展的角度，提出要把学校办成智障学生“学习的乐园、劳动的基地、生活的窗口”，并努力追求“一种与众不同的特殊”，即要在微观层面探索一条学校教育创新之路，实现学校跨越式发展。

二、培养目标：“六会一技能”

有计划、有目的地培养人，是学校教育特定的社会职能。对于智能发展障碍，社会适应能力不足的智障学生而言，适应社会是他们所要面临的重要问题。1998 年，我们协同长宁区劳动局、长宁区残疾人联合会和长宁区辅读学校一起拟订并实施三份调查问卷：《长宁区街道居委会关于大龄智障学生职业培训和就业的问卷》《长宁区企事业单位关于大龄智障学生培训和就业的问卷》和《长宁区大龄智障学生职业培训和就业意向的家长问卷》，对长宁区10个街道镇、40个居委会、50家企事业单位和50位辅读学校七年级和八年级的学生家长进行调查。我们从中了解社会、企事业单位和有特殊教育需要的大龄智障学生家长对学生就业意向和课程需求，对学生就业环境和需求诊断进行了分析。

调查结果表明，在课题组提供的根据大龄智障学生特点和本地区生态环境实际情况设计的15种岗位中，街道干部和学生家长对这些岗位的偏好（综合位次）有些差别：街道干部偏好于比较吃苦、不怕脏累的服务性工作，如社区垃圾箱房管理员和社区园艺护绿员等；而父母则偏好于比较干净和多少有些技术性工作，如宾馆清洁服务员、宾馆客房服务员和烹饪厨工助手等。他们意向差异并不是原则性分歧，因为15种岗位基本上均属于非技术性或强体力劳动工作，但是，两者的差异对大龄智障学生的初职教育支持式课程研究仍有启发。街道干部对大龄智障学生特点和社区可提供就业机会的了解比较客观和实际，而学生家长希望子女能有比较好一点的工作虽然也在情理之中，就怕这种机会较少。在大龄智障学生初职教育和就业岗位选择上应提倡有自知之明和吃苦耐劳精神，否则很容易在身边丢失许多就业机会。因此，我们认为，在大龄智障学生初职教育中，应该加强对市场经济体制和竞争环境认识，培养学生以不计较地位、待遇，不嫌脏怕累的精神去迎接就业挑战；要正确认识大龄智障学生的强项和局限，广开门路寻找适合展示其潜能的工种和岗位；要从社区实际需要出发，在各种行业中开发非技术性和体力劳动性岗位以增加就业机会；适宜大龄智障学生的岗位都可列入初职校专业技术课程教学计划，街道干部和学生家长意向综合位次也可以作参考。此外，支持式课程需加大学生社会实践、岗位体验教育及职业道德、校园文化等方面的建设力度。这样更有利于提高学生的社会适应能力，有助于大龄智障学生由学校生活积极地向成人工作生活有效过渡，最终“回归主流”。

因为大龄智障学生今后大多是生活在自己的社区环境中，所以在支持式课程研究过程中要尽可能满足社区生活需要和学生生活需要，课程内容要与之相匹配，要打开校门，把社区和社会作为大舞台，充分利用社区、学校课程资源，为学生提供多样化的可供选择的有价值的课程。

基于学生就业环境和需求诊断的分析，我们从社会公民和劳动者两个角度，确定了长宁初职的培养目标——六会一技能。从社会公民角度，轻度智障学生初职教育旨在培养学生初步形成主动参与、依法办事、自信负责、敬业吃苦、合作共处、感恩惜福，即“六会”的职业情感与态度。“主动参与”是让学生懂得无论做什么事都要积极参与，只有积极地参与，他们的主动性才能发展和提高；“依法办事”告诉学生懂得遵守法规法则，能够辨别是非；“自信负责”是让学生学会自信，懂得做任何一件事都要认真负责，哪怕是一件小事，都要以积极的态度去对待；“敬业吃苦”让学生知道每一项工作都要付出艰辛的努力，要有不怕苦、不怕累的精神；“合作共处”教育学生要有群体的观念，一个人的力量是有限的，而集体的力量是无穷大的；“感恩惜福”教导学生常怀“感恩的心”，尽所能去回报社会。

作为初职校，重要的职责在于给初职学生提供适切的职业教育，促进他们适应社会生活。因此，从劳动者角度，学校的培养目标是帮助学生掌握一定程度的职业技能即“一技能”，获得适应现代社会所需的职业技能，帮助学生适应社会生活。

三、办学理念：让每个孩子有尊严并幸福地生活

理念是行动的先导。办学理念是学校发展的精神动力，是学校的一面旗帜。或许因为人类区别于动物界，最值得骄傲的显著特征就是人的智慧、理性和自我意识，而初职学生恰恰欠缺的就是这一点，以至人们几乎忽略了他们。人作为生命的主体，其本身的存在具有至高无上的绝对价值和尊严。尊重生命的要义在于要一视同仁对待每一个个体，而不要差别性地对待。每个人只有通过接受必要的教育，适应社会各种劳动领域的需要，才能立足于社会，生存于社会生活之中。从总体上说，智力落后儿童有两方面的缺陷：智障低于平均水平两个标准差和具有适应

性行为缺陷。对于这样一个群体，适应社会是他们所要面对的重要问题。智障教育的目的是使智障学生参与社区生活，享有应该享有的快乐与满足。但是，由于大脑功能发育障碍，智障学生一方面难以将所学知识灵活运用到工作中，另一方面常常为错综复杂的人际关系而苦恼，他们不可能完全充分地实现“社会融合”。但是，通过支持和帮助，他们可以达到部分参与，从而体验到其中的自我价值和快乐。就业是残疾人全面参与社会生活的基础，也是分享社会进步成果的途径。① 对于智障学生而言，以平等的姿态进入社会，参与劳动就业更具有特殊的意义。由此出发，初职学校理所应当地要承担起帮助初职学生适应社会的任务，不仅要教给学生基础的科学文化知识，更重要的是要教给学生赖以生存发展的职业技能，以使其能够最大限度地融入社会，成为自食其力的劳动者。

揭开智障的面纱，智障孩子本身都或多或少地拥有自己的闪光面。我们必须重新评估学生、审视学生和欣赏学生。因此，1998 年以来，学校从主动借鉴到本土提炼，形成了“每个孩子都是金子”的教育哲学思想，并树立了“让每个孩子有尊严并幸福地生活”的办学理念。

四、办学方略：“五为”

学校教育创新发展是一个理念更新、愿景勾画、战略调整的过程。办学方略是学校发展理念下愿景实现的谋划。学生是我们的服务对象，是立校之本，实现“学生为本”的核心在于学校的育人模式系统的构建，即课程、教学、德育；学校是学生、家长和教师的“大家”，没有学校，也就无所谓学生和教师的发展；教师是学校变革发展的主体；学校文化是由学校全体或部分成员共享的价值、信仰、规范等组成的意义结构，像一条感情和习俗的“地下河”，流注于学校的每一个角落，牵

① 闫宇豪，李翔．社会转型期残疾人就业问题探析［J］．科技情报开发与经济，2007（5）：102－103．

引着大家自觉地朝着一个潜在的目标行进；研究是在实践中发现并解决客观问题的一种思维方式。基于以上思考，我们的办学方略定位：学生为本、学校为体、教师为重、文化为先、研究为用。

（一）学生为本

特殊教育是一种人类服务，而不仅仅是一个安置学生的处所①。长宁初职校的“学生为本”主要体现在以需求为依据，以每个学生发展为本，与全国新课程、上海二期“课改”同步进行校本课程的研究与开发，关注社会化、个别化的支持式课程实施与评价。在服务学生的过程中，我们以创新为要求，不断优化教育服务的载体——课程，以促进学生个体和群体都获得实实在在的发展。

首先，学校课程追求“生活即教育，教育生活化；社会即学校，学校社会化”的教育思想，岗位体验课程中，每日的“一人一岗工作”形成了学分制、招聘制、合同制、下岗制等模拟社会运作、学生自主管理的有效工作机制；每月的“爱心义卖活动”中，学生走上街头卖报，“跨越校园围墙”的课程让学生能够积极融入社区，认识社会、适应社会、回归社区。在人与社会课程中，学校编写了《人际与礼仪》《青春与健康》《居家与休闲》《社会与发展》《劳动与就业》5 个主题 25 册 50 万字的主题教育课教材。此外，学校还构建了学校、家庭、社区三位一体的课程。

其次，为了满足学生发展的需要，我们的招生工作实施“零拒绝”。以教学为中心，针对学生个体差异大的特点，“聚焦课程，决战品牌”，对学生进行生命的人文关怀，围绕“六个学会”的思想，帮助学生“找回自信的我”。在教学方面，形成了“一个中心，四分战略”的教学工作特色，以适应每个学生个体发展为中心，提供课程、专业与教材的选择机会，安排学习的弹性时间，实施分层教学，做到学生分层、目标分层、教学分层和评价分层，并努力打造个别化教学的服务品

---

① 杨广学．服务导向的广义特殊教育模式［J］．中国特殊教育，2008（1）：18.

牌，着力推进小步教学程序、学习进步档案、学科快乐考试、学生成长档案袋和个别化教育计划等个别化的学习辅导载体与多元化的评价载体。

再次，学校以德育为核心，形成了“一个引擎，四轮方略”的德育工作特色，以心理健康教育为德育引擎，以爱心义卖活动、一人一岗工作、校本争章活动、行为动态管理为校本德育四轮，提出并实践了“情境—体验—内化”的德育模式。班主任立足学生个体差异性，关注家庭教育指导，使德育工作走向个别化与合作型，实施家校你我他合同、学生发展案例和学生电子档案等个别化德育措施，以满足学生和家长越来越个别化的教育需求。

学生为本就是要服务学生及其背后的家长，提供适合于他们的课程体系，尽最大的努力去满足每一个学生发展的需求，为学生鲜活的生命奠基，让每一个学生闪光！

（二）学校为体

学校是一个大家，代表着全体学生、教工的利益，学生的发展、教师的成长离不开学校。只有学校做强做大，学生和教师才能获得更好的发展。1998 年，学校因聋校设点布局调整，教育对象的改变使办学难度剧增，教师队伍只留下了 18 个“老弱病残”的教职工，学校陷入了办学的低谷。于是，每一位教职员工都具有了强烈的生存危机，产生了与学校同甘苦、共命运的朴实情感。

我常对我们青年教师这样说：“青年教师要做别人做不到的事情：别人不愿付出的，你要肯于付出；别人不舍得的，你要能够舍得。”在这样的思想精神引领下，在学校领导以身作则的氛围下，我们全体教师总是常常发挥着不计时间、不计报酬的奉献精神，完成一件件看起来根本不可能在那么短时间内完成的任务。为了让学生更好地适应社会，在专家和科研文章的指引下，2002 年下半年，全体 19 位教师共同来为学生编写《人与社会》课程教材。当时，有的老师对编写的材料不熟悉，就从家里和图书馆里翻来厚厚一叠的报纸和杂志等资料，一张张地找；

有的老师下班时看到马路上、车站上发生的事情，也会很有心地记录下来作为典型事例编进教材里。他们常常这样戏称：“好像是自己接受再教育一样。”确实，生活中有太多的东西需要去学习，要教好学生就必须先过自己这一关。从生活中学习，自我更新知识，自我学习和教育不但是我们要教给学生的，也是我们教师必须做到的。经过全体老师的努力，不到四个月的时间，19 位老师已经完成了 30 多万字的教材，从此奠定了学校发展的基础，教师的课程开发和实施能力也得到了提升，最终促进了学生的发展。

（三）教师为重

教师为重主要体现在学校重视师资队伍建设，将着力打造一支有分量、有内涵的师资队伍作为学校发展的关键。面对屡教不会的智障学生，特殊教育教师比普通教育教师更加需要爱心、耐心、细心，需要较强的压弹能力和心理调适能力。学校努力把握特殊教育教师的职业特性，引导教师积极面对职业生涯，逐步形成了“以关爱学生为基础，以敬岗敬业为重点，以育人水平为核心”的学校教师职业观和“努力过程、看淡得失、满怀感激”的阳光教师观，并在实践中促进教师群体的不断发展。

面对学生课程变革带来的教师专业化发展的挑战，学校形成了一套特教学校课程领导的运行机制，促进教师在参与课程领导中提升课程决策和课程实施能力。为了帮助新教师尽快地转变角色，了解学校各项工作，感受学校文化，学校开展了专项课题研究，通过组织新教师就职宣誓、职业导航计划、安排专业带教老师和文化带教老师等方式，帮助新教师获得心理的成长。

在队伍优化方面，主要运用“鲶鱼战略”进行输血，加强校本培训的造血机制建设，形成了换血的活水机制，并形成了专家讲座、名师讲坛、教师论坛、微格课堂、参观访问、专题学习、课程开发、技能比赛和教育会诊等组成的校本培训“九大载体”，还形成了学科研究伙伴、专家随堂评优、优秀教师留学等“四新载体”。此外，学校把“让评价伴随教师成长”“评价指向教师群体发展”“在合作对话中实现有效评价”等作为教师评价的主旨，构建了教师多元发展评价体系，并通过指向不断自我超越的“教师成长记录册”，提升教师实践智慧的教育教学评估，“努力过程、看淡得失、满怀感激”的“阳光教师奖章活动”等多样化的评价方式，充分发挥评价的诊断、激励、导向等功能，以促进教师职业化方向与专业化方向的共同发展。

基于教师职业压力大，特殊教育教师职业满意度低的普遍现状，近年来，学校开展了教师“心理自我教育活动”，通过多种形式促进教师专业心理成长，提高教师的职业满意度。学校每月一次举行教师心理沙龙活动，教师获得了情感的宣泄，使学校与教师亲如一家；学校利用网络资源，引导教师运用“合理情绪疗法”进行心理自我教育，引导教师产生“雨中阳光”的良好心态；学校开展凝聚力工程，校领导对教师的每年家访率均超过100%；发动教师提金点子，鼓励做学校的“主人”，为学校的发展建言献策，使教师感到组织的温暖，感到在团队中的个人价值；学校通过教师明星访谈等多元化的表扬、评优、奖励、推优手段帮助教师成长，努力为教师搭建发展舞台，争取成功机遇，获得职业满足。

（四）文化为先

一个良好的工作氛围，是打造一支好的师资队伍的基础，有一个好的工作环境，就能够在队伍建设中，发挥出春风化雨、润物无声、潜移默化的“化”的功能，因此，在学校内涵发展中，学校文化建设较教师专业发展、学生充分发展更显出了先导的地位。1998年招收第一届初职生以来，学校逐步形成了“生命共同体”的组织价值观，经过十年生聚与沉淀，十年变革与创新，健康的学校文化受到教工们一致认同，学校文化成为了激励教师的重要力量。

学校文化墙

首先，加强制度文化建设。加强管理需要建章立制、目标引领、评价保障，以保证领导有力，工作到位。长宁初职将学校核心功能定位于服务，制定了5章50条的《学校章程》，构建了现代学校制度框架，编制了7大块220项制度的《教工手册》，实施校长负责制、职务聘任制、结构工资制，构建了三个互相衔接、相互联系且闭合的管理体系（以全面目标计划体系为指导，以支持式课程管理体系为核心，以多元发展评价体系为保障），以此保证并不断改进对学生及相关消费者的教育服务；学校加强校本课程管理与评价，改革了原来的学校行政管理机构，形成了科学合理的课程管理机构和相关的工作机制，有效促进了校本课程建设的持续发展，全面实施“数字化管理”，大大提高了管理效率和水平。

其次，加强文化内涵发展。随着办学实践的推进，管理的有序和有效，除了靠学校制度文化的建设，更多的还是靠学校精神文化的力量，靠学校组织价值观的力量。学校十分重视文化内涵发展，从办学之初的学校形象设计，校长亲自设计了校徽、编写了校歌，从统一的信封、信纸开始，到后来开展网上金点子卡、网上精神文明积分卡、当月教师明星、优秀教育小办法、教师师德自我教育、教师心理自我教育等一系列学校文化活动，建设并营造了以人为本、学习研究、民主共进、团队自律、宽松和谐、积极向上的学校文化观。而学校文化观的核心是“生命共同体”的学校组织价值观，即学生、教师、学校是命运的共同体，利益的共同体，也是学习的共同体、价值的共同体，更是幸福的共同体。

学校文化内涵的发展是一个进程，需要学校领导和教师用自己的汗水、心血，甚至于用许多个人利益的牺牲换来并凝结而成，是生动的、鲜活的规范，是超越了制度层面的规范。目前，长宁初职正在进一步关注教师职业生涯质量，追求学生、家长、教师幸福最优化的和谐统一，努力实现学校的可持续发展。

（五）研究为用

研究为用是指学校以研究的思维来总揽和把握学校发展的整体改革，是基于问题的研究范式，是为了解决实际问题，从而提高教育教学的含金量。从 1998 年的学校转办至今，我们总是积极回应办学中的问题，认真分析，围绕学校发展中的关键问题设计龙头课题，以此来统筹学校发展的各方面工作。为了更好地聚焦问题，有计划地完成龙头课题的研究任务，我们将问题进行分解，有的分解成子课题，有的转化、细化成教研主题，形成课题群，鼓励一线教师立足于教育教学实践问题，以行动研究为取向，在行动中研究，在研究中行动，以研究促课改，以课改促研究，持续深入地开展教育科研，促进学生、教师和学校的发展。

第一阶段（1998—2004）：课程从无到有。学校转办之初，国内并没有一套完整的、以就业为导向的、促进轻度智障学生社会融合的课程和教材。因此，从 1998 年起，学校以教育部基教司“十五”特教课题和上海市教育科学研究项目《智障学生初职教育支持式课程的研究》为龙头课题，解决初职教育课程开发和教材编写的现实问题。提出了课程目标，形成了五大类课程结构，编写了校本教材，编制了学生多元发展评价工具，初步构建了学校课程体系，以帮助智障学生掌握一技之长，自食其力，并最大限度地支持其终身发展，提升幸福感，有尊严地实现社会融合。

第二阶段（2004—2007）：加强课程领导。随着办学规模的扩大，随班就读学生在学校教育对象中占比的提高，原先的支持式学生课程的不适应性与局限性逐渐显现，需要持续发展与变革，这给教师专业发展提出了挑战。学校以上海市教育科学研究重点项目《特教学校课程领导中教师群体发展的研究》为龙头课题，同时开展中央电教馆“十一五”重点课题《特教学校信息技术环境中教师群体发展的研究》，解决课程领导与课程实施能力提升的现实问题。设立了以课程为中心的学校组织架构，形成了教师共同参与的学校课程领导运行机制，开发了教师网络课程，并通过主题性校本教研，开发课程资源包，探索工作分析步骤细化、信息技术整合等课程实施方法，促进了教师群体课程决策和课程实施能力的提升。

第三阶段（2007 年至今）：初职教育走向终身教育服务。转办以来，学校始终以服务学生为本，在轻度智障学生的教育教学实践和研究中不断探索，在全国特教领域已具有了一定的知名度。然而，2006 年出台的《上海市教委关于加强随班就读工作管理若干意见》明确规定，随班就读学生必须在普校完成九年义务教育。于是，学校生源势必逐年萎缩，面临生存危机。学校迫切需要变革。学校以上海市教育科学研究重点项目《全纳教育视野下特教学校变革的行动研究》为龙头课题，通过 SWOT 分析诊断学校发展现状，在国内外文献研究的基础上，勾画了学校的未来走向，从学校原有职业教育功能的基点出发，持续改进和完善原有初职教育课程，探索专业技能精致化教学的途径、方法，加强教学绩效的实证研究。同时，课程前移，开发了随班就读学生教育康复训练课程，制订了训练方案，为其接受初职教育作好转衔服务；课程后续开发了就业转衔课程，帮助学生顺利就业，更好地融入社会。学校正由初职教育逐步走向为终身教育服务。

第三章 支持式学生课程的建设

办学之初，学校的课程教材缺少国家课程的具体指导，处于艰难起步的状态。对智障学生实施初职教育的最终目的是让其回归社会，实现个体自主发展。由于智力发展不足并伴随适应性障碍，智障学生感知觉速度缓慢，感知觉范围狭窄，感知觉内容笼统而不精确，记忆能力差，识记速度缓慢，记忆容量小，记忆保持不牢固，注意力极易分散，注意范围狭窄，职业技能的学习和操作存在极大的障碍；另外，智障儿童在情感的表达上掩饰性、隐忍性、自我克制性都比较低，语言理解和表达能力不足，存在与人交往方面的障碍，已经具备职业资格的智障学生难以灵活应变，将学校所学知识灵活运用到工作中，还常常因不善于处理复杂的同事和上下级关系，不经意地“冒犯”同事或上司。面对困难，我们努力挖掘教师队伍的课程开发和课题研究潜力，自主开发了支持式学生课程，以实现“六个学会”的培养目标。

一、课程理念：最大限度地激发每个学生的潜能

开发支持式课程，离不开科学的课程理念的指导。在课程开发过程中，我们需要关注的不仅是真正能够应用到智障学生生活情境的知识，而且更要关注每一个学生个体对知识的不同理解，必须高度重视学生的需求，立足于其原有的人生经验，从学生的实际生活中获取完善课程的资源。课程是教师为学生服务的载体、手段和途径。优质的学生课程，必须建立在高素质教师队伍基础之上，离不开全体教师的参与。学生学习的本质属性之一是“差异”。学生亚群体以及教师个体之间的差异是不容忽视的，在开发支持式课程的建设过程中，我们将差异视为资源，以对话的形式实现教师之间、师生之间的互通有无和优势互补。

在学习、汲取和转化以上重要观念的基础上，我们不断进行实践经验的总结，并把两者有机结合，逐步形成了一系列立足于实践层面的观点。

1. 以“每一个孩子都是金子”的教育哲学思想为指导，着力激发学生的潜能

我们认为，每个人都有自己的潜能，智障孩子也不例外。初职教育课程应从“每个孩子都是金子”的哲学思想出发，关注学生已有的经验和兴趣爱好，尊重学生在学习中的主体地位，相信每一位学生都有自身个性特长，综合运用课程教学、职业教育、特殊教育、心理学、语言学、运动学、医学等相关学科知识，充分激发学生潜能，帮助学生掌握一定的职业技能，具备基本的文化知识素养，促进学生的多元化发展。

2. 以社会融合为核心，培养学生的职业适应能力、社会适应能力和生活适应能力

促进初职学生的社会融合是初职教育的一个重要目标。智障学生智力发育迟缓、社会适应能力弱，“融合”需要智障学生能够主动参与社会生活，能够处理现实生活的种种实际问题。职业技能的学习和掌握是智障学生平等融入主流社会的根本所在，支持式学生课程的建立旨在使学生适应未来职业岗位、适应社会的课程价值取向，确立使学生具有职业适应能力、社会适应能力和生活适应能力的课程目标，支持大龄智障学生作好面临成人生活的心理准备；支持大龄智障学生适应成人期的家庭和社区生活；支持大龄智障学生作好职业生活的准备，发展职业能力，使他们掌握一定的职业知识和技能，养成良好职业态度，拥有较好的职业心理和伦理。

3. 突出课程的实用性、选择性、延伸性、统整性，促进学生的差异发展

从课程内容与结构角度，注重将学生的日常生活和知识经验作为课程资源，整体设计满足学生自身发展和适应职业生活的实用性课程。在提供学生基本文化知识、职业技能、情感心理等发展的共同性课程的基础上，依据学生的实际需要提供支持学生潜能发展、补偿缺陷的选择性课程。根据学生心理特点，为学生提供职业适应的延伸性课程，以充分支持学生立足社会、职业适应；加强学校、家庭、社会的有机联系，充分利用各种教育资源，发挥课程的整体效应，促进学生的差异发展。

4. 注重差异性教学，提供适合学生需求的个别化教育

从课程实施角度，依据学生学力水平的差异，制定科学的分层依据，实施差异性的分层教学。依据个别学生的不同特点和需要，对于存在较大缺陷的学生主要采用言语个训、个别心理辅导方式进行个别教学，对于较有潜力的学生通过个别化教育计划的实施进行个别辅导。

5. 尊重学生的个体差异，建立多元发展性评价体系

从课程管理角度，针对学生不同的发展基础、学力水平和教学目标，对每个学生进行个别化评价，促使学生在原有基础上充分发展。基于培养目标和学生个体发展的不同方面，确定多元化的评价内容。尊重学生差异，坚持质性评价与量化评价相结合，动态评价与静态评价相结合，分层评价与个别评价、自我评价与他人评价相结合的原则，使评价真正做到以学生发展为本。

二、课程目标：自食其力的劳动者和适应社会的现代公民

大龄智障学生初职教育还应试图帮助他们由学校生活有效地过渡到成人工作生活，获得充分发展所面临的个人适应、社会适应和职业适应。围绕“六会一技能”的培养目标，在对学生就业环境和兴趣需求以及能力水平进行了分析之后，从劳动者和社会公民的角度，确定了支持式学生课程的两个具体目标。

劳动者角度：掌握一种或几种职业技能，获得适应现代社会所需的职业资格证书；初步形成主动参与、依法办事、自信负责、敬业吃苦、合作共处、感恩惜福的职业情感与态度，成为自食其力的劳动者。

社会公民角度：学会适应现代职业的必要文化知识和学习策略，具

有基本的文化素养；具有健康的个性和良好的身心素质，养成健康的生活方式和审美情趣，成为适应社会的现代公民。

考虑到我校学生智力发展缓慢的特点及较大差异性，在支持式学生课程中，我们提炼出生活化、具体化、个体化的“六个学会”的课程目标体系（见表3－1），具体分三个层次进行阐述。

表3－1　支持式学生课程“六个学会”的目标体系

第一层次		第二层次	第三层次
概念化表述	生活化表述	具体化表述	个体化表述
学会主动参与	我来做……	1. 知道只有正确认识自己的能力和特点，才可能融合于社会群体的道理 2. 拥有积极乐观、勇于面对现实和挫折、渴望工作的良好心态 3. 主动参与学习、工作、生活等各种有益的活动，学会一定的生活技能、劳动技能和职业技能	1. 对于能力较强的学生：能够在承受挫折后，不断正确认识自我 2. 对于能力较弱的学生：能够积极参与一些力所能及的事情
学会依法办事	我记牢……	1. 了解有关法律法规制度和社会规则，并知道需要依法办事的道理 2. 积极认同法律法规制度的重要性、社会规则的合理性 3. 遵守各种法律法规制度和社会规则，会辨别是非	1. 对于能力较强的学生：能够抵制不良言行的诱惑 2. 对于能力较弱的学生：学会不被别人诱骗和利用
学会自信负责	我能行……	1. 知道做任何事情要自信、要负责任，对自己、他人和社会也要负责任的道理 2. 体验负责带来的辛苦和完成一件事情后而获得的愉悦 3. 做事情踏踏实实、有始有终，认真对待每一件事情	1. 对于能力较强的学生：能够不嫌弃任何一项工作 2. 对于能力较弱的学生：学会认真做好每一件事情

续表

第一层次		第二层次	第三层次
概念化表述	生活化表述	具体化表述	个体化表述
学会敬业吃苦	我不怕……	1. 知道吃苦的普遍性，干任何事情都要吃苦，懂得苦尽甘来的道理 2. 体验意志战胜困难带来的快乐及坚持不懈、持之以恒所带来的成功喜悦 3. 必须面对并努力做好困难或烦琐的事情，表现出爱岗敬业的行为	1. 对于能力较强的学生：能够思考如何提高工作质量和工作效率 2. 对于能力较弱的学生：能够做好有一定困难的事情
学会合作共处	我来帮……	1. 知道每个人都是集体的一员，要为集体出力和争光的道理，并懂得相互协作的重要性 2. 体验获得他人帮助和帮助他人带来的感激和满足 3. 完成自己工作之后尽己所能帮助他人，并能够友好地与人交往	1. 对于能力较强的学生：能够尊重合作伙伴 2. 对于能力较弱的学生：当需要许多人一起完成一件事情的时候，能够寻求他人的帮助
学会感恩惜福	我珍惜……	1. 知道自己的成长离不开家庭、学校、社会关爱的道理 2. 体验得到他人关爱的快乐和幸福，拥有感恩惜福的健康心态 3. 珍惜学习、工作、生活的机会，孝顺父母，勤奋学习，努力工作，服务社会	1. 对于能力较强的学生：能够做到珍惜机会，回报社会 2. 对于能力较弱的学生：能够养成说“谢谢”的习惯

第一层次是“六个学会”的概念化表述和生活化表述，具体为“学会主动参与，我来做……；学会依法办事，我记牢……；学会自信负责，我能行……；学会敬业吃苦，我不怕……；学会合作共处，我来帮……；学会感恩惜福，我珍惜……”，朗朗上口，有利于学生的记忆。

第二层次是以相对具体的若干要点分别呈现“六个学会”的目标，

加强学生对“六个学会”的理解和实践。如“学会主动参与，我来做……”的具体化表述为“知道只有正确认识自己的能力和特点，才可能融合于社会群体的道理；拥有积极乐观、勇于面对现实和挫折、渴望工作的良好心态；主动参与学习、工作、生活等各种有益的活动，学会一定的生活技能、劳动技能和职业技能”。

第三层次是“六个学会”的个体化表述。针对初职学生能力的强弱，我们提出了个别化课程目标。如“学会依法办事，我记牢……”的个体化表述为“对于能力较强的学生：能够抵制不良言行的诱惑；对于能力较弱的学生：学会不被别人诱骗和利用”。

通过概念化和生活化、具体化、个体化三个层次的表述，“自食其力的劳动者和适应社会的现代公民”的支持式学生课程目标转化为具体、可操作和可检测的行为变化，渗透在学生日常的学习和生活中，体现了大龄智障学生的个性和共性特点，有助于“六会一技能”培养目标的实现。

三、课程结构与内容

智障学生作为社会的一个弱势群体，要适应社会，就必须掌握一技之长，具有基本素质、职业技术和就业观念，从而作为合格劳动者通过自己力所能及的诚实劳动，充分地参与社会，获得平等的劳动权和生存权，并获得赖以生存的劳动报酬。为了满足智障学生生存发展需求，我们着力开发一套初职教育课程，提供大龄智障学生必要的职业技能培训和职业观念陶冶，帮助他们掌握和提高日常工作生活所必需的技能素质，以满足成人生活工作的社会要求，从而满足大龄智障学生适应社会发展和职业要求的需要。从这个意义上来说，我们的初职教育课程旨在给智障学生提供支持，故定为“支持式学生课程”。

支持式课程是我校校本课程的总称，下面将主要从课程总体结构、课程设置与课时分配、五大类课程具体内容三个方面来阐述有关支持式课程的结构与内容。

（一）课程总体结构

适合于大龄智障学生职业技术教育的支持式课程主要包括通用基础课程、专业技术课程、综合康复课程、人与社会课程和岗位体验课程，如图3－1所示。

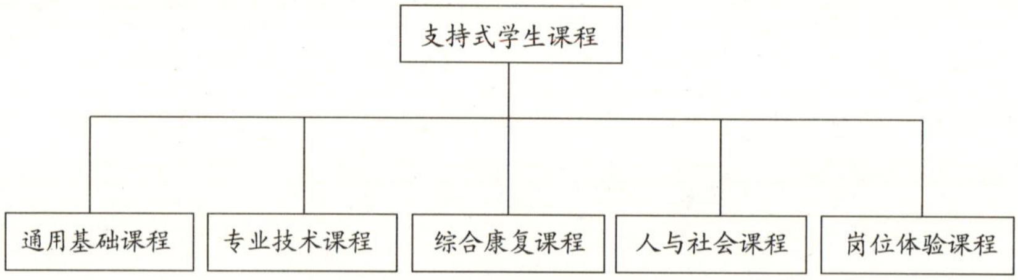

图3－1　支持式学生课程结构图

初职教育首先要促进学生进入社会，适应社会生活。通用基础课程以学生适应现代社会所需要的最基础的文化知识为主，旨在提高学生的文化素养，提高学生应对生活实际问题的能力。通用基础课主要有实用语文、实用数学、实用英语、计算机、体育、律动和主题教学。

职业教育是残疾人立足社会的根本所在，特殊教育学校不仅要教给学生基础的科学文化知识，更重要的是要教给学生赖以生存发展的职业技能。基于学生就业环境和需求诊断分析，专业技术课程以就业为导向，有职场礼仪、烹饪、面点和园艺。

初职学生在智力方面存在着一定障碍，导致其在文化学习上可能难以达到同龄孩子的水平，但他们也有一定的潜能，我们应该努力发现并最大限度地开发每一个学生的潜在能力。综合康复课程从潜能开发的角度，通过心理、艺术等方面的康复，提高初职学生的生命质量，促进学生的多元发展。综合康复课程主要有心理、美术、陶艺、音乐和生命教育。

生命教育是现代教育进一步深入到人的精神世界的一个重要趋向①。学校教育要“引导学生热爱生命，建立生命与自我、生命与自

① 吴增强．生命教育——培育青少年健全人格［J］．基础教育参考，2003（7）：6.

然、生命与社会的和谐关系”。人与社会课程立足于人际和谐、人与社会和谐的现代理念，积极支持学生悦纳自我、自信自强，设置了劳动与就业、青春与健康、社会与发展、人际与礼仪、居家与休闲五个专题的主题教育课。

初职学生认知能力弱，习惯养成困难，情感体验不强。但他们又必须具有一定的职业仪式、就业观念以及良好的劳动习惯和工作态度，以增强职业适应能力。这就需要创造大量的实践尝试和内心体验的机会，并从中培养学生发现问题、解决问题的能力。岗位体验课程通过学校创设的社会情境，让同学参与实践、体验，从而不断内化、深化、强化职业意识，获得职业适应力。岗位体验课程有一人一岗，爱心义卖活动，社区服务活动，暑期社会实践，毕业实习锻炼，求职应聘指导和职后跟踪指导。

（二）课程设置

学校生源主要有两类：一类是初中随班就读结业的轻度智障学生，他们的能力相对比较强；另一类是完成九年辅读教育的中、重度智障学生，他们的能力比较弱。根据学生的智障程度，我们进行了课程内容的设置与课时分配，分别提供相应的课程，进行不同的课时安排，学制均为三年，详见表3－2。

表3－2　支持式学生课程设置及课时分配表

<table>
<tr><th colspan="2" rowspan="2">年级
智障程度
周课时
科目
课程</th><th colspan="2">一年级</th><th colspan="2">二年级</th><th colspan="2">三年级</th></tr>
<tr><th>强</th><th>弱</th><th>强</th><th>弱</th><th>强</th><th>弱</th></tr>
<tr><td rowspan="7">通用基础课程</td><td>实用语文</td><td colspan="2">3</td><td colspan="2">3</td><td colspan="2">3</td></tr>
<tr><td>实用数学</td><td colspan="2">2</td><td colspan="2">2</td><td colspan="2">2</td></tr>
<tr><td>实用英语</td><td colspan="2">2</td><td colspan="2">2</td><td colspan="2">2</td></tr>
<tr><td>计算机</td><td colspan="2">2</td><td colspan="2">2</td><td colspan="2">2</td></tr>
<tr><td>体育</td><td colspan="2">1</td><td colspan="2">1</td><td colspan="2">1</td></tr>
<tr><td>律动</td><td>2</td><td>1</td><td></td><td>1</td><td></td><td>1</td></tr>
<tr><td>主题教学</td><td></td><td>4</td><td></td><td>4</td><td></td><td>4</td></tr>
</table>

续表

课程	科目 \ 周课时 \ 智障程度 \ 年级	一年级		二年级		三年级	
		强	弱	强	弱	强	弱
专业技术课程	职场礼仪					1	1
	专业 1	8	7	10	7	10	7
	专业 2	8	3	10	3	10	3
	专业 3		2		2		2
综合康复课程	心理	1		1		1	
	美术	1			1		1
	陶艺	1			1		1
	音乐		2		2		2
	生命教育	1		1			
人与社会课程	社会与发展						
	居家与休闲						
	青春与健康						
	劳动与就业						
	人际与礼仪						
岗位体验课程	一人一岗工作						
	爱心义卖活动						
	社区服务活动						
	暑期社会实践						
	毕业实习锻炼						
	求职应聘指导						
	职后跟踪指导						
拓展课程	兴趣课	2		2		2	
周课时数		34	34	34	34	34	34

初中随班就读结业的学生能力比较强，职业技能学习是一项主要的内容。一般而言，这些学生学习两门专业技能，三年级参加上海市劳动能力职业资格证书考试。专业课在整个课程的学习中，占比最大。能力强的学生最终目标为就业，设置两门专业课是为了让学生能够集中精力，通过考试获得职业资格证书，实现就业；能力弱的学生，毕业以后

更多的是居家生活，设置三门专业课，为的是能够尽量帮助他们学习一些生活技能，提高生活适应能力。职场礼仪是为三年级的学生适应实习就业的需要而开设的一门专业课，主要学习职场礼仪，以及相关的职业素养方面的内容，暂定为每周1课时。

辅读学校毕业的大龄中重度智障学生虽然已经接受过大量与生活自理能力有关的训练，但是他们的生活自理能力还是非常弱。而他们在初职校就读三年之后就要离开学校，留在家中或步入社会，开始独立的生活，他们的生活自理能力的需求更加迫切。主题教学，是在一定的专题问题情境下，以学生主动建构为活动主线，旨在促进学生多元智能发展的教学活动形式。因此，对于辅读学校毕业的学生而言，主题教学是一项重要的内容。我们围绕培养大龄中重度智障学生的生活自理能力，设计适合他们的生活主题内容，进行相应的活动设计，以拓展课为载体，将生活方面所遇到的各类问题都融合在一起，摆脱传统的分科教学的形式，进行生活方面的主题活动，探索适合大龄中、重度智障学生的活动内容，以帮助这些学生在今后能较独立地生活。

智力障碍学生的注意力集中非常困难，在课程实施中发现学生很难保证45分钟的注意力，因此根据学生特点将每节学科课压缩至40分钟，以保证学生的学习效率，既取得了良好教学效果，又使学生能够掌握好所学内容。人与社会类课程安排在每天下午的最后时间，每节课时间为20分钟，不计入总课时量；岗位体验课属于实践类课程，一般而言，一人一岗是每天早晨7：30—7：45，爱心义卖活动每月一次，社区服务活动、暑期社会实践、毕业实习锻炼、求职应聘指导、职后跟踪指导，根据需要，不定期开展。因此，岗位体验课也不计入总课时量。其余课程均以正式课堂教学形式开展，每节课时间为40分钟。每周每班32节学科课，每天中午有闲暇教育，由班主任老师结合时事主题开展。另外每周有1次兴趣选修活动，每次60分钟，由于是学生自己最感兴趣的内容，所以学生也能够乐此不疲。

支持式课程是“活”课程，随着学生就业和需求而不断完善。由于学生对象的差异，在学科课程量的结构上，要求划一的标准是比较困难的，这也不符合课程要适应学生的课程思想。所以，对于学科课程量的比例，支持式课程提供了一个基本的标准，那就是“专业技术课程”要占课表中学科课程总量的50%，而且随着年级的增长，专业课的占比相应增加。

案例3-1　2006学年第一学期初职二（1）班课程表

星期 科目 时间	一	二	三	四	五
8：00—8：20	升旗	早操	早操	早操	早操
8：20—9：00	面点	生命	心理	园艺	面点
9：10—9：50	面点	计算机	园艺	园艺	面点
10：00—10：45	园艺	英语	园艺	面点	语文
10：55—11：35	园艺	数学	语文	面点	数学
12：00—12：45	弹性	弹性	弹性	弹性	弹性
12：45—13：25	语文	园艺	面点	面点	园艺
13：35—14：20	英语	园艺	面点	面点	园艺
14：30—15：10	体育	青春健康	计算机	劳动就业	人际礼仪
15：20—15：40	社会发展		居家休闲		兴趣

以2006学年第一学期初职二（1）班[①]课程为例，每周实用语文学科3节、实用数学学科2节、实用英语2节、计算机2节、体育1节，通用基础课程的学科课时总共占班级课程表学科课程总量29.4%；专业技能课共有20节，占58.8%；心理和生命各1节，综合康复课程占5.9%；兴趣课为2节，占5.9%。从中可以发现，对于能力强的学生，专业技能的学习占了近60%，突出了学生的特点，满足了学生的需求。

① 初职二（1）班为随班就读结业的学生，班级同学能力比较强。

（三）五大类课程的内容重点及特色

本着发现并最大限度地开发每个孩子的潜能的课程理念，使学生成为自食其力的劳动者和适应社会的现代公民，五大类课程有着各自的内容重点及特色。

1. 通用基础课程

通用基础课程有实用语文、实用数学、实用英语、计算机、体育、律动、主题教学。它们的选编主要从实用性入手，强调基础和应用，注重有效地补偿学生智力与适应行为的缺陷，注重培养学生的语言能力，注重学生的生活应用能力、独立生存能力、社会适应能力，以及相应的道德行为习惯的培养。

课程内容选择以学生生活经验为中心，课程内容组织关注了课程与生活、课程与课程的整合以及每个学生的知识结构特点，让学生在每门学科中都获得实用的知识技能、丰富的情感体验。其中实用语文、实用数学是通用基础课程中主要的学科，为智障学生的学习打下一定的文化基础；实用英语、计算机满足了学生和家长的需求，使智障学生成为国际都市的现代人；体育、律动以锻炼学生体质、促进机体康复为目的；主题教学帮助学生适应社会生活。例如，实用语文以“学生生活经验”为教材编写的核心思想，根据学生的身心特点、社会需求和实际语言文字水平，立足课程教学一体化思路，着力解决“学生需要什么”“教材怎样编”“学生怎样学、教师怎样教”的定位问题。

首先，学生需要什么？我们将智障学生现在和未来生活及职业的需要作为教材编写的基本起点，并有机地结合德育，教材组选择了自我介绍、打招呼、打电话、待客、做客、文明用餐、问路、探病、求助、修饰仪表、交友、尊敬师长以及怎样填写应聘表等内容组织在《实用语文》教材中。在教材中，根据学生实际情况，没有安排文言文内容，也没有安排记叙文、议论文写作内容，只安排应用文写作单元，并编入填表格等各种生活技能内容，为的是提高学生在生活中的语言文字运用能力，提高职业应聘技能。这也是智障学生支持式课程教材的一个重要特点。

其次，教材怎样编？教材内容组织有垂直组织、水平组织两种方式。垂直组织是将各种课程要素按照纵向发展序列组织起来，有连续性和顺序性排列两种。水平组织则强调课程要素横向的整合性。实用语文教材总体上按照水平组织方式编写，注意与学生经验和社会生活经验整合，把所选择的课程内容安排在两年四册教材之中，每册教材 8 个单元，其中 2 个应用文写作单元、6 个实用阅读单元，每个实用阅读单元又分 3 大部分，即常识篇、欣赏篇和基础训练，整套教材在语文学科的语言与言语能力要求上，力求将能力训练按由低到高、由易到难、由简到繁的顺序贯穿始终，遵循了垂直组织的顺序性思路。

再次，学生怎样学、教师怎样教？在教材编写中，我们预先考虑教材的使用。实用语文教材要坚持“教、学、做合一”的生活教育思想，在教材中编写了一定量的实践内容，以便让学生在情境中学，学以致用，学用结合，着力培养学生语言文字和社会适应能力。我们将有助于学生社会知识、生活知识传授与技能培养的课程内容，编入常识篇中；在欣赏篇中，将学生语言文字的教学训练内容编入其中；在基础训练部分，编写学生综合性训练的内容。

此外，在教材使用过程中，实用语文教材组还不断调整教材内容，如，当银行实行“实名制”后，教材中《存取款》的教学单元就进行了相应的调整、补充。配合学校开展的德育教育，我们进行“学会感恩”和“爱我台湾”的语文主题活动；在艺术节中有我们的诗歌朗诵比赛；在每个班级黑板报的一角都有拼音角，并让检查的学生进行“我是啄木鸟”的纠正改错活动。案例 3－2 是实用语文第五册教材的目录。

案例 3－2　实用语文第五册教材目录

（李贞老师提供）

2. 专业技术课程

专业技术课程有烹饪、园艺、面点、职场礼仪，以学生的发展为主线，从多个维度设计和编制课程，既重视课程内容的目标和方向的建构，又重视过程和方法的建构；既重视知识和技能的建构，又重视非智力因素的建构。也就是说，把专业技术课程内容当做一个信息材料，让学生通过学习、交流、实践和体验，在提高智能素质的同时，又提高其综合素质。当然，其过程还必须设置适当比例的专业理论课，使学生有充分的时间掌握专业基础理论知识，为其以后走上工作岗位打下坚实的理论基础。

专业技术课程的内容依据不同学生的主、客观需求，结合学校专业设施、教师专业水平、区域劳动力市场需求等因素进行选择，运用“课程超市”方式进行组织，并根据学校师资、教室等课程资源情况列出菜单选项，提供给智障学生及家长，让他们根据自己的需要和学习可能进行选择。专业技术课程有职场礼仪、烹饪、园艺和服务四门。学生主修一门专业技术，在条件许可的情况下，可以再辅修一门专业。主修专业开设时间跨度为三个学年。专业技术课程的学习主要是帮助学生获得一技之长，获得服务社会的准入资格。学生通过学习，参加劳动部门组织的职业资格证书考核，必须获得一张及以上的职业资格证书，方可获得初职校毕业文凭。

与通用基础课一样，专业技术课程也是根据学生的多样化需求，不断完善。如因为学生学习能力弱，难以理解和识记抽象、冗长的工作分析步骤，影响了技能的学习和掌握。为此，烹饪教研组开展了细化工作分析步骤的研究，通过工作分析步骤的细化，将核心技能数量化、模糊技能具体化、抽象技能直观化、平行技能序列化、单元技能体系化，学生和细化工作分析步骤之间建立联系，在学生学习过程中发挥主导作用，学生的技能由此有了很大的进步。

案例3－3　模糊技能具体化

张老师在新授“虾仁豆腐”时，学生都掌握得不错，但是当所有教学全部完成，进行最后复习时，操作出来的成品却厚薄不一，有的很干，而有的则全然变成了烧虾仁豆腐羹，和新授时的操作反差很大。究其原因，都是模糊的工作分析步骤惹的祸。通过小组教研，我们对这个步骤进行了细化和修改，将原先“少许、适量”等模糊概念，改成了更具体化、可操作的“炒菜勺一勺半”。通过步骤的细化，同学们的操作基本上就不再出现上述问题，教学效果得以提高。

（苏晓平老师提供）

如案例 3 –3 所描述的，很多有关加调料和水的工作分析步骤中存在着很多的模糊技能，出现和使用的频率最多的是“少许”，这是个模糊概念，没有明确到底加多少。虽然在老师的示范操作下，学生不会出现太大的问题，但是若干天之后，学生自己操作过程中还是会出现问题。通过将模糊技能进行具体的细化，使其更加容易理解，以便进行技能的操作。

3. 综合康复课程

综合康复课程立足于补偿教育及健康教育的现代理念，是开发轻度智障学生潜能、补偿智力缺陷、促进学生身心健康发展、培养学生的自理能力的综合课程。综合康复课程，旨在帮助轻度智障学生解决“怎么做一个‘健康’的我”的问题，有利于他们提高生活质量，增强整体适应能力。目前，这类课程又包括心理康复类的心理和生命教育，以及艺术康复类的美术、陶艺、音乐。心理课指面向个别存在心理问题的学生的箱庭疗法以及团体心理辅导活动；生命教育是通过与生活、生命和生存有关内容的学习，激发学生追求人与自然、人与社会、人与人的和谐。

案例 3 – 4　箱庭，疗育受伤的心灵

小陆是一个非常爱说谎的孩子，最近一直拿家里的钱去打不良电子游戏。

“老师，我可以摆了吗?”小陆迫不及待地问道。

“好，现在请你用沙盘和玩具棚中的玩具任意摆放，时间不限。”

我在一旁仔细地观察着他的摆放。他一开始摆放的是三国里面的张飞，第二个摆放的是枪手，呈现对峙的局面，在后面的摆放中出现了很

多代表力量的人物，比如说孙悟空、拳击手等，里面都有对峙的场面。从这种交锋中，可以看到他自己内心的矛盾，正面临着一种艰难的选择。在箱庭作品中表现的战士形象往往是其人生价值观的体现，也是来访者强大的本能力量，特别是攻击力的表现。

他为作品取名为《大世界》。面对小陆的《大世界》，我心中暗想：难道在他的眼中，世界如此充满着重重矛盾？也许，他正被这种冲突和矛盾所困扰着，但是谁又能走进他的内心世界呢？

为帮助小陆，我在对其进行了箱庭治疗之后，多次试图询问他最近发生的事情。可我发觉，小陆还是没有讲出自己的真心话。目前，我正配合小陆的班主任，帮助小陆培养积极的兴趣爱好，以让他转移注意力，远离不良的电子游戏。

（丁翠老师提供）

箱庭疗法（Sandspiel，Sandplay Technique）起源于英国小儿科医生劳恩菲尔德 1929 年创立的用于儿童心理治疗的“世界技法”，又称“沙盘游戏”。在游戏的过程中为来访者创造一个“自由与受保护的空间”，来访者在沙箱中运用玩具来表达自己的无意识世界，可以使来访者的“自我治愈力”得以发挥。以上案例呈现了教师运用箱庭疗法，引导学生发挥“自我治愈力”，进行心理疏导和治疗的过程，这是心理康复类课程的一个特色。

4. 人与社会课程

人与社会相互依存，密不可分，人的生存离不开社会，社会的发展也都是所有的个人及其集体努力的结果。学生最终要走向社会，成为社会中的一分子，需要通过相应课程的学习与实践，让学生充分地了解社会、积极置身于社会中，与社会上的人打交道，提高社会适应的能力，并同时促进社会的和谐发展。人与社会课程设置了社会与发展、青春与健康、居家与休闲、劳动与就业、人际与礼仪五个专题的主题教育课。

“社会与发展”帮助学生了解历史的变迁，认识到人类在求生存、求发展的文明历史进程中的创造活动，感悟历史任务对真理正义的执著追求和精神风貌，进而了解生命的意义与价值。社会与发展专题的内容有美德、科技、历史、地理、文化五类。

“青春与健康”让学生知道青春期生理发育，认识青春期的生理现象，认识性差异；了解人体的构造与各器官的功能，认识友情与爱情的区别和联系，学会健康的异性交往；控制性冲动，懂得对自己的行为负责。学会拒绝烟酒，远离“黄”“赌”“毒”。青春与健康专题的内容有生理、心理、情感三类。

“居家与休闲”帮助学生养成健康的生活方式，积极锻炼身体，文明上网；关心和积极参与社会活动，拓展自己的精神世界。学会享受人类文化，提高情趣和生命质量。居家与休闲专题的内容有衣、食、住、行及其他五类。

“劳动与就业”帮助学生了解生命的意义与价值，养成吃苦耐劳的好习惯，懂得尊重生命；学习并掌握防灾和应对灾害的技能。学会在日常生活中丰富充实自己，学习和规划自己美好的人生。劳动与就业专题的内容分为知识、技术两类。

“人际与礼仪”促进学生形成良好的生活态度，正确处理个人与他人、家庭、社会的关系，懂得必需的礼仪规范，进而对个体在社会中的价值和意义有所感悟，树立正确的交往观。人际与礼仪专题的内容有家庭、学校、社会、自身心理修炼四类。

案例3－5　盐的妙用

小知识

盐是生活中不可缺少的调味品，做菜少不了它。盐还有许多其他用途呢。

小哨兵

每次洗头时，在温水中加些盐，用盐水来洗头，这样可以防止掉头发，同时也会使你的头洗得更干净。

如果不小心划破皮肤，伤口又不太大，用凉开水加一点盐，用盐水来清洗伤口，然后撒一些消炎粉，并用纱布包好。这样处理，可使伤口不发炎感染，并能快速愈合，而且愈后不留疤痕。

每天饭后用淡盐水漱口，不但能预防口腔疾病，而且还对口腔炎症疾病的治愈，有一定的积极作用。

如果因受凉而引起肚子痛时，可买半斤粗盐，在铁锅内把它炒热，并把热盐装在一个布袋里，用布袋来搓腹部，腹部的不适感很快就会消除。

小博士

盐可以用来：

1. 用盐水来洗头，可以防止掉头发；
2. 用盐水来清洗伤口，可使伤口不发炎感染，并能快速愈合；
3. 饭后用淡盐水漱口，能预防口腔疾病；
4. 用装热盐的布袋来搓腹部，能消除腹部的不适感。

还知道盐的哪些用途呢？

盐是一件宝，做菜少不了；

盐的妙处多，日常巧用到。

（丁翠老师提供）

案例3－5是“居家与休闲”专题中的一个节选。如案例3－5所示，人与社会课程每篇教材的结构分为三部分：“小知识”简单介绍默会知识，提出问题；“小哨兵”介绍一个相关案例，以事实来论述；“小博士”归纳总结知识，提出建议。这样的课程内容组织，有利于轻度智力障碍学生解决“我怎样去适应社会”的问题，让学生知道社会道德规范、法律常识以及为人处世等道理，学会主动和社会相融合。

5. 岗位体验课程

学校的教育就是让学生将来能够更好地走进社会。作为一所进行初等职业技术教育的学校，必须对学生进行一定的职业意识、就业观念以及良好的劳动习惯和工作态度的培养。岗位体验课程着眼国际“融合教育”思想，为学生回归主流、融入社会提供积极的课程支持。这类课程的内容选择以促进智障学生回归社会的需求为依据，以综合实践活动的方式组织课程内容，主要是为学生体验社会职业工作而创设学习情境，提供实践机会。它主要包括一人一岗工作、爱心义卖活动、社区服务活动、暑期社会实践、毕业实习锻炼、求职应聘指导和职后跟踪指导。其中，一人一岗工作和爱心义卖活动是两项常年开展的岗位体验课程。一人一岗即学校在校园中设置许多岗位，这些岗位具有学生未来工作的模拟性，如自行车管理员、环境保洁员等，供学生竞聘上岗，进行岗位实践；爱心义卖活动则让学生每月走上街头，卖报卖花，融入社会，体验生活的真实、工作的艰辛、奉献的愉悦；社区服务是让学生走进社区，体验社会生活；暑期社会实践、毕业实习锻炼是让学生走入“职场”进行实战演练；求职应聘指导是为学生提供求职、应聘的理论和实践知识；职后跟踪指导是为学生提供的“售后服务”，对实习、就业的学生定期给予指导，并撰写案例叙事，转化为生动的教材，帮助学生从“学校人”转变为“社会人”。

案例 3-6　被扣除的 20 元

在××餐厅门口，我又见到了在此工作的小任。小任有些遗憾地对我说：“老师，我们昨天发工资了，我拿了××元。”

我奇怪地问道：“怎么少了 20 元？”

小任说：“是啊，那 20 元，我请顾客喝茶了。”

我听了，感觉不可思议。小任在这儿做实习生，工资并不多，怎么可能随意请不相识的顾客喝茶呢？我忙问道：“怎么回事？”

小任不由得叹了口气：“哎，都怪我自己不好。那天，是我向顾客作介绍，把顾客带进店里的。我们这儿喝茶是可以续杯的。结果顾客还没结账，跑菜的服务员就把茶收了。顾客说茶他们还要喝的。就这样，顾客不满意了。”

我说：“既然是跑菜的服务员私自把顾客的茶收走了，他的失误引起顾客的不满，和你没有关系啊？"

小任说："可是，那时我正好空着，在一旁看他们吵。他们吵着吵着，顾客看见我，就说是我把他们招呼进来的，邻座的顾客也这么说。看他们为了一壶茶吵吵嚷嚷的，我说：'别吵了，这壶茶就算我请客了，我来埋单。'就这样，他们不吵了。所以，这个月的工资中，我就被扣除了 20 元钱。"原来如此，我终于明白了小任工资中缺少的 20 元是怎么回事了。

"被扣了 20 元钱，你有什么感想？"

小任说："我觉得自己很倒霉。"

我说："在错误面前，我们要有勇气承担，并努力改正错误。但是，这件事不是你的错，你不用为他人的过失承担责任。如果每一个你领进门的顾客，遇到不愉快，都要你来埋单，你能都用自己的工资解决吗？那你一个月的实习工资根本不够用。你说呢？"

小任低声说："是的。如果总是要我来出钱，我可没这么多钱。有不少菜都比这壶茶贵多了。"我说："你好好想想：今后遇到这样的事，你该怎么办？"小任说："这件事过后，我想过了，我应该叫领班来处理。"

我说："对啊，老师很高兴你能这么想。你只是一名实习生，遇到自己不能做主的事，一定要及时把领班找来。此外，你觉得他人在吵架，你应该在一旁凑热闹吗？"

"不应该。"

"是啊，如果你仍在自己的岗位上，不参与观看这场争吵，也不会发生 20 元被扣除的事。即使当时你在休息，也不应挤入他人的是非中，你也应当及时把领班找来处理。"

小任说："老师，以后我知道该怎么做了。"

（黄昉旻老师提供）

由于大脑功能方面的不完善，初职学生在情感的表达上掩饰性、隐忍性、自我克制性都比较低，语言理解和表达能力不足，存在与人交往方面的障碍。如上述案例所描述，小任同学由于认知所限，没有足够的判断能力，把不是自己的责任揽下来，受到了不公正的对待。老师循循善诱，引导他逐渐认识到应该如何应对这类“突发”事件，而不要一味地充当“老好人”。

职后跟踪指导课程能够真正体现出“以学生个体发展为本”的课程理念，教师从不同的学生实际需求出发，当智障学生遇到生成性生活事件时给予针对性指导，或者对学生进行心理疏导，或者结合工作要求指导学生岗位技能，或者帮助学生协调与同事、领导之间的关系，并在一次次的指导过程中感化智障学生的工作伙伴和单位领导，为智障初职学生争取生存、发展的空间，由此提高了智障初职学生的职业适应能力。

四、课程资源的开发与利用

初职学生需要通过劳动资格证初级的考核，获得职业资格证书，走向工作岗位。由于全国范围内还没有现成的初职教育课程教材，目前有关的职业教育等教材都是面向普通成人的，不适合智障学生的学习特点。在支持式课程建设过程中，课程资源的开发与利用是一个学校十分重视的问题。由于支持式课程的校本课程性质，我们充分发动教师，在资源紧缺的情况下，一方面在校内开发出丰富而有价值的课程资源，另一方面大力利用校外的各类资源，以最大效能地实现支持式课程目标。

（一）信息化课程资源的利用

因为大脑功能发育障碍，智障学生语言理解和表达深度、广度不够，记忆、运算、推理等较高层次的语言少和能力低。在学习文化知识和专业技能的时候，他们难以通过老师的口授形成大脑表象。又因为课堂上的有意注意时间很短，教师言语指导和板书的强化，容易让他们感到疲倦，出现注意力分散的情况。信息技术的形象、直观、具体的图、文、音效以及动画可以很好地激发轻度智障学生的学习兴趣，帮助他们理解学科内容。因此，信息技术与学科的整合是支持式课程资源开发的一大特点。为了帮助学生更好地学习文化知识和专业技能，五大类课程的建设中都非常注重信息化课程资源的利用，从最初的制作课件、形成课件库，到建设资源包，甚至到开发和建设学习网站，不断地开发和利用信息化资源，使默会知识显性化。

例如，智障学生感知觉速度缓慢、记忆缺乏目的性，对不同插花造型分辨不清，容易混淆；空间思维能力弱，不能很好地把握立体的插花造型；观察、比较能力不强，对于插花造型的比例、不同花材的位置不容易把握准；双手协调配合能力不足，很难在规定时间内完成插花作品。根据智障学生插花技能学习的特点和上海市插花员操作技能鉴定（试行版）要求，园艺教研小组选择了插花资源包开发的内容为花材识别、直立式不等边三角形、倾斜式S形、平卧式对称形、直立式L形和开放式圆形插花造型，确定工作分析步骤、影像和照片作为插花课程开发的基础资源，并对他们各自的优势和不足作了分析。经过多次教研和反复实践，工作分析步骤形成了校本教材，工作分析步骤和照片整合形成了相册，工作分析步骤、照片和录像整合形成了课件和网站及插花课程资源包，如表3-3所示。

表3-3　插花课程资源包整合资源列表

整合资源	内　容	数量	备　注
插花校本教材	五个造型的工作分析步骤	1	—
相册	五个造型的完整操作过程照片	1	配合了工作分析步骤
课件	一个造型的完整操作流程	5	融合了照片录像及工作分析步骤
网页	五个造型的完整操作流程	1	融合了照片录像及工作分析步骤

（王丹平老师提供）

如表 3 -3 所示，园艺组教师借助信息技术手段开发课程插花课程资源包可以为学生提供插花造型步骤细化、技术要点放大、多角度直观呈现等学习支持，并通过课内外结合、家校合作等途径来拓展学生学习时空，以便进行个别强化辅导和学生自主练习，缓解了个别化教学与教师资源不足之间的矛盾，满足了不同学生的不同学习需求。学生参加的插花员初级考证合格率为 100%，参加的花卉园艺工插花模块的考证成绩也明显提高，部分学生参加上海市中小学生植物识别竞赛分获二、三等奖。

到目前为止，我们开发了烹饪 28 道菜肴、面点 24 道点心、园艺 5 类插花造型和服务 30 个餐巾折花造型的课程资源包。每个专业的资源包都有制作视频、分步骤照片、教学课件等。此外，还开发了所有点心的操作口诀和 7 套手指操、全部插花造型的实物模型与学习网站。实践证明，信息技术以形象、声音、文本等多种信息来表现知识内容，可以使学生收到多重感观刺激，适合智障学生的学习需求。

（二）辅助学具的研发

智障学生普遍注意范围狭窄、抽象思维障碍，对技能的知识要点理解有困难。而且，学生个体与个体之间存在着较大的差异，有些学生动作协调能力不佳，难以把握技能的操作要点。针对这一问题，专业技术学科教师进行了辅助学具的研发，以借助学具这一有形的资源，把一些复杂技能简单化，帮助学习有困难的学生掌握一些比较复杂的操作技能，激发他们学习的兴趣，培养他们合作学习的意识，树立学习的自信心。

例如，在学习烹饪刀工切肉丝这个单元内容时，尽管老师多次个别辅导，有些同学还是出现了肉丝厚薄不均匀的现象，不符合标准化考证要求。在这种情况下，专业教师通过日常的教研和教学活动，开发了下批控制器这一学具（见图 3 -2），以帮助学生的操作能够达到切肉丝的考证标准，即肉丝长度约 7 厘米，粗细约 0. 3 厘米。

如图 3 -2 所示，在批肉的过程中，将学具下批控制器①放于砧板右下角，开口处向左；将修好的肉块②放于开口中；左手用力压住肉块，右手持刀③紧贴着学具向左平批直至将肉批下；依次将肉批完后排好，最后加工成肉丝。下批控制器的开发能有效地帮助学生了解肉丝的规格，还可以解决某些薄弱学生刀放不平的现象，使他们成功达到平刀批的效果，保证成品质量，从而激发学生学习兴趣，提高学习积极性。

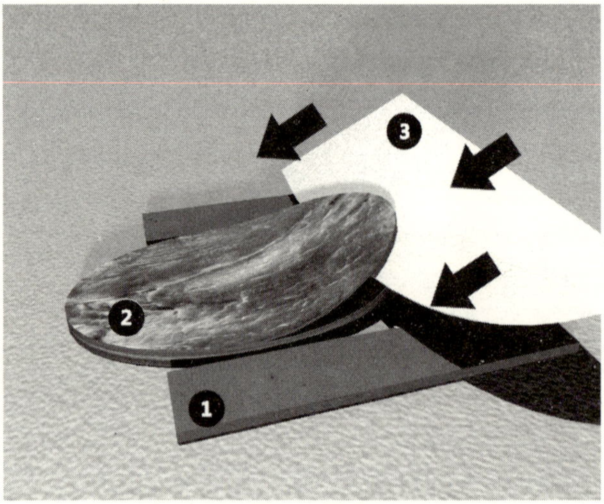

图3-2 烹饪学具——下批控制器

需要指出的是，学具的开发和运用是为了“不用”，学生在操作使用学具的时候要把握尺度，即学生不能一直依靠学具进行操作，随着时间的推移，必须慢慢减少学具的使用量、使用力度与频率，最后能够脱手，在不使用学具的情况下独立正确地完成操作，且成品符合标准要求，因此这是一个循序渐进的过程。除了下批控制器，我们还开发了直刀修面器、平刀控制器等多种学具，获得上海市教委主办的自制教学具评选一等奖和教育部主办的全国自制教学具评选二等奖。

（三）家长资源的引入

家庭是智障儿童的重要支持系统，家长是智障人士的首位教师，也是利益代言人，最了解智障儿童的需求。通过家长助教和家长工作室等方式，引入家长资源是支持式课程实施的一大特色。

让学生家长进课堂，既可以是老师的助手，又可以是学生学习过程中的辅导者。在教学过程中，学校推行家长助教，既让家长和社会了解学校教育，呼吁社会对特殊教育的关注，同时也缓解特殊教育中个别化教学需求和师资力量不足的矛盾，而且也有助于学生更好地掌握所学内容。学校在吸引家长成为助教上设立优惠政策，并每月评选“奉献之星”，奖励当月来学校次数最多的一位家长。

俗话说“家家有本难念的经”，特殊孩子的家长更加需要有倾诉自己困扰、苦恼的地方。家长工作室是家长自主形成的一个团体，是在“家委会”的基础上生发出来的一个非机构性的、非营利性的供家长相互沟通、交换意见的平台。工作室每天有1—2位家长值班，接待其他家长，共同探讨在家庭教育中遇到的困惑，帮助家长之间良性沟通，促进家长自主参与学校教育教学管理。在每周一次参加学校的职场演练活动中，家长工作室成员配合扮演饭店老板、顾客、岗位检查人员等角色，提高学生的职场应变能力。定期开展“家长论坛”、“家长征文”、“国旗下讲话”等活动，为更多的家长提供服务和交流的机会。

案例3-7　职场演练为今后择业打基础

我作为学生家长参加过多次长宁初职的职场演练并充当顾客，亲身体验了餐厅服务的全过程，学校的准备工作相当充分，场景形象且切实针对，指导老师的备课精心而专业，简明易懂，学生的态度认真而努力，敢于面对，演练就是实践，让学生知道礼仪规范、服务到位和劳动的价值，用生活常识引发学生对职场演练的兴趣。由指导老师、分组学生和顾客三者联动，既形象又生动，操作性更强，启发学生开口交流，动手服务，积极思考，体验劳动的辛苦及如何处理职场中的各种“意外”。

如此每周一次的职场演练，对学生综合素质的提高具有积极作用和深远意义，他们同样有潜力与能力，同样能做到他们的最好，在他们的笑声中，同样激发出生命的活力和成功的喜悦，期待他们健康成长并能够顺利踏上工作岗位，做一个自食其力的劳动者。

——家长工作室成员参与职场演练之后的感想

家长工作室的成员共有10位，他们有的是退休老师，有的是厨师，有的是会计，有的是家庭主妇，开展了很多家庭教育活动，并主动为学校出谋划策，积极宣传，组成帮助其他家长解决家庭困惑的志愿队、方案团。虽然他们来自不同的特殊家庭，知识背景、家庭环境均不同，但他们对自己的孩子都有着同样的责任心和科学教育孩子的意识。虽然他们没经过家庭教育技巧的正规系统培训，但是他们有教育特殊孩子的切身体会，这些经验心得是宝贵的资源，可以让更多的特殊孩子的家长在教育子女的过程中少走弯路，多一些方法。工作室俨然已经成为了特殊孩子家长的心灵港湾。开办以来，通过多样的活动方式，家长自主参与学校教育教学管理的意识和能力得到了提高，实现了真正意义上的“家校合作、家校互动”，充分体现了“教师、家长、学生、学校”生命共同体的理念。

（四）实习基地的拓展

社会是一个大舞台，支持式课程的目标是促进学生适应社会。为了更好地帮助学生走向工作岗位，适应社会生活，我们还利用周边饭店、社区文化中心、敬老院、南京路上好八连、大学生志愿者等社会资源，成立实习基地，为学生提供实践演练的机会。

针对初职学生在踏入实习和工作岗位后，对自己的职业定位、角色的认知、人际关系的处理等方面存在明显的不足，学校与凯桥绿地签订共建协议，让园艺专业的学生定期去护绿、养绿；与音乐之声大酒店签订共建协议，将学校职场演练“搬到”现场，让餐饮服务专业学生做服务员，同时还为部分学生提供为期两个月的酒店“实战”的服务机会；与亭风宾馆签订共建协议，让客房服务专业学生定期去实习等，为学生争取尽可能多的实践机会，提升学生的职业适应能力。

初职学生毕业更多的是从事服务性行业，这需要吃苦耐劳的服务意识和强烈的社会责任感。学校与社区积孝敬老院签订共建协议，定期让学生去敬老院做志愿者，从中培养学生服务他人、奉献社会的责任感；与南京路上好八连签订协议，每学年开展军训活动，培养学生的吃苦耐劳精神。

特殊教育是一项福利事业，特殊孩子的成长和发展离不开社会各界的关爱和支持。特殊孩子应该拥有感恩惜福的健康心态。学校每月组织学生上街“爱心义卖活动”，加强学生的社会责任感，义卖款项捐献给希望工程、中华骨髓库、身边的希望工程、爱心基金等。如此一来，不断使学生走进社会，了解社会公共秩序，培养学生“感恩的心”，并逐步形成良好的社会公德。

五、课程领导的实践

西方学者格拉索恩（A. Glatthorn）认为，课程领导所发挥的功能在于使学校的体系及其学校，能达成增进学生学习品质的目标。课程领导是一种活动，是一群与学生课程利益相关人员的活动。在支持式课程发展过程中，通过学校龙头课题《特教学校课程领导中教师群体发展的研究》等系列的课程实践，我们逐步认识到，课程领导的品质是决定校本课程良性、持续发展的一个重要因素。根据研究，我们认为课程领导主要包括课程决策、课程评价、课程管理三个方面的内容。

（一）多方参与的课程决策

教师是课程建设的主体，课程的决策、实施和开发，需要教师全体的努力和创造力，需要校长和全体教师的群策群力、精诚合作和智慧分享。为此，在课程领导过程中，在观念上，我们加强了对话意识、反思意识的载体化建设，通过主题性校本教研，促进教师之间、教师与专家进行对话和交流，进行思维的碰撞。在实践中，我们不断完善教师全员参与课程开发、实施、评估的机制，建立了项目评估报告与个别反馈单的运行机制，促进教师在评估中不断丰富经验，完善教育教学实践；建立了校长、管理人员每月开展随堂评优的课程评价机制，促使教师聚焦课堂，提高教学质量；建立了学校课程领导例会制度，促进专家等多方参与课程决策，持续推进校本课程的完善与变革；实施“金点子”工程，鼓励教师为学校发展建言献策；等等。

“金点子”工程最早源于一张调查问卷的启示。1999 年年终考核时，学校让每位教职员工填写一张工作的调查问卷，其中有一项是请教职员工填写一条对学校工作的建议。没想到反响出奇地好，教职员工都非常积极地提出了自己的看法，有的甚至提了不止一条，而且都十分中肯和实用。经过讨论，在教职员工提出的建议中评出了“优秀金点子”，并给予奖励，从此之后，便决定正式开展“金点子卡”的工作，并把这项工作作为我校开展民主化管理的一个重要项目来抓。信息社会改变了人们的工作方式和交流方式，随着近年来信息技术在学校的全面铺开，我们与时俱进地创新设计了“网上金点子”——在“金点子卡”的基础上，我们在网上管理平台上建立“网上金点子”文档，教职员工可随时登陆学校网上管理平台提出自己的“金点子”，学校看到教职员工提出的“金点子”及时给予答复。

案例3－8　长宁初职的“金点子”工程①

每次我到二楼，就看到墙上有一个醒目的“教师金点榜”，上面有十几条教师金点子获奖的通知：如“××老师：你‘关于早晨打电话提醒学生上学’的教育小方法获优秀教育小方法。”“××老师：你‘设金话筒章促进学生记忆新闻’的教育小方法获五佳金点子。”还有的获“三佳金点子”、“最佳金点子”等。老师的金点子都切合学校实际，如：“在教室里设置‘好人好事、进步’小信箱来激励学生”，“巧用塑料袋作鞋套保持环境卫生”，“成立学校‘爱心基金’”，“拓宽学生毕业后出路”，“对学生专业技能进行摄像记录”，“通过学生就业跟踪，促进课程教学改革”，“学生中午看新闻并记新闻”等。还有一条建议学校“通过在一人一岗工作应聘过程中增加填表一项给学生提供练习填写自荐表和简历表的机会”。

---

① 此案例的作者是校外合作研究者李云淑，她在参与《特教学校课程领导中教师群体发展的研究》课题中，撰写了《校长的课程领导与教师群体发展》的长篇叙事。案例3－8即来自该叙事。

“金点子”工程是学校实施民主化管理，发挥群众智慧的渠道之一，学校收到教师的金点子后及时答复并尽量落实。每年收到教师金点子数十甚至上百条，从中评选出优秀金点子若干条。对于好的建议，学校都会采纳。如有教师建议要加强学生的挫折教育，学校就开展了单元主题教育“向日葵行动”；在课程实施中，学生个别化教育需求大，有教师提出了用旅游专科学校的大专实习生来校做助教的好办法。学校认为，在一个充满创造意识的环境里，应该形成一种“我的创造给你借鉴，你的创造给我启发，学校的创造教育呼应，教师的创造学校接纳”的互动态势。

（李云淑老师提供）

“金点子”工程激发了全体教职员工的主人翁精神，大家共同思考学校各项工作，整体推进学校发展。同时，也让每一位教职员工感到提出的每一条建议都是对学校发展的一份关心和挚爱真情的体现，我们是学校的主人，学校、教职员工是命运的共同体、利益的共同体、价值的共同体。“金点子”工程为教工们搭建了一个“参政议政”的平台，是教职员工在教工大会之外参与民主建议和管理决策的延伸，拓展了现代学校民主管理的新途径，促使学校在集体智慧中获得持续的变革与发展。

（二）内外结合的课程评价

课程从学生需求与兴趣等方面出发，帮助学生提供现实生活和未来职业生活所需的学习经验。一般说来，大龄智障学生通过课程能达到“两个实现”：个人实现和社会实现。评价支持式课程就是以促进学生两个实现达成度为依据，从而更好地解决大龄智障学生与社会需要之间的矛盾，促进学生社会化进程，支持他们能积极和社会相“融合”。因此，支持式课程本身的评价除了学生和教师参与的内部评价之外，还注重来自家长和社会的外部评价，多方听取课程实施的建议，促进课程开发与实施的不断完善。

1. **学生和教师参与课程评价**

学生和教师参与课程评价，属于支持式课程内部评价。我们组织学生通过问卷方式，对课程适用性和课程实施过程中教师教育教学进行评价；通过教师进教室随堂听课填表打分、提金点子等方式，加强对日常课程实施的评价。

案例3－9　毕业生小徐2001年8月30日回校座谈的一次发言

各位老师、各位同学：

今天是新学期开始的第一天。在今天的开学典礼上，我代表长宁初职第一届毕业生谈谈自己在长宁初职两年来的学习体会，以及走上了工作岗位后的情况。首先我要向全校的老师对我的辛勤培养与教育表示感谢！向全校的老师说声："谢谢"。6月30日那天，我们怀着依依不舍的心情离开了母校，离开了曾辛勤培育过我们的老师。当时，同学和老师们都难分难舍，不愿离开，流下了眼泪。老师临别前对我们嘱咐：要我们在工作岗位上努力地工作，懂得珍惜，不怕吃苦。老师的一番苦心我们铭记在心里。我们同时也表示一定不辜负老师的一片期望，努力地工作，在各种不同的工作岗位上尽自己的一切力量。在此我再次请你们放心，我们会努力地工作的。从辅读学校毕业后，我在家里等了两年，生活枯燥，情绪低沉，是长宁初职学校救了我，让我成为了一名幸运儿。学校的优越环境给我创造了良好的条件，老师们不辞辛劳的耐心教导，给了我学习知识技术的机会，使我学习了很多的知识技能。在家政课上，我学会了如何使用、保养家用电器，学会了如何配钥匙。在园艺课上，我也很努力，学会了养花的知识，毕业前还考到了花卉证书。现在我在家里也养了些花，花开得很茂盛。在修理自行车的课程中我不怕苦，不怕脏，有吃苦耐劳的精神，已经掌握了自行车修理的技能，现在自行车有什么小毛小病，也不会再让自己发愁。在客房服务课上老师付出的心血更大，在老师手把手地教和反复地讲解与指导下，我基本上能完整地铺好一张床，获得了相应的劳动技能证书。两年来的体会与收获是很多的，总的来说，长宁初职给了我一次机遇，使我们这批学生重新又获得了社会的关爱。现在我已经踏上了工作岗位，无论以后怎样，目前就是要把本职工作做好，因为凡事都应从点点滴滴做起。记得在学校读书时，有时我在思想上会有一种依赖性，依赖家中父母的关爱，但在工作岗位上要全靠自己。社会是复杂的，全靠自己去识别。现在我走出了校门，更应把老师的教诲牢记心间。工作近半年的我，在工作中一直是比较稳定的，我热爱这份工作，也要干好这份工作，不论以后怎样，只要我有这颗热爱本职工作的心，一定会感动别人的。最后请各位老师放心，我一定不辜负你们的期望，更加努力地工作，为我们长宁初职学校争光。为我们这批弱智青年争光。我们也有一双手，为社会贡献一切力量。

（小徐同学提供）

案例3－9是一位毕业生的发言，肯定了支持式课程及其实施的效果，为支持式课程的进一步实施提供了借鉴。

教师是课程开发、实施的主体，也是课程评价的主体。教师通过支持式课程的评价，促使支持式课程的开发和实施不断创新。比如，2006年，某个学生因言语沟通障碍而无法通过职业资格考试，这引起了一些老师的关注，经过全体教师讨论之后，集体决定新增语言个训教研小组，老师们根据自己的兴趣和特长自主报名参加个训教学，合作开展教研。经过近一年的实践，学校初步探索了言语沟通个别训练的课程建设等一系列问题，促进支持式学生课程的发展与学生的发展。在此过程中，教师群体的课程选择、开发和实施能力方面也得到了发展。

2. 家长和社会参与课程评价

家长是学生的利益代言人，家长的评价直接代表着学生的发展需求。支持式课程就是为了满足学生积极回归社会和达到“两个实现”需要，社会评价决定着学校的生存与发展。家长和社会参与课程评价，属于支持式课程的外部评价。学生家长的意见和建议通过学生“行为动态管理”反馈表或“金点子卡”直接反映给学校管理者和教师本人。这使学校和教师在课程具体问题上得到改进。根据上海市教委规定，初职学生毕业必须通过社会承认的职业资格等级证书考试，方能获得初职校毕业文凭（相当于初中毕业文凭）。因此，职业资格等级考试通过情况也是评价支持式课程的重要指标。此外，社会用人单位意见也是我们评价支持式课程的一项重要参考指标。

案例3-10　家长的“金点子卡”

2001年9月，学校根据当时的师资情况和专业教室使用情况，向家长提供了一份课程菜单，让学生和家长自己进行选择，把二（1）班12名学生，分成了不同的专业课学习小组。6名动手能力较弱的学生主修综合家政，6名动手能力较好的学生主修烹饪，12名学生同时辅修园艺。学习了一个月后，教育支持者——小俊同学的母亲以填写“金点子卡”的形式向我们提出了一个课程内容选择的建议：“希望学校能为学生开设客房服务课”。因为他发现长宁区附近宾馆、旅馆较多，一大批对口专业毕业的学生进了宾馆，也不太愿意到客房部工作，他们怕苦、怕累。而我们的学生却恰恰可以拥有他们所没有的这种良好品质，只要加以职业培训，相当一部分学生毕业后可以从事这样的工作。而且通过学习客房服务中的铺床、吸尘器的使用、迎宾等内容，也可以提高他们的自理能力。学校领导接到这张“金点子卡”之后，协同班主任、任课老师认真讨论了此事，研究了这一建议的可行性，并很快给了家长一个满意的答复，家长还获得了“优秀金点子奖”。在课程内容的选择和课时的安排上，进行了调整，从其他学科中挤出了一定课时，每周加了两节客房服务课。从那以后，该家长积极来到课堂，参与老师的课堂教学，共同指导学生操作，至今已有一年多了，学生的进步中少不了她的一份汗水。

（周颖芳老师提供）

可见，作为孩子利益的代言人，家长并不只是课程的接受者，还是课程的评价者，家长参与课程评价促进了支持式学生课程的建设。在内部评价和外部评价中，支持式课程的内容不断完善和丰富，课程实施不断改进。

（三）精细规范的课程管理

支持式课程的发展离不开规范的课程管理。在支持式课程的开发与实施中，我们首先发现课程的开发并非一劳永逸，而是一个不断螺旋上升的过程。此外，课程的实施需要相应的评估，以发现不足，进一步完善教学实践。为了更好地研发、实施、评估、保障学校支持式学生课程，2003 年，校长带领学校中层干部和各位教师一起作了一个重大的创新改革：将原先的教导处和总务处的功能合并，开创了三个课程室——课程研发室（用于研究发展课程项目和新的内容）、课程实施室（用于保障项目的成功实施）、课程评估室（用于评估项目实施的结果，以提出新的要求和目标）。三室功能因果相连、环环相扣、缺一不可。而且，课程三室打破了课程实施和评价均由同一部门——教导处负责的传统，由课程实施室和课程评估室分别操作，可以更好地完善课程。

这项改革在提出之时，谁也不知道会出现什么样的问题，会碰到什么样的挫折。担心改革能否成功，如果失败了，学校的工作机制是否会因此而大乱。正是有这样的担心，校长将这个改革的方案修改了一次又一次，并把三个室的主要负责权交到了领导教学能力都十分出色的老师手里，希望他们能够把这次改革实施好。

后来，考虑到课程的研发、实施和评价离不开坚实的后勤保障，因此在三个课程室之外又增加了课程资源保障室。如今，课程四室已经顺利运转了 5 年。在课程管理与学校工作中，课程四室的老师们还研究出了若干工作的载体，比如午餐工作会议，课程室的负责人能及时地对工作中出现的问题进行反馈、交流和解决；教师心理沙龙，老师们从中释放心理压力以缓解工作压力，等等。为了更好地管理支持式课程，课程四室的老师们打破边界，精诚合作，发挥出了“1 +1 >2”的最佳课程管理效率与办学效能。

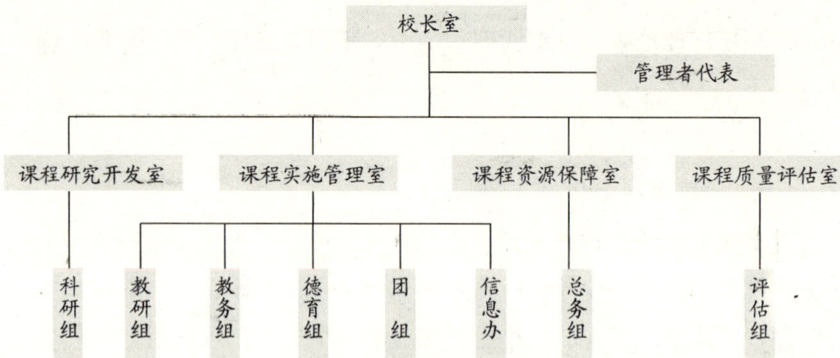

图 3－3　学校的组织结构图

ISO9001 质量管理体系标准，是国际标准化组织（简称 ISO）在总结了世界工业发达国家一些先进企业的质量管理的实践经验和先进的质量管理理论的基础上，形成的一套通用标准。ISO9001 使用了“管理职责”“资源管理”“产品实现”“测量分析与改进”四大模块的过程模式来阐述 ISO9001 质量管理体系；将“顾客满意”和“持续改进”列为标准重要内容。基于对学校管理的规范化追求，我们在国内特殊教育领域率先引入 ISO9001 质量管理体系，由 ISO9001 管理者代表牵头，组织内部审核人员与教师代表，对应学校各部门制度与工作计划，从管理工作入手，由点到面地展开内审评估，层层深入，发现问题，有针对性地提出改进建议。同时，进行精细规范的教学管理：漫步管理、随堂评优、小组交流课、个别教育计划验收、进步档案验收、校本教研评估……

在精细的课程管理下，老师们规范、高效地开展各项教育教学工作，努力追求着精益求精、提升品质的课程教学。

追求一种与众不同的特殊

第四章 差异性教学的探索

课堂教学是教学的主要渠道，高效率是课堂教学追求的目标。素质教育给我们提出的一个要求是，教学必须面对每一个学生。而长宁初职校的学生是智力障碍学生，个体差异决定了他们在发展方式、方法上有着不同的需求，这就要求学校务必尊重学生的差异，并设法根据他们的差异选择能适应和满足不同学生需要的教学策略，以促使他们达到自身发展的最佳水平。

一、差异性教学的认识和实践

（一）差异性教学的认识

美国教育学者汤姆林森（Tomlinsom）在其《多元能力课堂中的差异性教学》（*How to Differentiate Instruction in Mixed Classrooms*）一书中指出："差异性教学的核心思想是，将学生个别差异视为教学的组成要素，教学从学生不同的准备水平、兴趣和风格出发来设计差异性的教学内容、过程与结果，最终促进所有学生在原有水平上得到应有的发展。"另一位来自美国的差异性教学专家希科克斯（Heacox）也在所著的《常规课堂中的差异性教学》（*Differentiating Instruction in the Regular Classroom*）一书中指出："实施差异性教学意指教师改变教学的速度、水平或类型，以适应学习者（不同）的需要、学习风格或兴趣。"夏正江老师在他的《差异教学的原理与实践》一书中谈道："有差异的教学安排主要体现在调整教学的'内容''过程'及'产品'形式，以适应学生不同的学习基础。"这里的"内容"指的是学生所要学习的材料；"过程"代表的是学生怎样理解和掌握知识信息；"产品"则相当于学生学习的成效，这三个要素在差异性教学中具有举足轻重的作用，教师需要时刻关注。

分析学者们对差异性教学的相关阐述可以发现，差异性教学主要是根据学生的个别差异而进行的教学，是指在班集体教学中立足学生差异，满足学生个别的需要，以促进学生在原有基础上得到充分发展的教学。在教学中，可以通过鉴别学生的差异，利用教学的分层和各种教学形式来体现或达到差异性教学。

自从夸美纽斯在《大教学论》中提出课堂教学这一教学组织形式之后，人们看到，作为今天的教学组织的基本形式——课堂教学，它的一大缺点就是难以做到因材施教。而当今进行的素质教育，从某种意义上说，就是要进行差异性的教育，把课堂教学作为素质教育主渠道，就要求学校，教学必须面向每一个学生，满足学生差异发展的需求。

虽然同为大脑发育障碍，但初职学生个体差异很大。我们认为，差异本身是一种宝贵的资源，我们要尊重差异，实施差异性教学，促使学生实现差异发展。首先，在教学内容上教师需要根据学生的差异情况进行适当的选择和调整，并且可以适当地开发部分学习材料，以适应不同学生的需求。其次，在学习过程中，教师同样要根据学生的差异，精心设计和安排各类教学活动，通过不同的组织形式，让学生在不同的活动安排下获得不同的提高。最后，在检验学生学习成果的过程中，同样要根据学生的不同能力水平，进行分层次评价。

此外，我们认为，差异性教学首先要从分析学生出发，只有认识和了解学生之间的差异，才能够更好地开展差异性教学；其次，在教学的形式上要进一步拓展和衍生，以满足学生的差异需求。

（二）差异性教学的实践

基于差异性教学的认识，在分析学生差异的基础上，我校通过学科教学计划和学习设计备课来分析、了解学生，进而更好地设计教学；在传统分层教学的基础上，以个别化教学计划和学习进步档案为载体，探索了本土有特色的差异性教学的组织形式和基本做法。

1. 学科教学计划：关注整体和个体的学情分析

学科教学计划是每一位教师在学期初都需要制订的一份计划，其中包括教学内容的制定、教学时间的安排等多项内容，但最重要的内容则是学情分析，这也是整份教学计划中最具亮点的一块，其中包括教师对班级学生整体情况的分析和对个别学生的个别差异分析。通过从整体到个体的学情分析，可以让教师在教学前对学生有一个充分而又清晰的认识。下面以烹饪学科教学计划节选——学情分析为例加以说明。

案例4－1　初职五（3）班烹饪学情分析

初职五（3）班，一共13位同学学习烹饪课程，其中4位男同学，9位女同学。他们均是完成小学义务教育之后的随班就读学生，年龄在18岁左右，智商在60—70之间，为轻度智力障碍。

班级学生的语言表达能力不存在什么问题，基本上都能够和老师正常交流，且能流利地朗读工作分析步骤。其中小华同学因舌根发音存在先天的不足，在语言表达上存在问题。班级学生的逻辑数学方面能力不足，对烹饪技能的一些规格标准都很难理解，更无法独立操作，如小云同学，在对角度的认识上还不够明确，对于斜刀45度很难把握。在自我认识上各有千秋，小璎、小芳、小平、小斌可以通过自己的操作，结合老师的示范找出不足和差距，加以改进提高，其余同学需要按照教师的指引去思考问题，自己无法进行独立的思考与评价。此外，这个班级同学的集体观念不是很强，没有形成一种互帮互助的氛围，这些问题都是需要教师在教学过程中加以注意。小方、小平在记忆力方面还算可以，基本上能够记住老师所要求记的知识，但是一部分同学就会遗忘，如小敏同学，他一般记不住老师所要求的内容，哪怕是第一天示范之后的操作，到第二天基本全部忘记，记忆再现困难，这个方面还是需要今后加强提高。小敏同学的注意力容易分散，在操作的过程中容易受到别人的干扰，经常需要老师的叮嘱和关照，在分组的过程中需要让小组长去负责。

班级学生虽然学习烹饪已经四年了，炉灶操作还可以，基本上都能够完成，质量一般，但是刀工操作就不一样了，基本上不符合考证所要求的标准，在平刀法和直刀法上都存在问题，所以在切肉丝和姜丝的过程就非常困难，成品不能够达到及格的标准。所以，这个学期就必须在刀工上下功夫，为考证的刀工操作奠定扎实的基础。

根据学生几年烹饪学习以后的实际操作水平，个体与个体之间存在着很大的差异，因此对学生进行了动态分层。C层[①]学生有4名（小璎、小芬、小平、小斌），他们基本上经老师的讲解和示范，自己能准确地完成整个操作过程，且完成的质量较高。B层学生有6名（小敏、小芳、小俊、小伟、小洁、小倩），他们在老师的讲解和示范后，并不能独立操作，必须通过老师的口头提示才能够完成，质量比起C层的同学稍微差一点。A层学生有3名（小云、小华、小明），这几名同学接受能力较差，每个操作细节都需重复教授，连续操作时还要在一旁提示、示范，并提供大量协助下才能完成。

（苏晓平老师提供）

如案例4－1所示，我们的学科教学计划中的学情分析关注学生整体和个体两方面的差异，并根据学生的认知、技能掌握等特点，预设教学内容，进行差异性教学，可以更好地满足学生的群体和个体发展需求。

2. “学习设计”备课方案：从“学”的角度设计教学

“学习设计”以学习任务为载体，以分析学生的学习基础及完成学习任务所需要的各种条件为依据，设计不同基础学生完成学习任务、达成学习目标的学习顺序、学习资源、学习方式、学习组织形式、学习规则等的教学方案，并在实施中根据学生实际状况不断反馈调整的活动[②]。“学习设计”备课方案是教师在完成整体学科教学计划的基础上，进一步完成的每一个教学内容的备课方案，这一份备课方案跟传统的教案和教学设计有着很大的区别，一般的教学设计都是从教师教的角度出发思考设计教学的，而“学习设计”备课方案则是换位到从学生学的角度出发思考如何设计教学的，它的出发点和落脚点均是学生的学。

---

① 在初职校，C层为能力强的学生，B层次之，A层为能力最弱的学生。

② 徐承博，等．愉快学习，有效课堂［M］．上海教育出版社，2010：9.

案例4－2　学习设计备课方案

<table>
<tr><td>课题</td><td colspan="5"></td></tr>
<tr><td rowspan="3">学情分析</td><td rowspan="3">学习材料分析：

学生情况分析：</td><td rowspan="3">学习目标</td><td colspan="3">知识与技能：</td></tr>
<tr><td colspan="3">过程与方法：</td></tr>
<tr><td colspan="3">情感、态度、价值观：</td></tr>
<tr><td>学习任务</td><td>细化目标</td><td>学习方法</td><td>学习过程的导学要点</td><td>学习评价</td><td>备注</td></tr>
<tr><td></td><td></td><td></td><td></td><td></td><td></td></tr>
</table>

“学习设计”备课方案用表格的形式，一一对应，分解学习目标，设置学习任务，使得整个课堂学习过程一目了然。从横向而言，从左至右，每一个右面的项目都和左边的项目紧紧相连；从纵向来说，从上至下，每一个下面的项目都是上一个项目的延伸或巩固，反映出纵深的课堂学习进程。而在任务之前的学情分析，则将教师对学生和学习材料的了解和理解情况清晰再现。

案例4－3　“单价、数量与总价的两步计算应用题”的学习设计备课方案（节选）

学习任务	细化目标	学习方法	学习过程的导学要点	学习评价	备注
导入应用题相关知识	用一句话表示物品的单价、数量、总价	观察、提问、回忆、迁移、情境	拿出学生的一支笔问：谁能用一句话来表述它的单价？(b) 拿出学生的一把笔问：谁能用一句话来表述它的数量？(a) 如果问总价应该怎么说？(ab) 那么这道题用到我们以前学习的哪道公式？算式怎么列？(bc)	在单价中有“1”或者“每”，单位为货币单位； 单位为数量单位； 单位为货币单位的问句； 说出单价×数量＝总价	

续表

学习任务	细化目标	学习方法	学习过程的导学要点	学习评价	备注
看/读题	正确读出题目，理解题意	阅读、复述、提问	老师擦掉问题，拿出另外一支笔问：如果买3元一支的笔可以买几支？ 旧题一改成为了这节课的例题。 集体读题，初步理解题意； 个别学生读题（ab）； 老师抑扬顿挫地读题，帮助学生找出关键词。	集体正确读题； 个别学生读题，ab能正确朗读题目； cd能找出关键词	
分析题目	找出数量关系，并且形成问题模型； 理解题目中“如果”的含义； 理解总价1=总价2	讨论、迁移、复述、合作学习	师：每支铅笔2.5元，买6支需要多少元？(b) 师：如果买3元一支的笔可以买几支？这里告诉我们什么？为什么？(abc) 师：要求数量可以用到什么公式？(bc) 师：这里的“如果”表示什么意思？(c)（学生小组讨论）	2.5×6=15元 学生能正确说出“单价，问数量” 总价÷单价=数量 15÷3=5支 学生说出指买2.5元一支笔的总价和买3元一支笔的总价是一样的	
解题	能够根据上面两个算式列出综合算式，并且根据算式推导出新的公式		综合算式可以怎么列？(c) 2.5表示什么？ 6表示什么？ 3又表示什么？ 5表示什么？ 那么，公式可以怎么列？	2.5×6÷3=5 单价1 数量1 单价2 数量2 单价1×数量1÷单价2=数量2	
理顺、巩固新知	能够完整地说出思考的过程	口头分析、归纳、回忆、比较、复述，讨论	师：谁能够将今天的题目解题过程复述一遍？(c) 然后，学生如果表述不清楚，再由老师讲解一遍解题过程。 最后，同学可以提问，有质量的提问将可以获得“数学章”	说清题中“如果”的含义，以及总价1等于总价2的思考过程	

续表

学习任务	细化目标	学习方法	学习过程的导学要点	学习评价	备注
巩固练习	a. 能复述算式； b. 能根据问题正确解答； c. 能编题并正确解答	合作学习、操作、编题、比较练习、情境模拟、讨论	1. 烹饪班同学去买青椒，每斤青椒4.5元，买了30斤，如果买每斤5元的青椒，可以买多少斤青椒？ 先小组讨论，然后c生总结，bc生列算式。 讨论：如果同样品质的青椒，哪一种比较便宜。 2. c生根据例题和教具编写应用题，老师提供教具（学生在小超市中选择） 分组完成，其中一组教师参与	能正确列式计算，能力弱的学生可以在老师帮助下完成4.5×30÷5 c正确操作编题，ab思考并能列式解答	
总结	c. 能总结，掌握本堂课的学习重点； 全体学生能够背出公式	比较、归纳、观察、复述	谁能够说一说，今天我们学习的公式主要需要掌握些什么？遇到这类应用题我们可以用到哪些公式？	c能说清楚公式，“如果”的含义。单价1×数量1÷单价2＝数量2	

（胡彩红老师提供）

以实用数学课程中的“单价、数量与总价的两步计算应用题”为例，在进行了学情分析、设定学习目标之后，教师安排了看/读题、分析题目、解题、巩固练习不懂的学习任务，引导学生“看/读题——大致了解题意——分析题目，找出数量关系——根据算式列出综合算式，根据算式推导出新的公式——巩固练习”，在每个任务后面都相关的要素跟上。以第一项任务为例，学生需要“看/读题”，通过看、读来实现理解题意这个目标，教师在学生执行任务时，需要做的是抑扬顿挫地读题，帮助学生找到关键词，同时以正确朗读题目和找出关键词来判断学生是否顺利完成了该阶段的任务。

传统的备课以阶段性流程为次序，与传统教案相比，学习设计则以任务为依据，明晰了学的目标和教的目标。在整个备课的过程中，学情分析，学习目标的设定等，都需要教师换位思考，从“教”转向“学”，做到急学生所急，想学生所想，为学生的学而教。

3. 个别化教学计划：让能力强的学生“吃得饱”

为了满足特殊学生之间的较大差异，教师除了采用分层教学之外，还有多种差异性教学的形式和方法，其中个别化教学就是一个很好的方法。全班授课制下的教学可能仅仅满足学习能力处于中游水平的学生，对于班级两头的学生还是会存在“吃不饱”和“吃不了”的情况，基于此，教师们都积极地开展了个别化教学，针对学习能力较好，接受能力较强的部分学生，通过个别化扬长教学计划的制定与实施，让少数“吃不饱”的学生能够在原有基础上获得进一步的发展。

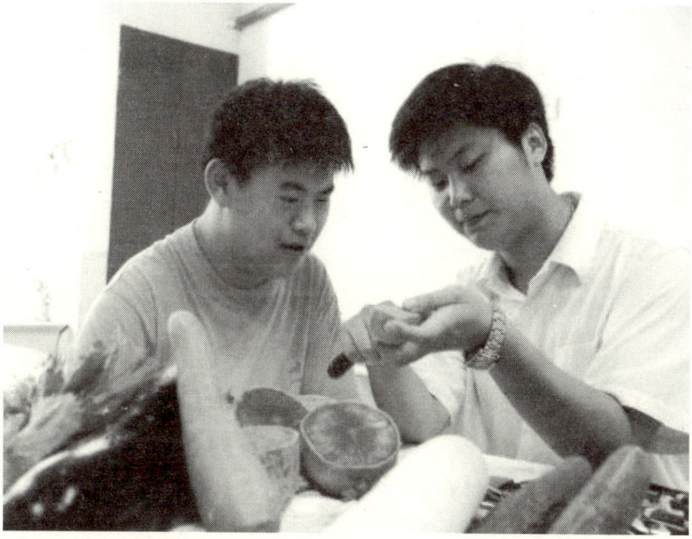

个别化辅导

个别化教学计划主要分为两部分：学生基本情况和个别化教学计划实施表。基本情况主要是从智商、认知特点、优势智能、非智力因素等方面对学生进行现状分析，提出评估及发展建议，以供监护人参考，作为是否统一实施个别化教学计划的一个依据。个别化教学计划实施表主要有学期目标、单元目标、实施措施、调整修改以及评估反馈，用于过程性记录个别化教学计划的实施情况。

案例4－4　小周同学的个别化教学计划

<table>
<tr><th colspan="6">基　本　情　况</th></tr>
<tr><td>姓名</td><td>周××</td><td>性别</td><td>女</td><td>年级</td><td>初职三（2）</td></tr>
<tr><td>科目</td><td>园艺</td><td>指导教师</td><td>范老师</td><td>执行起止日期</td><td>08/2—08/5</td></tr>
<tr><td colspan="6">学生现状分析</td></tr>
<tr><td>智商</td><td colspan="2"></td><td colspan="2">社会适应性</td><td>弱</td></tr>
<tr><td>认知特点（包括感知、注意、记忆、思维）</td><td colspan="5">感知觉速度缓慢，感知觉范围狭窄，反应较慢，识记速度缓慢；语言理解和表达能力比较弱，能表达自己的想法，但不太愿意主动回答问题，愿意努力争取表达的机会；很少提出与众不同的见解；注意力比较集中，能围绕教师讲课的内容。</td></tr>
<tr><td>优势智能</td><td colspan="5">上课注意力比较集中，书写能力比较强，学习认真，在课堂中会认真做笔记，在课后愿意认真练习技能，有一定的自学潜能。</td></tr>
<tr><td>非智力因素（包括性格，情感，学习习惯，意志，自我监控等）</td><td colspan="5">文静内向，不善言辞。在学习上对自己有比较高的要求，学习主动认真。除能及时正确地完成文本作业之外，在家中能练习所学习的技能，不需要任何人的督促。</td></tr>
<tr><td rowspan="2">前期评估及发展建议</td><td>评估结果</td><td colspan="4">基本掌握半球形插花，但操作速度比较慢，特别是在花材剪切方面，胆子比较小，操作有些犹豫，对于材料改变之后，更不知如何处理。在自由式插花方面，虽进行过尝试，但仅限于在教师的指导下模仿简单的插花造型，不能比较灵活地运用材料。</td></tr>
<tr><td>发展建议</td><td colspan="4">由于学生本身学习比较认真，对插花也比较有兴趣，因而可以利用空余时间尝试多一些的插花造型，一方面增加考证造型的选择性，另一方面可用于家庭装饰，提高学习兴趣与生活质量。相信学生通过教师个别辅导下的拓展学习，会更好地掌握插花技能，增加学习自信。</td></tr>
<tr><td>监护人意见</td><td colspan="5">1. 我同意上述评估意见，并积极配合实施个别教学计划√
2. 我不同意实施个别教学计划
监护人签名：吴××
2008年2月16日</td></tr>
</table>

个别化教学计划实施表（一）

个训目标（学期目标）	在考证准备阶段，能在掌握半球形插花的基础上，进一步掌握两个半球形拓展造型，能独立操作完成造型，并能选择其中一个造型运用于园艺考证，获得较理想的插花成绩。 在完成园艺考证后，能进一步进行插花造型学习，掌握一个由三种主要花材构成的自由式插花造型，并能独立操作完成造型。
短期目标（单元目标）	第一阶段（2/6—3/6）：半球形插花复习阶段，参与集体学习，复习半球形插花造型，并掌握好半球形插花的操作细节，为半球形造型拓展打好基础。 第二阶段（3/7—4/3）：半球形插花造型拓展阶段，在原有造型学习基础上，进行造型拓展学习，并能掌握两个半球形的拓展造型，达到考证要求。 第三阶段（4/7—4/30）：自由式插花学习阶段，进一步巩固半球形拓展造型，并进行自由式插花的学习，达到园艺考证的要求。 第四阶段（5/5—5/29）：自由式插花提高阶段，以三种主要花材作为创作材料，在教师指导下进行自由式插花学习，并能达到最终独立操作、基本技法较熟练、造型较美观的要求。
实施措施（教学方法手段，辅导措施，硬件设施等）	1. 理论学习与实践操作并行。进行插花理论的拓展学习，掌握插花六法，并能将插花六法运用于实践操作。 2. 教学方法主要采用传授式学习为主，偶尔辅以探究学习的方式，让学生在在校练习的基础上回家自主借助网络对学习进行进一步巩固。 3. 采用学生自主学习的方法，让学生对自己的操作进行评价和反思，提出整改提高的措施。 4. 采用集体辅导与一对一的辅导相结合，对学生技能的提高起到帮助。 5. 教学过程中采用录像、视频、网络、书籍等，多角度辅助学生学习。 6. 用好家长资源，让家长对学生进行力所能及的辅导。 7. 采用鼓励教学的方法，在达到一定目标后给予适当的物质奖励（如插花书籍、好看的花器等），起到鼓励、激励的作用。
调整修改	由于花卉园艺工标准化鉴定的推行，本学期原本为小周同学制定的园艺专业的个别教育计划需要结合考证内容进行一定的修改。原本的计划结合花卉园艺工考证的内容，希望小周同学在插花方面可以多学一些造型，使考证多一些选择的同时，也便于今后在实际生活中运用，但目前的考证要求可能不涉及插花部分，因而本计划中插花的要求适当降低，改为完成一个插花造型的学习。另外，本计划增加种植一盆观赏花卉的要求，使之与目前学习内容较为贴近，并且同样能够起到美化生活的作用。

续表

终期评估反馈	目标达成度	能利用教师教授的方法进行简单的家庭插花小品制作。 能对种植的植物进行精心养护，使植物长势良好。
	发展状况	能利用教师教授的方法进行简单的家庭插花小品制作，并能自主选择花材进行家庭插花作品的制作。 能从播种开始，对种植的植物进行精心养护，并观察其生长。
	原因分析	能认真对待学习，愿意利用课余时间学习课外知识，因而能够主动向老师咨询家庭插花、家庭种植等方面的问题。
	下阶段发展建议	将所学的技能运用于日常生活之中，巩固技能的同时也能美化生活。

个别化教学计划单元记录实施表（二）

学生姓名	周××	班级	三(2)	教师	范老师	起止日期	2/6—3/6
长期目标	在考证准备阶段，能在掌握半球形插花的基础上，进一步掌握两个半球形拓展造型，能独立操作完成造型，并能选择其中一个造型运用于园艺考证，获得较理想的插花成绩。 在完成园艺考证后，能进一步进行插花造型学习，掌握一个由三种主要花材构成的自由式插花造型，并能独立操作完成造型。						
短期目标	第一阶段（2/16—3/6）：半球形插花复习阶段，参与集体学习，复习半球形插花造型，并掌握好半球形插花的操作细节，为半球形造型拓展打好基础。						
实施措施	1. 课外理论学习结合课堂实践操作。课堂操作集体评价，课外学习一对一辅导。 2. 教学方法主要采用传授式学习，辅导学生进行网络学习和借助多媒体学习。 3. 鼓励学生自主学习，让学生对自己的操作进行评价和反思。 4. 采用鼓励教学的方法，将教师的插花书借给学生，以起到激励的作用。						
主要困难与问题	对于花朵插入的深度把握不够理想，造型的圆整度不够理想。						
目标达成度	半球形插花水平有明显的提高。原本在班级中处于中下水平，但经过一段时间的课堂练习及家庭练习之后，半球形插花水平在班级中已列于前位。						

续表

反　思	仅仅依靠课堂中的练习是不够的，因而除了在课堂中进行集体操作，通过各自完成的半球形作品的比较，使小周清楚自己操作中存在的问题，帮助其获得技能的提高之外，小周还在家中进行相应的练习。小周的家人也十分支持，对其在家中的练习进行了拍摄。通过对小周在家中完成作品的分析（照片分析），帮助小周认识到操作中的不足，便于今后的改进。 由于小周本阶段还是比较出色地完成了计划，因而奖励其上海国际花卉展的门票，希望其通过观赏花展了解更多的花卉知识。

个别化教学计划单元记录实施表（三）

学生姓名	周××	班级	三(2)	教师	范老师	起止日期	3/7—4/3
长期目标	在考证准备阶段，能在掌握半球形插花的基础上，进一步掌握两个半球形拓展造型，能独立操作完成造型，并能选择其中一个造型运用于园艺考证，获得较理想的插花成绩。 在完成园艺考证后，能进一步进行插花造型学习，掌握一个由三种主要花材构成的自由式插花造型，并能独立操作完成造型。						
短期目标	第二阶段（3/7—4/3）：半球形插花造型拓展阶段，在原有造型学习基础上，进行造型拓展学习，并能掌握两个半球形的拓展造型，达到园艺考证要求。						
实施措施	1. 课外理论学习结合课堂实践操作。课堂操作集体评价，课外学习一对一辅导。 2. 教学方法主要采用传授式学习。 3. 辅导学生进行网络学习和借助多媒体学习。 4. 鼓励学生自主学习，让学生对自己的操作进行评价和反思。 5. 家长在家中可进行力所能及的辅导，帮助学生共同获得进步。 6. 采用鼓励教学的方法，将教师的插花书借给学生，以起到激励的作用。						
主要困难与问题	由于花卉园艺工标准化鉴定的实施，本计划需进行相应的调整，操作重点需进行相应的转移。但教师自身对新的鉴定标准仍吃不透，所以须边进行教学边调整。						
目标达成度	第二阶段的目标不再遵循原定目标，在本阶段尝试了新技能的练习，并与教师共同寻求能帮助提高技能的办法。						

续表

反　思	本阶段最初仍围绕着半球形插花进行相关练习，并已经着手尝试造型的拓展，但是突然得知花卉园艺工鉴定标准的改变，插花已经不再作为考核项目，再进行本计划恐怕会影响到小周的考证技能练习。但是在没有研究清楚新的考证标准之前，一时间不知该如何进行本计划的调整，因而本阶段后半期以辅导小周进行新技能的练习为主。 本阶段虽未能按照原定计划实施，但小周认真对待每次练习，并作相关记录，因而，以下阶段需用的练习材料——花种与植物，作为激励物质。

个别化教学计划单元记录实施表（四）

学生姓名	周××	班级	三(2)	教师	范老师	起止日期	4/4—5/29
长期目标	在考证准备阶段，能在掌握半球形插花的基础上，进一步掌握两个半球形拓展造型，能独立操作完成造型，并能选择其中一个造型运用于园艺考证，获得较理想的插花成绩。 在完成园艺考证后，能进一步进行插花造型学习，掌握一个由三种主要花材构成的自由式插花造型，并能独立操作完成造型。						
短期目标	第三阶段（4/7—4/30）：自由式插花学习阶段，进一步巩固半球形拓展造型，并进行自由式插花的学习，达到园艺考证的要求。 第四阶段（5/5—5/29）：自由式插花提高阶段，以三种主要花材作为创作材料，在教师指导下进行自由式插花学习，并能达到最终独立操作、基本技法较熟练、造型较美观的要求。变更为： ①进行简易家庭插花作品的制作。 ②进行花卉播种与植物种植。能通过阅读花卉种植手册与收集网络资料了解花卉的特性，并进行相关的实践操作，最终能养成一盆植物，并使其长势良好。						
实施措施	1. 课外理论学习结合实践操作，一对一辅导。 2. 教学方法主要采用自主学习。 3. 重点进行波斯菊播种、龙舌兰种植的学习。 4. 家长在家中可进行力所能及的辅导，帮助学生共同获得进步。 5. 采用鼓励教学的方法，达到一定目标进行奖励，以起到鼓励与激励作用。						

续表

主要困难与问题	花卉播种与植物栽种的过程中不可控因素较多，可能出现种子无法萌发、生长速度慢等情况。在本阶段教师所提供的波斯菊种子就“全军覆没”，而学生手头的学习手册也不慎弄丢。
目标达成度	经过辅导能自己选择鲜切花进行家庭简易插花制作。 种植并在家中养护的龙舌兰小苗长势良好，明显优于在校内生长的小苗。播种的波斯菊虽未成功，但播种的旱金莲等植物成为了花卉园艺工考证的花卉识别素材。
反　思	利用周末带领小周进入花市，教她如何选择便于家庭水养的鲜切花。结合小周的个人喜好，选择了一些花材，到学校中利用校内有的器具为其讲解家庭简易插花制作的原则，并作了示范，让其对这种简单的家庭插花方式有了了解，随后由其自己进行插制，在操作过程中通过点评、修改、示范，帮助她提高。 小周利用参观花展的机会购入了多种考证用花的种子，并且在教师的帮助下进行了播种，通过一段时间的养护，小苗发芽了，特别是旱金莲的这一植物，长势良好，成为了花卉园艺工鉴定中的一种花卉识别素材。 同时栽种下的两棵龙舌兰小苗，其中一棵由小周带回家中养护，其长势明显优于在校的那棵疏于养护的小苗。 此外，小周还利用休息时间到植物园、西郊百联等教师推荐的花卉观赏地观赏花卉，并拍摄照片，为同学提供学习素材。 准备将小周拍摄的照片整理成相册，作为本阶段的奖品，激励小周继续对本课程充满学习热情。

（范红霞老师提供）

如案例 4－4 所示，根据小周同学在学习上对自己有比较高的要求，学习主动认真，除能及时正确完成文本作业之外，在家中能练习所学习的技能，不需要任何人的督促的情况，范老师结合园艺考证的要求，为小周设定了“在考证准备阶段，能在掌握半球形插花的基础上，进一步掌握两个半球形拓展造型，能独立操作完成造型，并能选择其中一个造型运用于园艺考证，获得较理想的插花成绩。在完成园艺考证后，能进一步进行插花造型学习，掌握一个由三种主要花材构成的自由式插花造型，并能独立操作完成造型”的学期目标，并进行目标分解，通过家校合作、一对一辅导、多媒体辅助等措施，进行个别化教学，促进了小周同学插花技能的学习。

个别化教学计划主要针对学生的“学有余力”，设定个别化教学目标的学期目标和阶段目标，开展个别化的指导，并进行过程性的记录，及时反思，以进一步改进教学，帮助学生“跳一跳摘到苹果”。

4. 学习进步档案：让能力弱的学生“吃得了”

在满足了部分学习需求强烈的学生之后，同样存在少许同学落在后面的情况，这部分同学基本上还消化不了教师上课所教授的这些内容。面对这样的差异情况，教师在除了完成部分个别化扬长的教学计划外，还需要针对部分班级中学习比较薄弱的学生，通过学习进步档案，为他们提供相应的辅导，让学生在课余的时间也能够接受到教师优质的补偿教学服务，以尽快赶上班级同伴群体的学习进度。

案例 4-5 西餐零点摆台学习进步档案

教学目标：用正确的方法铺设西餐零点台。

及格标准：餐具摆放正确，操作程序正确，动作到位、规范。

托　盘		日　期				
		4/9	4/23	5/14	5/21	5/28
1	检查餐具齐全、无破损，桌椅摆放整齐。	+	+	+	+	+
2	铺设台布中线居中，四边均匀下垂。	+	+	+	+	+
3	从服务台托起第一托盘服务盆，从餐桌右边开始按顺时针方向摆放。	P1	P1	M	V	V
4	服务盆离桌边 1.5 厘米。	+	+	+	+	+
5	从服务台托起第二托盘，摆放刀、汤勺、叉、面包盆、黄油刀。	P1	M	V	+	+
6	服务盆的右边从里往外依次摆放刀、汤勺，左边从里往外依次摆放叉、面包盆、黄油刀。	+	+	+	+	+
7	面包盆与服务盆的圆心对齐，黄油刀放置在面包盆上右边的 1/4 处。	M	M	V	V	V

续表

<table>
<tr><th colspan="2" rowspan="2">托　盘</th><th colspan="5">日　期</th></tr>
<tr><th>4/9</th><th>4/23</th><th>5/14</th><th>5/21</th><th>5/28</th></tr>
<tr><td>8</td><td>从服务台托起第三托盘，摆放葡萄酒杯和水杯。</td><td>+</td><td>+</td><td>+</td><td>+</td><td>+</td></tr>
<tr><td>9</td><td>先摆放水杯，放置在刀尖之上，保持0.5厘米。</td><td>M</td><td>V</td><td>+</td><td>+</td><td>+</td></tr>
<tr><td>10</td><td>葡萄酒杯放置在汤勺之上，保持0.5厘米并与水杯形成45度。</td><td>+</td><td>+</td><td>+</td><td>+</td><td>+</td></tr>
<tr><td>11</td><td>从服务台托起，第四托盘起托盘摆放花瓶、盐和胡椒瓶。</td><td>V</td><td>+</td><td>+</td><td>+</td><td>+</td></tr>
<tr><td>12</td><td>花瓶、盐瓶和胡椒瓶呈三角形放在餐桌中间。</td><td>+</td><td>+</td><td>+</td><td>+</td><td>+</td></tr>
<tr><td>13</td><td>各餐具之间保持0.5厘米间距。</td><td>+</td><td>+</td><td>+</td><td>+</td><td>+</td></tr>
<tr><td>14</td><td>双手扶位椅背，为客人拉椅，并示意说：“请”。</td><td>+</td><td>+</td><td>+</td><td>+</td><td>+</td></tr>
<tr><td colspan="2">独立操作正确率</td><td>64%</td><td>71%</td><td>79%</td><td>86%</td><td>86%</td></tr>
<tr><td rowspan="2">记录符号</td><td>教学测试时表现</td><td>+独立正确</td><td>-不正确反应</td><td>？无反应</td><td></td><td></td></tr>
<tr><td>教学时使用</td><td>P1 大量协助</td><td>P2 少量协助</td><td>M 示范提示</td><td>V 口头提示</td><td>G 手势提示</td></tr>
<tr><td>记录</td><td>现状</td><td colspan="5">学生在西餐零点摆台的过程中主要存在以下问题。
1. 在西餐中不同形状的刀叉其用途和摆放的要求都是不同的，学生在摆放时容易混淆。
2. 在服务盘定位的过程中，由于是长方形的桌子，定位比较难掌握。
3. 在摆放葡萄酒杯和水杯的时候，要求先摆放水杯，放置在刀尖之上，保持0.5厘米，葡萄酒杯放置在汤勺之上，保持0.5厘米并与水杯形成45度。在杯子餐具之间的距离不能把握好，还有就是45度的方向也时常不能把握好。
4. 胡椒瓶和盐瓶的位置一直互换放错。
5. 台布的铺设的过程中不能使台布四边下垂相等。</td></tr>
</table>

续表

<table>
<tr><td rowspan="2">记
录</td><td>归因</td><td>经过观察导致这些问题的原因主要有以下几点。
一、在动作技能的掌握方面
在技能掌握方面是工作分析步骤中第3、5、7、9步这几个动作技巧没有完全掌握。具体讲主要有以下几个方面的原因。
1. 餐具的间距容易让学生疏忽。
2. 餐具的摆放顺序偶尔搞错，还是由于练习得太少。
3. 水杯摆放与餐具成45度，铺台时缺少参照物。
二、在学习的态度及其情感方面
1. 学生在操作过程中明显自信心不足，操作过程中会犹豫。
2. 学生的注意力很容易分散，班级中一有事情发生，她就会停下操作，直到老师提醒才会回到操作中去。
3. 班级学生肢体协调能力较弱，整体的动手操作能力比较弱。</td></tr>
<tr><td>对策</td><td>针对学生的问题和现状，并进行了归纳也思考了一些有针对性的对策，在辅导的过程中更是密切联系了我们的研究主题，加强了轻度智力障碍学生职业心理素质方面的培养。具体做法有以下几点。
1. 基于学生技能掌握的情况，运用“低、小、多、快”的教学策略
一切从实际出发，为学生创设成功的机会，运用“低起点、小步子、多活动、快反馈”（低、小、多、快）的教学策略。“低”即“低起点”，就是要摸清学生相关知识、基础、能力和心理准备的实际，把起点放在学生努力一下就可以达到的水平上，使新旧知识产生联结，形成网络。
“小”即“小步子”，就是根据学生实际，确定能达到的实际目标，教学的步子要小，把教学内容按由易到难、由简到繁的原则分解成合理的层次，然后分层渐进，使产生挫折事件的频率降至最低程度。
“多”即“多活动”，针对学习困难学生有意注意时间短、记忆容量小、概括能力差的特点，改变教师大段讲解的倾向，师生活动交替进行，这样不仅调节了学生的注意力，更重要的是学生大量参与学习活动，自我表现的机会多了，能力的发展也通过逐步积累而得到实现，这种良性循环，又大大促进了学生各方面的发展。
“快”即“快反馈”，在每一层次的教学过程中，既有教师的“讲”，也有学生的“练”，还有教师的“查”，快速反馈，可以把学生取得的进步变成有形的事实，使之受到鼓励，乐于接受下一个任务，又可以及时发现学生存在的问题，及时矫正乃至调节教学的进度，从而有效地提高课堂教学的效率，避免课后大面积补课。
2. 通过锻炼，培养学生良好的意志品质
意志是指人克服困难达到一定目的的心理过程，它能促进认知的不断深化，也控制着情感的健康发展，是人的心理素质健康发展的保证，它体现在人的独立性、坚定性、果断性和自制力之中。对于服务人员来说，意志的独立性和自制力显得尤为重要。因此在教</td></tr>
</table>

续表

<table>
<tr>
<td rowspan="2">记
录</td>
<td>对策</td>
<td>学中，多采用说服、表扬、奖赏、鼓励等方法，鼓舞学生的勇气，提高其信心，锻炼其意志，更为重要的是要有意识地鼓励学生多参加各种集体活动，让他们在活动中展示自己的优势，培养自己独立、坚韧、果断等良好的意志品质，克服怯懦、固执、轻率、盲从等不良的意志品质，以保证整个人的心理素质的健康发展。
3. 从细节着手，加强学生对规范的掌握
在老师的辅导过程中，我主要运用了大量地示范，让学生首先认识正确的做法；然后让学生一步步的模仿老师操作；最后再让学生独立操作，在学生独立操作的过程中，老师不断地运用口头提示的方法，及时地纠正学生操作中错误的地方。另外，还运用伙伴小老师的方法，让C层同学帮助他，使他获得提高。并在实际的辅导过程中起到了一定的效果。我想是有规范，他们的动作才能获得更快的提高。但是在过程中也遇到了一些同学先天的手指不灵活，那也作了灵活的处理，让学生按照最舒服的动作去练习，我想规范是死的，但是我们面对的情况是多面的，只有灵活处理才能达到实际的效果。</td>
</tr>
<tr>
<td>辅导</td>
<td>一、技能方面的辅导
1. 伙伴教学，加强组内互学
虽然班级学生的整体能力比较弱，但是还是有个别学生是绝佳的“伙伴教师”的人选。在任用这两位“伙伴教师”之前必须要对“伙伴教师”进行培养，这是实施“伙伴教学”的重要环节。主要内容有：(1) 单元技能的掌握。“伙伴教师”的使命是在自己掌握好新技能后，帮助老师辅导学生。因此，“伙伴教师”单元技能掌握得如何将直接影响到其指导效果。因此，首先要让“伙伴教师”的单元技能掌握情况良好，并在此基础上教他们一些辅导的方法和小窍门。(2) 组织能力。“伙伴教师”需要有较强的组织能力。组织能力的培养也要课内外相结合。(3) 评价能力。常用的评价形式有鼓励评价、师生共评、生生互评、学生自评等多种评价方式。在“伙伴教学”的过程中，教师要积极引导学生生生互评、学生自评，帮助“伙伴教师”学会评价，并能组织小组进行互评。(4) 心理方面。在实践的过程中发现，“伙伴教师”的健康心理将直接影响“伙伴学生”的学习状态。
2. 为学生提供大量的练习机会
在课堂中每个学生的练习机会都是均等的。但是当有些能力比较强的学生掌握了该技能以后，就把大量的练习机会留给能力弱的同学。另外，有时单独的示范也可以让该生来尝试。
3. 加强个别辅导
通过老师一对一的辅导，已经从大量的手势提示到口头提示。餐具间的间隔、位置规范合理，水杯、红酒杯成45度，这些技能已经能够掌握。在中式铺台时已能做到独立并完整地完成。但是还需要进一步加强练习，能够在规定时间内完成操作，以达到考证要求。</td>
</tr>
</table>

续表

<table>
<tr><td rowspan="2">记录</td><td>辅导</td><td>4. 加强计时操作的练习
在原来强调操作质量的基础上，要求学生在保证质量的基础上，加快操作的速度。在给学生加强速度练习时要求也是有坡度的。比如说，四人位的铺台在详细了解学生操作速度的基础上，给学生提的要求是8分钟内完成，让学生跳一跳就达到操作速度的要求，之后要求逐步往上提，并不断向初级考证的达标要求靠拢。
二、情感方面的辅导
1. 给孩子多些关爱，激发其学习动力
英国教育学家洛克曾说过：“爱是行动的源泉，爱可以推动人去进行他所从事的任何事业。”对学生来说，给学生以爱，就是给了他们学习的源泉与动力，学生进步有先有后，对于后进生来说，由于学习方面困难多一些，常常会产生厌学情绪，这就需要教师用更多的“爱”去唤起他们的学习欲望，使他们愿学、爱学、会学。
2. 给孩子多些鼓励，激发其学习热情
人不仅需要得到爱，更希望自己的价值得到别人的肯定，这是满足自我人格尊严的精神支柱。对学生，尤其是对后进生来说，他们的每一个优点、每一点进步，都应该得到肯定和鼓励，让他们感到自己的价值得到了承认。教师要尊重学生，允许学生出差错，帮助学生纠正错误。当学生一而再再而三地发生同样的错误时，教师要多点宽容、理解和关爱，要正确引导，给学生重做申辩与改正的机会，不要轻易地指责批评，甚至冷酷无情地责罚。要对学生说：“再试一试”，“你能行”，“别着急”，“再努力”。要看到学生的努力，少记住学生的分数，用情感保护学生敏感的自尊心，从而激发其进一步努力学习的热情。</td></tr>
<tr><td>反思</td><td>就操作难度来讲，西餐零点摆台与中餐零点铺台相比还是有许多类似之处，有许多的技能是可以很好地迁移的，但是由于西餐对学生和老师来讲都是一个新增加的考证内容，并要在短时间内进行消化和掌握，从时间上来讲是比较难的，而且这个班级的整体动手能力比较弱，在教授的过程中急于求快是行不通的，必须层层推近，实行小步教学的方法。
在教师的指导方面，虽然是一个新的考证内容，但老师需要不断实践，并尽快在实践中总结心得和技能掌握的小窍门以便更好地指导学生，让学生的学习更便捷。
在学生的学习方面，首先要让学生对自己有信心，只有对自己有信心了学生才能更好地学习和掌握，才能在遇到困难的时候，勇于克服。同时更要让学生体验到学习的快乐。对学生的鼓励是必不可少的，特别是在这样紧张的迎考阶段，老师的鼓励是对学生最好的激励，也是学生不断努力的动力所在。</td></tr>
</table>

续表

	效果	我们的教育应该是赏识教育，而不是一味地批评教育。教师应尽力去发现学生的闪光点，并通过口头或书面的鼓励性评价、肢体爱抚、创设表现机会等方法给予学生及时表扬。经过进步档案的辅导，学生掌握的正确率已经达到86%。

（徐叶老师提供）

以服务学科“西餐零点摆台”的学习进步档案为例，针对学生在西餐零点摆台过程中出现的定位不准、胡椒瓶和盐瓶的位置互换、台布的四边下垂不等等问题，教师从动作技能、学习态度进行了归因，并提出了相应的对策，通过技能、情感方面的辅导，帮助学生学习和掌握西餐零点摆台的技能。整个过程从问题出发，不断分析和解决问题，层层深入，扎实推进，着眼于为能力弱的学生补差，帮助学生实现良好学习效果。

以上四种方法是我校差异性教学的很好体现，其中学科教学计划和学习设计备课体现了课前教师对差异性教学的若干思考，着重从分析学生的角度出发，只有在充分了解学生差异的基础上，才能够有针对性地开展差异性教学。个别化教学计划和学习进步档案则从实施的角度向大家说明了各学科在开展差异性教学上所共有的两种教学形式，这两种差异性教学的方法完全从学生角度出发进行思考和实践，遵循了以学生发展为本的教学理念。日常教学照顾中间，两种形式带两头的方式展开，让能力有差异的学生通过各种形式的教学服务能够在原有的基础上都有所提高，这是我们开展差异性教学最本质的追求。

二、各学科差异性教学的特色

除了以上所共有的四种方法外，各学科通过校本教研还逐步形成了自己学科有特色的差异性教学的方法：实用语文小组有朗读差异性教学，实用数学小组有应用题解题差异性教学，实用英语组有基于情境认知的差异性教学，信息技术小组有在游戏中开展差异性教学，园艺小组有信息技术与学科整合，烹饪小组有学具包的开发与运用，服务小组有基于“小先生”制的差异性教学，面点小组有口诀手指操的运用，艺体小组有工作分析步骤的开发与运用等。差异性教学是每门学科、每堂课都应该关注的，并不只是以上所列举的这些，以下截取一些主要学科的差异性教学特色进行论述。

（一）实用语文：朗读差异性教学

《语文课程标准》指出：语文课程具有丰富的人文内涵，语文课要充分重视学生的朗读，让学生在反复的朗读中体会语言所蕴涵的丰富情感，并与自己的情感相通，加深理解与体验。

智障学生感知觉方面不足，视觉敏锐性欠佳，看文本比较累，无法达到朗读最基本的要求；有的学生听觉分辨不够灵敏，不能很清晰地读准音；有的学生言语思维不能转换自如，朗读出来的词或句子与文本不一致，往往会读错字词；有的学生注意力很容易分散，朗读的时候往往会跳行；有的脑瘫学生语言表达则非常困难；有的学生识字量少，朗读的时候总是要停顿，破坏了整个句子的连贯。差异性教学要探讨的是适合学生特点的教学途径，在教学的各个环节都兼顾到不同学生的学习需要。这要求我们务必尊重学生的差异，针对学生的差异，周密考虑到朗读教学目标的确定、朗读教学内容的组织和选择、朗读教学组织形式选择、朗读教学评价等相关教学问题，因材施教，用足时间，以此来推动学生整体语文技能的提高。

1. 制定差异性的朗读目标

一般而言，朗读教学目标围绕评价标准，仍按知识与技能、过程与方法、情感态度与价值观三个维度阐述。如姚老师的《有魔力地请“您”》备课中的三维目标的确立。

知识与技能：能够正确、流利、有感情地朗读课文从而体会到使用礼貌用语是文明礼貌的表现。

A 层：能够正确地朗读课文，知道使用礼貌用语是文明礼貌的表现。

B 层：能够流利地朗读课文，初步体会使用礼貌用语是文明礼貌的表现。

C 层：能够有感情地朗读课文，从而感悟到使用礼貌用语是文明礼貌的表现。

过程与方法：在有感情的朗读中，体会语言文字蕴涵的内容。

情感、态度与价值观：引导学生体验到礼貌用语之美，并使其审视自己，为成为懂礼貌、有素养的好学生而努力。

个别化措施：辅导 A 层学生（小渊）在老师、同学的帮助下能大致通读课文。

2. 选择差异性的朗读内容

在教学内容的广度和深度上也应照顾不同年级不同学生的不同要求，选择适当的符合其年龄与心理的朗读材料。如辅读学校毕业进入学校与小学随班就读结业进入学校的低段班级采用以动植物为主，200 字左右。中段采用普通话测试的 60 篇短文中的节选篇，一般有关人物、感恩、诗歌、劳动及生命，300—400 字。高段采用普通话测试的 60 篇短文中的节选篇，一般有关中华民族传统美德以及生命教育，400—500 字。

3. 依据不同学段提出朗读差异要求

小学随班就读结业进入学校的学生要求用普通话正确清楚朗读短文；小学随班就读结业进入学校的低段学生要求通顺、正确、不添字、不漏字、不重复、不颠倒、不读破句、表情自然即可；中段学生要求朗读通顺、有感情、声情并茂。高段要求朗读通顺、结构完整、层次分明、声情并茂、表情丰富。这就构成了初职校各年级段语文朗读能力序列，当然，教师要在每一次朗读教学中很好地掌握这一要求，体现朗读层次性。

4. 拟定朗读教学四个级别的差异性评价标准

如参照朗读比赛的要求，根据初职学生情况，先从语音、语流、语速、语态四个方面进行划分：

A 层：语音准确，吐字较清楚，音量适中，能够自己纠正发音；尽量不重复，不倒读。

B 层：语音准确，吐字清楚，音量适中，能够自己纠正发音；不重复，不倒读，语言较流畅；表情自然、适当。

C 层：语音准确，吐字清楚，音量适中；语言流畅，语速适中，有一定节奏感；表情较丰富、自然，适当、不造作。

D 层：语音准确，吐字清楚，音量适中；语言流畅，语速适中，有节奏感；表情丰富、自然，适当、不造作。

参照以上评价标准，教师可以根据所教班级具体情况进行朗读教学的适当分层，制定分层朗读教学目标。如在朗读评价标准之外，也可以作个别化教学安排。

5. 根据学生差异，灵活运用不同的朗读方式

在朗读教学的课堂上，教师可以在对课文作细致分析的基础上组织形式多样的读法，主要运用以下几种常用的形式。

（1）自由朗读，分层完成朗读任务。自由朗读课文，带着问题去知道文章的基本内容和作者的感情倾向。这主要是 C、D 层学生，而 A、B 层学生则带着能够读通、读正确的学习任务。

（2）异质分组，合作朗读。异质小组合作朗读就是发挥 D 层学生对于 A、B 层学生的指导的“小先生”作用，语句比较长的让 C、D 层学生读；语句比较简短的让 A、B 层学生读。

（3）运用性别差异，男女生交替读。教师可以根据作品语言的表现形式进行男女交替朗读，如描写、抒情的文字让女生读，激昂悲壮的

文字让男生读等。这样的交替朗读，学生读出了各自的味道。

（4）齐声读中加强对 A、B 层学生的辅读。齐读能给全体学生提供练习朗读的平台，它可以让每一个学生都得到训练，却不排除个别同学的“滥竽充数”。因此，在齐声读的同时，教师要站在 A 或 B 层学生身边，用心地听，适时地辅读。

案例 4－6　对“滥竽充数”的思考

课文的讲解在大家积极参与的氛围中快结束了，此时，我做了个特殊的手势，大家一看，就很整齐地拿起书，开始很有感情地读了起来，读得还不错，我得意地在他们中踱步。“咦，我好像没有听到小孙的朗读声。”带着疑问，我又侧耳倾听起来，声音很小，只看到嘴唇在动，但动的幅度不是很大。我看了看他，他似乎察觉了，有些不自然地瞄了我一眼。

课后，我把他找来，问道：“刚才快下课时，我让大家齐声读课文，好像没有听到你的声音。”“老师我读的，就是声音轻了一点。”“那以后，能否亮开嗓门呢?”“老师，我的声音很难听的……”听到这个，我蓦地认识到了我的一个失误，保护有生理缺陷孩子的自信心。小孙同学由于舌系的问题，发音不是很准确，对此，他总是很自卑，平时，也不大愿意发言，更何况是大声朗读课文呢？再说，他的识字量也不是很大，读起书来，更是疙疙瘩瘩……

思考良久，于是，我先尝试在大家齐读的时候，就站在他身旁，当然，不要凑得过近，频率不要过多，反之，会让他更紧张。而是带着他读，逐渐地向其朗读标准靠近。时间一长，他也习惯了我站在他身边，也愿意跟着我读，这样，他就不再是“南郭先生”了。

（余琨老师提供）

（二）实用数学：应用题解题差异性教学

初职教育课程设置中，实用数学属于通用基础课程的另一门文化基础课。实用数学课课程注重有效地补偿学生智力和适应行为的缺陷，注重学生的生活实用能力、独立生存能力、社会适应能力的培养。应用题中的数量关系和各种各样的实际问题有着密切的关系，应用题的学习可以培养学生运用数学知识解决实际问题的能力。然而，轻度智力落后学生缺乏一定的社会生活经验，理解能力和抽象思维能力发展也比较滞后，不善于运用观察、分析、归纳、类比、抽象、概括、猜想等方法发现和解决问题，以致应用题解题正确率较低，解决实际问题的能力也比较薄弱。基于轻度智力落后学生应用题学习中存在的问题和学生学习应用题的心理特点，实用数学组对问题进行诊断归因，探索相应的教学策略和方法，提高轻度智力落后学生应用题解题正确率。

1. 学生应用题解题差异性分析

根据学生的分层情况，在测验时要求 A 层学生完成一步计算的应用题，要求 B 层学生分析并完成数量关系较简单的应用题；要求 C 层学生完成数量关系较复杂的应用题；要求 D 层学生完成数量关系较复杂，以及综合运用公式的应用题。然后根据学生“烹饪成本核算”四个单元测验中应用题的错误情况，进行分层统计，具体结果见表 4－1。

表 4－1　学生四个单元应用题错误情况列表

分　层	错误类型	错误率（%）
A 层学生	公式默写错误	13
	计算错误	3
B 层学生	计算错误	30
	公式默写错误	17
	公式运用错误	8
	公式和算式不匹配	5
	抄错数字	0.8
C 层学生	计算错误	15
	公式默写错误	6
	公式运用错误	1
	公式和算式不匹配	1
D 层学生	计算错误	6
	综合运用公式错误	3

从表4－1中可以看出，A层学生的主要错误类型为公式默写错误，B层学生的主要错误类型为计算错误和公式默写错误，C层学生的主要错误类型为计算错误和公式默写错误，D层学生的主要错误类型为计算错误和综合运用公式错误。由此可见，公式默写错误、计算错误两大错误类型是所有层次学生中比较典型的错误类型。

2. 应用题解题差异性教学的方法

根据学生应用题解题所呈现出的差异性，教师提出了若干种针对性的差异性教学方法，主要有以下7种。

（1）点读法。本方法主要针对A、B层学生抄错数字和公式列式不匹配的错误。教师指着题目或者学生自己指着题目，要求学生大声朗读出来，然后辅导学生用标记法把条件和问题画出，在这种情况下再进行下一步解题，这种方法的运用大大提升了A、B层学生应用题解题的正确率。

（2）参照法。本方法主要针对B、C层学生公式运用错误和公式默写错误。教师把几个相关公式提供给学生，让学生按照应用题的条件和问题去找对应的公式。B层学生理解能力弱，难以理解题目的意义，在练习时，教师给出的相关公式较少；而对C层学生则可以适当增多所给公式的数量，让学生根据题目自己去寻找相匹配的公式。

（3）分析法。本方法主要针对B、C层学生公式运用错误和公式算式不匹配的错误。要求学生写出或画出条件和问题，然后根据问题找到需要的条件，把相应的数字代入。B层学生出现错误时，教师逐步提问，引导学生分析。C层学生，不仅要求其能正确回答老师的提问，还要用自己的话复述整个分析的过程。

（4）强化法。本方法主要针对所有层次学生公式默写错误。多次利用各种方法让学生默写公式，以此来强化学生对公式的默写和记忆。但是简单的强化默写的方法比较枯燥，学生容易失去兴趣，所以尽可能地用丰富强化的方法。比如，每节课默写公式的时候可以全体学生默写，也可以个别学生默写，可以默写全部公式，也可以抽默其中的几个，可以是师生互默，也可以学生间同伴互默。教师还可以利用多媒体，当学生默写正确时给出笑脸或掌声。教师还可以给学生自主权，让他们自己选择不同难度的公式默写。当学生在某次课堂上公式默写全部正确之后，奖励他下次可以检查其他同学的默写。

（5）逆推法。本方法主要针对 D 层学生综合运用公式错误。主要从问题出发，引导学生发现题目中的间接条件，然后根据直接条件，运用替代的方法或者转换“被除数、除数、商”之间的关系，求出间接条件，最后形成一个综合公式。

案例 4－7　逆推法的精彩演绎

在学生学习了第一、二单元后，我提高了应用题的难度，把两道简单的应用题合并成了一道两步计算的应用题，如“金色面包房的一块鲜奶蛋糕毛利为 4 元，价格为 12 元，那么它的成本毛利率是多少?”这道题的难度在于题目中只有求成本毛利的一个直接条件，缺少“成本”。在学生练习时培养学生从问题出发找条件的能力，引导学生画出解题的路线图：

成本毛利率

↙　↘

毛利　÷　成本　　　　　毛利 ÷（价格 － 毛利）×100% ＝成本毛利率

4 元　↙　↘

价格　－　毛利

分析后再要求学生从条件返回到问题，初期要求学生只要列出算式，学生掌握得比较好时要求学生写出综合的公式，起到培养学生逻辑推理能力的作用，同时也使学生明白书的公式都是通过几个简单的公式推导出来的，他们只要掌握了这种分析能力，也能自己推导出公式，体验到成功的快乐，激励他们更投入地学习。

（胡彩红老师提供）

以上是实用数学应用题解题差异性教学中逆推法的一个案例，主要呈现了教师引导学生从问题出发找条件，再从条件返回到问题，最后推导出公式的一个过程。这样的“做中学”，让学生比较容易清晰、深刻地理解和识记公式，并能正确地运用公式。

（6）比较法。本方法主要针对 B、C、D 层学生的公式默写错误。比较法主要运用在两个地方：其一，把公式中条件、问题或符号比较相近的公式进行比较，引导学生发现其中的异同点，学生默写时更关注易错的点。其二，主要是针对 C、D 层学生，学生在解题后把答案和题中的条件进行比较，来检验答案。

（7）编题法。本方法主要针对 C、D 层学生的公式运用错误。A、B 层学生编题，老师给出例题或公式，要求按样子编题，一是让学生感知成本核算应用题的基本模式，二是强化学生的公式记忆。对 C、D 层学生编题的要求比较高，要符合应用题本身的要求，符合生活实际，符合要求的难度。这和逆推法的本质有相似之处，旨在培养学生的逻辑推理能力。

（三）实用英语：基于情境认知的差异性教学

著名语言学家克鲁姆认为：成功的英语课堂教学应为课堂内创造更多的情境，让学生有机会运用已学到的语言材料。实用英语教学着重设计真实性和准真实性的具体场合的情形和景象，为语言功能提供充足的实例，促进学生把知识融于生动的情境之中，提高学生的学习兴趣，建立初步的语感，努力培养学生初步运用英语的能力。

第一，利用教室中现有的真实生活情境，就地取材。根据这条思路，教师要最大限度地利用教室里现有的人、实物和环境特征设置真实的生活情境，根据教学内容辅助教学。我们通过结合班级环境、物、人、学生书包里的用品，先进行示范性描述，然后由学生单个进行描述或 *in pairs* 进行问答练习。比如在三年级教授 *A plant* 这一课时，得益于生态化教室，教师就地取材，使用教室里的花花草草作为一种教学资源，进行新单词与句型的教学。又如在教授形容词及副词时，利用班级的学生的高矮、胖瘦，物品的新旧、大小、长短进行教学。这种真实情境的教学活动，最能引起学生们的注意，激发学生的兴趣，自然就进入学习状态之中。

案例 4-8 《迎世博英语100句》的情境教学

作为一位有21年教龄的老教师，刚开始我对中、重度智力障碍学生的英语教学也曾经痛苦不已。学生的英语基础参差不齐，部分学习能力较弱的学生甚至把英文字母 *a* 读成我们的汉语拼音，对于这些学生，我只能从26个英文字母开始，一边教学生字母的发音和书写，一边兼顾情境对话。当然，教学重点仍然在情境对话中。

说实话，多数同学用母语交流都有困难，英语作为第二语言对于学生来说更是难上加难。为了让学生更加深刻体会英文对话所表达的含义，我总是力图给学生创设直观的交流平台，让学生身临其境，这样学习第二语言效果可能会好一些。现在以“*Expressing Gratitude*”（表示感谢）为例加以说明。

这个单元中的第一个对话为“*A*：*Thank you very much for your help. B*：*My pleasure.*”单单一个来回的对话，既没有前因，也没有后果，让人感觉丈二和尚摸不着头脑。于是，我让学生通过向同学借钢笔这件事情，巧妙地把对话进行了二次改编。“*A*：*Can you lend me your pen? B*：*Yes/Ok/Of course. A*：*Thank you very much* (*for your help*). *B*：*You're welcome/My pleasure.*”经过改编的对话找到了感谢的理由——借到了学生需要的钢笔；内容也从单薄的一个对话回合增加到两个对话回合；更为重要的是，学生可以通过实物钢笔为媒介，进行合乎情理的真实交际。

同样，在表示感谢的这句话中，学生可以在“*Thank you/Thank you very much. /Thank you very much for your help.*”三句话中作出自己的选择，当然，三句话的难度是递增的。恰好与我们学生A层、B层、C层的分层教学相吻合，并且以一定的情境为依托，教学效果良好。

（李晓明老师提供）

正如案例4-8所述，由于学生能力不足，加上课堂教学各方面条件的限制，实用英语的情境教学除挖掘现有资源、就地取材之外，很多时候需要根据现实情况对教材进行改编，创设符合学生学习特点的情境，满足学生的差异性需求。

第二，将真实生活情境带入课堂。教室中现有的教学资源毕竟是有限的，这时就需要教师想办法通过一些方式把真实的生活情境带入课堂。最为通常的做法是把教室之外的实物带进来，比如水果、玩具等，从而在教室中设置一个特定的生活情境。有时候，教师也会通过展示照片的方式在课堂中呈现生活情境，比如在一年级讲到 *My family* 这一单元时，老师就会要求学生带来一些家人的照片，并带来自己的全家福与同学们一起分享。组内还有教师尝试将带有英语国家文化背景的生活情境带入课堂，比如到了圣诞节，教师可以带领孩子们一起装饰教室，带来一些与圣诞相关的礼物与玩具，并在课堂上教孩子们唱圣诞歌曲，在营造出的节日气氛中教授 *Christmas* 这一单元的内容。

第三，在课堂中模拟真实生活情境。在很多情况下，教师很难将真实生活情境带入课堂，这就需要教师动脑筋思考如何在课堂中模拟出真实的生活情境。在多媒体技术的辅助下，教师便利用实物投影仪，呈现牛津教材中的大量插图，模拟出一个个生动有趣的教学情境。教师还采用了小的彩色单词卡片作为补充，让学生根据挂图或小图片展示的情境，进行情境对话，复述或问答。角色扮演也是一个常用的手段，牛津教材提供了大量的适宜表演的会话材料，通过教师指导，学生可以进行角色扮演。从儿童心理学角度来分析，学生往往模仿性强，进角色快，通过表演开展课堂教学，正是顺应了学生的心理及生理特点，充分调动了学习积极性，达到了教学的最佳效果。比如在吃晚饭的情境中，教师采用异质分组的方式，引导同学们练习情境句型“*A：Do you like fish? B：Yes, I like fish. A：Eat some fish. Do you like soup? B：No, I don't like soup.*”由C层同学先问问题，A层同学紧随其后回答。这样对于A层同学来说，口语难度大大降低了，因为C层同学给他提供了“提示语”，不同能力的学生都得到了相应的锻炼。如果所学内容难度较大，教师常常对学习能力较强的学生进行同质分组，比如在打电话情境中“*Man*：*Hello*，*I'd like to speak to Kate. Woman*：*I'm sorry*，*she's not in at the moment. Can I take a message*? *Man*：*It's okay. I'll call back later. Thank you. Woman*：*You're welcome.*”中，老师采用同质分组的方法，由C层学生进行表演朗读。由于学习能力都比较好，他们很容易在对话中产生共鸣，口语的流畅度大大提升。对于学习能力较弱的学生，老师主要是带读，帮助学生尝试突破句子的中文意思和读音。

第四，走出教室，将学生带入真实生活情境。根据前三条思路，教师尝试了多种情境教学的方式，并提出一个大胆的想法“是否可以走出教室，把学生带入真实生活情境中进行英语口语教学?”教师发挥小班教学的优势，在教授 *Crossing the road* 时，首先让学生熟练掌握交通规则：“*Red light. Stop*！*Yellow light. Wait*！*Green light. Go*！”在此基础上，适当扩展句子：“*Red light. Stop*！*Stop on the road. Yellow light. Wait*！*Cars wait to go. Green light. Go*！*Cars go fast.*”师生一起到最近的十字路口，进行实际生活情境的演练。为了保证学生的安全，促使学生更好地学习，同时配备一名助教老师，主教和助教合作进行现场教学。

（四）信息技术：在游戏中开展差异性教学

随着科技的迅速发展，信息技术成为社会生活的重要技能。然而，对于智力障碍学生而言，一方面信息技术的学习难度比较大，学生往往会因此而失去兴趣；另一方面由于各种主客观原因，学生学习信息技术的基础差异比较大。面对这一问题，信息技术教研组不断思考应该以一种什么样的方式来呈现课堂，满足学生的差异性需求。为了激发学生的学习兴趣，提高信息技术的教学效果，教研组决定以游戏教学促进信息技术的学习。以学生发展为本，缺的补缺，长的扬长。

针对不同能力层次的学生，围绕着鼠标练习、指法练习、电子文稿的超链接、网络电子邮件的发送以及如何申请博客5个不同主题，信息组分别开发和运用了《弹飞猫》《打地鼠》《夺宝奇兵》《开心问答》和《换宝行动》游戏来实施差异性教学。

《弹飞猫》主要是通过 FLASH 游戏，让学习能力弱的学生学会使用鼠标。在新授阶段过后，使用 FLASH 游戏《弹飞猫》作为新授练习，学生们可以在弹接小飞猫和抢接苹果的过程中，锻炼了鼠标的移动、单击、双击等操作。通过 5 分钟一次的游戏活动，看谁接到的小飞猫和苹果最多，这既是和自己的竞赛，也形成小组间的竞争。学生对这款游戏很感兴趣，乐在其中，在游戏中不知不觉地掌握了鼠标操作的技巧，使学生在游戏中得到手指精细动作的康复训练，而原先枯燥、单调的鼠标练习也变得生动有趣。

《打地鼠》是通过打字练习的游戏，让学习能力比较弱的学生学会打字。在对打字姿势、手势、指法进行了教师示范、学生示范等复习后，在明确打字练习要求的情况下，使用金山打字通打字练习软件中的《打地鼠》游戏，并根据学生先前的打字正确率和速度的基础，指导学生进行游戏的设置。以 5 分钟为限，学生进行了三轮的练习，充分锻炼了手指的小肌肉群和手眼协调功能。在小组竞赛的机制下，学生人人争做“灭鼠小高手”，学习兴致很高。由于是一款较为正规的软件，所以在学习使用过程中，对九年外的学生特别花费一些时间进行指导，同时通过分层练习要求，让每个学生都能在练习中获得成功感，学生的打字速度、正确率都不同程度地得到了提高，并且兴致浓郁，对打字学习不再排斥，而是充满兴致，积极要求学习、练习。

《夺宝奇兵》是通过团体游戏的形式让能力较强的学生学会电子演示文稿的操作使用。在导入和练习阶段，分别设计了两个不同类型的游戏。在导入阶段，通过《夺宝奇兵》的游戏，让学生在寻宝的过程中，直观地体验到幻灯片中超级链接的形式，激发他们的学习兴趣和热情。在练习阶段，通过一个简单的跳转型的心理测试，让学生在自主思考和尝试的游戏制作任务中体会超级链接的作用和有效性。这两个游戏除了和教学内容紧密相关外，都具有一定的时尚流行性，学生的积极性被很大程度地激发，在游戏的过程中，很快就掌握了超链接的设置技术，最后通过学生小组内讨论和探究，自主完成了心理跳转游戏的制作。

《开心问答》是通过心理游戏的运用，让能力较强的学生学习电子邮件的收发。在完成新授、进行了新授练习之后，为了让学生进一步体会电子邮件传送的快速、便捷和隐秘。通过《开心问答》的游戏，让学生通过给周围的好朋友发送电子邮件进行问答游戏。平时不好意思问的问题，或者有什么想法不方便当面说的，或者有什么悄悄话想告诉老师，就通过这个游戏进行。通过有意识地制造游戏的气氛，学生们更亲自体验到了电子邮件的快速、便捷和隐秘。学生在这个游戏中兴致很高，在给好朋友、老师发送邮件传达意愿的过程中，熟练地掌握了电子邮件的发送。

《换宝行动》是通过 FLASH 游戏，让能力强的同学学会博客的申请。在完成博客的申请之后，让学生将申请成功的博客地址通过发送电子邮件的形式交给老师，老师收到地址，并能顺利打开博客的，则回复 FLASH 益智游戏的链接地址。以这种方式来激励学生，既符合学生的好奇心理，同时无形中又是一种竞赛。学生在老师的示范和传授下，往往会失去学习的主动性。在初步掌握申请博客后，学生会在这样一个游戏的激励下，主动寻求完成练习任务的方法。既可以益智，又巩固了新学的知识和技能，同时也锻炼了电子邮件的登录和发送，一举三得。

案例 4－9 游戏教学三步走

信息技术对于智力障碍学生而言似乎没有什么太大的作用，难度也确实高了一点，因此学生的学习热情并不是很高，往往会由于难度过高，或学习太过枯燥而失去兴趣，面对这一问题，我们也在不断思考，我们的课堂应该以一种什么样的方式来呈现，思考许久，以下三点必不可少。

第一步，以学生需求为本。不同能力基础学生的学习需求是不一样的。能力较强的学生有很强烈的学习需求，他们的认知能力较高，使得他们懂得多学习一门知识和技能对自己将来的工作是有好处的。能力中等学生愿意服从老师的安排，也希望能多学习一点知识，但是具体学习什么他们并不主动要求。A 层学生基本不发表意见，不知道自己还能学些什么，愿意服从老师的安排。了解了学生的需求后，我便开始思考教学内容和形式。

第二步，以学生发展为本，缺的补缺，长的扬长。在第一步的基础上，我认为要尽量满足每一个学生的学习需求，并促进每一个学生在信息技术方面的发展。于是，首先我为D层学生制订了个别化教育计划，专门制定一份考证学习的课程。然后我将课堂教学内容分为以下几块：(1) 计算机的组成，详细学习一下计算机硬件的组成，以及计算机怎样拆装，该怎么认识计算机的硬件；(2) 计算机网络的组成，详细学习了计算机网页浏览器的使用，网络的基本组成，以及如何利用网络搜索引擎建立网络资源库；(3) 网页的简单制作，学习FRONTPAGE 2000软件的基本应用，会制作一些简单的网页和链接。同时，对A层学生，我继续通过一些游戏教学的途径，加强拼音打字的训练。

第三步，以学生兴趣为本，让课堂学习充满激情和快乐。我希望学生在信息技术课上感觉很有意思，很愿意上信息技术课。所以在课堂上，我会采用各种能调动学生兴趣和积极性的游戏，让学生摆脱沉闷的学习状态，无论是D层学生，还是A层学生都能在课堂上体验到动手操作的乐趣。

（赵子文老师提供）

游戏教学的目的在于激发学生的学习兴趣，促进信息技术知识的学习。因此，信息技术的游戏教学以学生需求、学生发展和学生兴趣为本，关注学生的差异，促进学生的差异发展。

（五）园艺：信息技术与学科整合

插花既是丰富生活、提高生活品质的一种生活技能，又是一门职业技能。初职校园艺专业的轻度智障学生需要通过插花员初级的考核，获得职业资格证书，走向工作岗位。然而，上海市规定的考证教材是面向成人学习使用的。轻度智障学生由于存在感知觉速度缓慢、记忆缺乏目的性等特点，对不同插花造型分辨不清，容易混淆；他们空间思维能力弱，不能很好地把握立体的插花造型；观察、比较能力不强，对于插花造型的比例、不同花材的位置容易把握不准；双手协调配合能力不足，很难在规定的时间内完成插花作品。同时，由于学生之间还存在着个体差异性，能力较强的学生具有探究学习的可能，能力较弱的学生需要更多的学习强化、反复训练的机会。在目前学校教师资源尚不充裕的情况下，园艺教研组进行了信息技术与学科整合的探索，运用信息技术手段开发插花课程资源包，有助于缓解个别化教学与教师资源不足之间的矛盾，满足学生的不同学习需求，提高了教学效果。

1. 照片的运用

（1）细节放大。在园艺技能的教授中，有很多关键的手势，直接影响着操作的效果。特别是在对花材的加工处理过程中，有些动作非常精细，譬如摘除枯瓣，不同的手法产生的效果大相径庭。这类动作又往往较难用清晰的语言科学地表达，即使表达非常精确，用词非常考究，对智力障碍学生来说，也无法充分理解和领悟。老师通常反复地示范，然而，这样一来，教师的体力消耗非常大。而且操作是一个过程，长时间地用手去定格一个动作比较困难，集体授课情况下，学生难以看清这一极其细小的动作。因此，园艺组教师在授课前用数码相机将此关键动作拍摄下来，插入多媒体课件，并通过技术处理，将极其细小的动作放大并投射在大屏幕上，在授课的过程中，配合教师手势的比划及详细的讲解，学生便很容易理解和领悟了。

（2）对照比较。在日常练习中，有些概念和动作因为长期存在，智力障碍学生很容易形成习惯。而当教学内容发生变化，他们经常是无所适从，很难根据目前的实际情况，想出合适的对策。通常他们会采用大脑中存在的已经成习惯的方法去操作，而这些方法往往又是错误的，是需要教师纠正的。譬如，教师在教授玫瑰胸花制作的过程中，首先要对主花进行剪切处理，切口要求剪成平口。但智力障碍学生没有学过胸花制作，他们一拿起主花就按照原本大脑中的印象，即插花技能中的花材都要求剪成斜口，将制作胸花的主花也剪成斜口。他们没有意识到胸花无须插入花泥，无须吸收水分，且最后要用胶带进行包扎处理。剪成斜口没有意义，而且会给包扎带来麻烦。教师在进行这部分讲解时，如果只是单纯地告诉学生胸花要剪成平口，恐怕仍旧无法引起学生注意，因为他们的思维早已成定式。为此，教师呈现一张平口照片和一张斜口照片，并对错误的照片作相应的标注，清晰地作出对比，可以起到引起学生注意、加深印象的效果。

（3）评价作品。学生在完成一个作品后，兴致高昂，他们非常希望能够得到老师的评价，然而限于课堂时间，教师不可能在课堂上对所有学生的作品进行详细的分析和评价，这会让部分学生感到失望。智力障碍学生自卑感强，且克服挫折的能力很弱，他们会以为教师对他们不够重视，原本浓厚的学习兴趣容易被打消。于是，教师利用数码相机将未作点评的学生作品一一摄录下来，然后专门开设一堂作品评价课，对每个学生的作品进行一番深入浅出的评价，不仅能满足学生的情感需求，而且对一些有代表性作品的评价能引起学生的关注和重视，使学生今后的练习操作受益匪浅。

2. 录像的运用

（1）预先感知。在教授一项全新技能，或技能中的某一步骤时，由于学生对此项操作的过程一无所知，如果一上来教师就亲自示范，学生在观看的过程中，对最终成品的样子全无概念，也就无暇去思考此项操作的目的和意义。因此，在教授前，教师先播放一段紧凑的录像片段，让其先大致了解整个操作过程以及最终成品的形状，这样有了预先感知，再观摩教师示范，学生能看得懂、理解得更快，甚至还能引发思考和讨论。

（2）课末总结。一堂课已近尾声，学生已略感疲劳，原本的热情也随着操作高潮的过去而消退，学生的注意力极其容易下降。为此，教师呈现一段生动的视频录像作为总结，能迅速地再度吸引学生的注意力，激起已经降温的课堂热情。播放录像时，将较长的一段录像分段播放，每段之间及时小结，这种方式能频繁地掀起注意高潮，比全程播放后总结的效果更佳。所以将视频录像置于课的结尾，作为一种巩固与小结的手段再合适不过了。

（3）探究学习。在智力障碍学生中开展探究学习须谨慎，因为对探究任务的难易度把握相当困难，难度稍大，学生无一有反应，难度太小，起不到探究的目的，仅仅走了探究的形式主义。如何开展适合智力障碍学生的探究性学习呢？反复播放录像，让学生看的同时，自行探索操作的过程无疑是一种非常理想的方法。智障学生差异性很大，教学中均采用分层分组的教学模式，对能力稍弱的一组同学来说，他们掌握技能的速度很慢。当老师对该组学生反复进行小组个别化辅导的同时，另一组能力强的学生早就完成了这一步骤的操作，闲散着无事可做。此时就可针对他们反复播放一段下一步骤的操作录像，让学生边看边自学，教师则集中精力辅导能力弱的学生。如此，既能有效利用课堂时间，又能激起学生的探究热情，可谓一举两得。

3. 实物投影仪的运用

（1）示范操作。园艺学科中，教师的示范操作至关重要，通常采取的方法是，学生围拢在教师的周围仔细观看。然而，有些班级学生人数众多，有些操作需要较长时间，围拢式的方法便不适合了。首先，过密的人数将使操作环境的明亮度降低，空气不流通，教师做得不舒适，学生看得不清楚；其次，学生会因为争抢一个有利位置而互相挤压，甚至引发矛盾，破坏课堂和谐气氛；再次，位置不佳的学生，积极性急剧下降，索性放弃观看。这样的示范操作效果不佳。为此，教师就可在展示台上操作，通过实物投影仪将操作的整个过程投射到大屏幕，再多的人，也能看得清楚、学得透彻。当然不仅仅是示范操作，学生在练习的过程中，教师发现错误，也可邀请该名学生上展示台操作，让所有学生去发现存在的问题，引起重视。实物投影仪能将课堂上的一些生成性的东西直接搬上屏幕，对解决教学中的问题很有帮助。

（2）呈现示图。在教学中，有很多问题是课堂上生成的，教师无法预料的。但也有些问题，是老师在备课时已经可以预料得到的。为避免学生再犯，或引起学生重视，早作准备就显得十分必要了。预先制作一张示意图，作出到位的标注，再通过实物投影仪投射，无疑是一个非常好的方法。例如李老师在教授“修剪花萼”这一步骤时，虽用文字列出了详细的注意点，并辅以清晰的照片放大，然而预计这些仍不足以解决学生起落刀位置偏差的问题。于是在上课前，他预想了三种学生可能出现的错误剪法，并伴以正确的剪法，手画了一张示意图（如图 4－1），分别解释了各种错误剪法产生的原因和引起的后果，强化了正确剪法，通过实物投影仪呈现，让学生在操作之前尽可能地避免出现这些情况，收到了良好的效果。

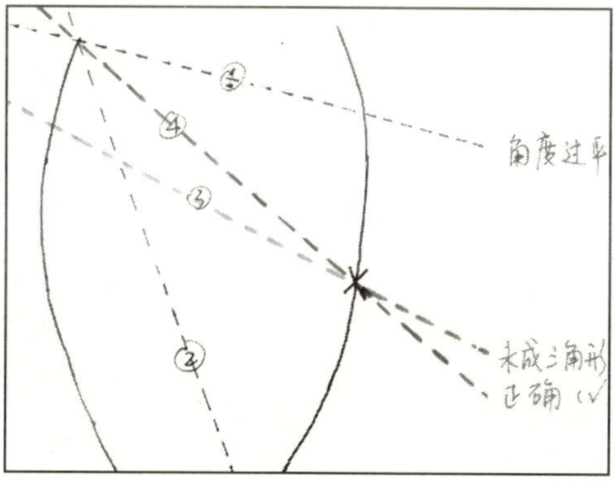

图 4－1 “修剪花萼”手绘示意图

案例 4－10 信息技术辅助教学

——让差异进一步缩小

小文动手能力很弱，还常常喜欢发脾气，原本技能操作中一些细小的动作他就无法很好地掌握。当学习水仙雕刻这一项目时，他更是很难把握一些细小的动作。由于自己也是刚上岗不久的新教师，虽然想了不少办法，手把手教，一遍遍示范……但是收效甚微。对于小文这类学生，我真有些手足无措。通过培训和学习，我了解到他们感受性慢、感受范围狭窄，注意力又不易集中等特点，虽然在课堂上已经很注意实施分层教学，并且对于部分细致的技能进行反复地示范，耐心已经发挥到了极致，不少能力较强的学生做得已经相当出色了，但是小文等几位学生还是不能很好地掌握，这真让我感到沮丧。

随着信息技术的发展，多媒体逐渐进入了课堂，当我播放事先拍摄好的操作录像时，学生们都目不转睛地看着，觉得很新奇。以往教师总体示范的环节，我尝试着由视频示范来替代，这样学生能够总体感知到将要学习的内容，又可以节省时间，过程中也能留出学生尝试探究学习的部分。在教学过程中，对于比较简单的，能用图片表达的细小动作，如握水仙刻刀的不同手势，就可以用手心、手背两个角度握刀的图片来表示，我尝试让学生看着课件中放大的图片，结合图片旁边标注的文字自己操作。小文的理解能力还可以，他又比较喜欢电脑，因此他会很专心地研究图片及旁边的文字提示。由于放大的图片把操作的细节也放大了，呈现在屏幕上一目了然，小文竟也能根据图片提示，较容易地摸到操作的法门，出色完成了较为简单的操作，这是我意料之外的。短短的一分多钟的视频还可以在课件中设置循环播放，这样学生在操作中就可以随时看示范，再加上教师的个别指导，学生的学习效果出奇地好，连我认为不可能做好的小文也做得异常认真，而且也获得了成功。

（王丹平老师提供）

案例4－10呈现了教师对于信息技术辅助教学的思考和实践，从中也可以看出，信息技术因其直观、形象等特点，对于智障学生的园艺学习具有强有力的促进作用。

（六）烹饪：学具包的开发与运用

轻度智力障碍学生普遍具有注意范围狭窄、抽象思维障碍、缺乏统整能力和序列处理优于平行处理等特点，同时个体之间存在着较大的差异，同一教学方法但学生掌握的情况却大不相同。因此，对于那些操作能力比较薄弱的同学来说，学习非常困难，教师除了实施个别教学之外，还需要为他们提供多种学习资源和支持。学具是课堂教学中的重要课程资源，将学具的研制、应用与教学方法的研究相结合，是专业技术课中改革课堂教学的一条重要措施。在日常的教学过程中，烹饪教研组探索课程资源学具包的研究和运用，让智障学生通过学具这种有形资源来掌握一些操作技能比较复杂的内容。

案例4－11　一个学具的诞生

又太厚了，这已经是周同学批的第六片了，小周同学批的片始终不能达到要求，片太厚、不均匀，存在着很大的问题。我首先为他示范了两遍，一边示范一边为他讲解，让他能更好地理解和接受。轮到他开始操作了，我先用手握住他的刀，使其能停留在正确的进刀位置上，然后让他进刀。然而，在我松手后，他对肉片0.3毫米的厚薄还是没有什么概念，进刀后无法保持刀的平稳，推拉幅度也小，难以将肉批下，最后导致批出来的肉片很厚，而且不均匀，有破损，直接影响到了切肉丝，这一问题促使我陷入困惑。怎么办?

这时，我突然想到了本学期的教研主题是“专业技术课重难点的突破上的课程资源学具包的研究和运用”，这一主题的研究主要针对A层等操作能力比较薄弱的同学而展开的。由于标准化考试的出台，对于每一个学生的要求都是相同的，但我们学生由于个体差异较大，同样的教学方法，不同的学生掌握的情况大不相同。因此，我们希望通过学具的开发和运用，把一些默会知识显性化，复杂技能简单化，让薄弱学生的专业技能得到有效提高!

在大家的合作下，我们一起开发制作了可以帮助批片技能比较薄弱同学的学具——下批控制器。下批控制器能有效帮助学生了解肉丝的规格，即长7厘米，粗细0.3厘米，还可以解决某些薄弱学生刀放不平的问题，使他们成功达到平刀批的效果，保证成品质量。周同学经过指导和运用学具一段时间后，批肉片的水平有了明显进步，取得了良好的效果。

（郭天旻老师提供）

案例4－11描述了一个学具的诞生，其实也是烹饪学具包诞生的一个缩影。根据学生学习烹饪技能存在的问题，烹饪组在实践中不断反思和实践，研发一个个学具，帮助学生逐步掌握技能。

1. 学具开发的整体构架

自制学具因材料易得、制作简单、经济实惠而深受师生们的青睐，它不但填补了教仪空白，推动了教仪设计的进步，而且有效地锻炼了师生的创新思维和实践能力。烹饪教研组所开发的学具都是围绕教学重难点展开的，按其质地的不同可以分为五个类别：以硬板纸为主要原料制作的纸制类学具；以硬塑料为主要原料制作的塑料类学具；以木棍和一次性筷子等为主要原料制作的木质类学具；用不锈钢、质地较软的原料制作的不锈钢类学具；用两种原料拼接在一起制成的复合类学具。按其用途的不同，可以分为刀工类和冷盆类两个类别，具体见图 4 - 2。

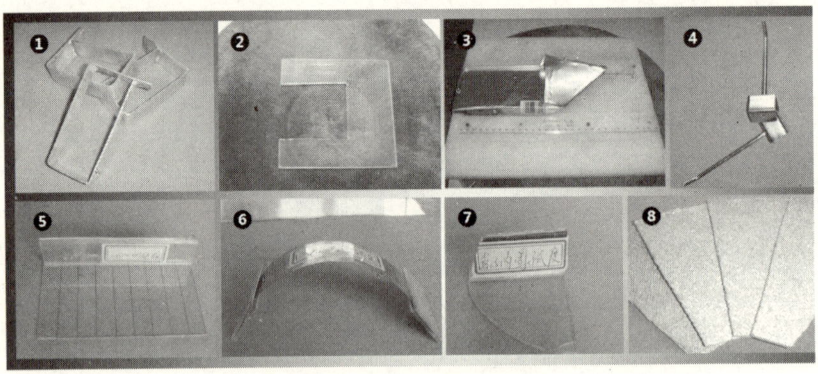

图 4 - 2　烹饪学具组图

如图 4 - 2 所示，①—④为刀工类学具：①是直刀修面器，用于解决修生姜和土豆等长方体不规则的难点；②是平刀控制器，用于解决批肉片和鱼片等原料厚薄不均匀的难点；③是花刀加工器，用于解决切鱿鱼卷等原料难以兼顾多个面的难点；④是 1.5 厘米控制器，用于解决切豆腐等原料 1.5 厘米见方的难点。⑤—⑧是冷盆类学具：⑤是 1.5 厘米间距板，用于解决排列桥型盖面原料 1.5 厘米间距的难点；⑥是高度测量器，用于解决馒头型冷盆和桥型冷盆垫底高度的难点；⑦是弧度控制器，用于解决馒头型冷盆靠边原料半圆形控制的难点；⑧是靠边模板，用于解决桥型冷盆靠边原料呈扇形的难点。

2. 学具运用的原则

学具，顾名思义是辅助学习的工具，只有在学生学习遇到困难的前提下才需要学具，以提高学习效能。所以，面对差异程度较大的学生，我们所开发的学具只针对那部分学习能力较弱的学生，并且在使用的时候必须遵循以下三条原则。

循序渐进原则。学具在使用的时候切忌让学生完全来依靠学具进行操作，教师一定要控制好使用的频率，即学生不能一直使用学具进行操作，而是随着时间的推移，慢慢减少使用的次数与力度，最后能够让学生脱手，在不使用学具的情况下同样完成符合标准的成品。所以，这就需要经历一个循序渐进的过程。

交替使用原则。学具的使用不仅要在频率和力度上加以控制，而且要在方法的使用上掌握得当。我们的实践研究发现，不管是在使用的初期还是中后期，教师一定要间隔交叉地让学生进行使用，如第一遍操作可以依靠学具进行，但第二遍操作就尝试脱离学具，不管成功与否，都让学生进行独立操作，然后第三次再让他依靠学具进行操作，这样依次类推，交替使用。

实践表明，这种操作方法的好处可以让学生在用与不用之间进行体会，感受操作的区别，认识正确的方法，通过学具的使用，强化正确的方法，让他们对操作标准能够有一个清晰的认识。通过反复强化，循环交替，久而久之，也就掌握了正确的操作方法，最终也就自然而然地脱离了学具。

教师指导原则。当学生在使用学具进行操作时，教师必须从旁指导使用的方法，控制使用。即使在学生能够掌握的情况下仍需加以关注，因为特殊学生的起伏性很大，如果出现问题，教师可以再一次地进行强化训练。通过交替使用，让学生逐步掌握技能。因此，在此过程中教师一定要适当加以指导，才能达到事半功倍的效果！

（七）服务：基于“小先生”制的差异性教学

20世纪初，陶行知先生从穷国的现实出发，创立了“小先生制”，采用“即知即传人”的方法普及教育。1932年，陶行知在上海郊区大场创办上海工学团，开展普及教育运动，主张“工以养生，学以明生，团以保生”，并从实践中总结了“即知即传”的普及教育的方法，创立了“小先生制”①。小先生制是叫小孩教小孩，小孩教成人，它既是一种教学方式，又是一种学习方式。陶行知认为，小孩子有不可思议的力量，小孩子能做先生，做先生不限定师范毕业。“即知即传”是小先生制的一个重要原则，即用自己读的书教人，一面温习，一面把学问传给他人。陶行知先生在推行民众教育时进一步指出：“民众教育的根本主义就是把知识扩散给大众。要把教育知识变成空气一样，弥漫于宇宙，洗荡于乾坤，普及众生，人人都得呼吸。把知识变成空气最好的方法是运用小先生。”

在日常的教学活动中，因为教育资源的不足，学校经常会而安排教师做助教、邀请家长做教育支持者进入课堂。在服务学科教学实践中，我们发现，学生也是重要的资源。虽然我们的学生整体能力较弱，但也不乏几名各方面能力都比较强的学生。而且，因为年龄和知识经验相似，学生之间更容易沟通和理解，学生教学生比老师教学生更容易使学生掌握。早在17世纪，约翰·夸美纽斯就曾提出：“在某一学科中有长进的学生，应定期安排给其他学生上课。”发挥“伙伴教师”在课堂中的作用，不仅可以减轻课堂中老师照顾不周的问题，还可以通过同伴之间的教与学来激发学生的内部学习动机，培养相互合作的情感、语言表达能力、科学思维的方法，并使其技能逐渐提高。当然，要使“伙伴教师”取得良好的效果，需要师生共同参与，选好“伙伴教师”以及对

① 国家教育委员会人事司组织．中国教育思想史专题［M］．天津教育出版社，1992：192－215.

其加强培训，精心编排教学目标、内容和方法。

1.“小先生”的发现

教师在一项新技能的传授过程中，往往会发现这样一个问题。有些学生的接受能力非常强，对老师传授的新技能能在较短的时间内掌握，而大部分学生还需要老师手把手地教授。在没有助教的情况下，教师急需要一位得力的助手。在这部分能力强的学生中不乏管理能力强并愿意热心帮助同学的学生。于是，在这种常态的教学情境下，“小先生”孕育而生。

2.“小先生”的培养

对“小先生”的培养主要内容有单元技能的掌握、组织能力、评价能力和心理健康教育。“小先生”的使命是在自己掌握好新技能后，帮助老师辅导其他学生。因此，首先要让“小先生”的单元技能掌握情况良好，并在此基础上教学生一些辅导的方法和小窍门。“小先生”需要有较强的组织能力，需要课内外相结合培养“小先生”的组织能力。此外，在教学的过程中，教师要积极引导学生生生互评、学生自评，帮助“小先生”学会评价，并能组织小组进行互评。在实践的过程中发现，“小先生”的健康心理将直接影响“小先生”的学习状态。因此，教师编了几句顺口溜——“不自满，要虚心；多学习，讲进取；不专横，要耐心；多务实，讲奉献”。让他们常记心中，并时常告诫自己。

3.“小先生”的运用

“小先生”的运用首先要明确“小先生”教同学什么内容、什么时候教。实践过程中，我们发现，就整个单元学习而言，复习课比新授课用得多。一般在新授课中，“小先生”指导活动相对比较少，因为这段时间对于“小先生”来讲也是在一个初学阶段。但是，在技能复习课中“小先生”的作用就可以凸显出来。他们可以帮助那些学习跟不上、有困难的同学。就一节课而言，巩固、复习阶段比导入、新授阶段用得多。在一节课中由于学生差异的存在，单一技能掌握情况的差异也非常突出。部分学生在整堂课的前几个环节就能很好地掌握该技能，到了巩固、复习阶段完全可以担当“小先生”的职务。

4. “小先生”的激励

要使“小先生”在课堂中充分发挥积极作用，就要建立一套完善的激励机制。我们的激励内容有“小先生”悬挂名牌；对辅导有明显进步的情况给予积极的鼓励；利用学校现有的激励机制如发章进行鼓励；对表现突出的“伙伴教师”还实行连任下一技能的“小先生”；对表现不佳的“小先生”及时更换，等等。

案例4－12　自信的“小先生”

“同学们，都准备好了吗?”

“我自信，我能行!”

“好，那我们就开始今天的课!”

这是一堂西式铺床的交流课，在这节课上我和同学们探究了毛毯包角的操作方法，和谐地互动、积极地参与，充满了整个课堂。

在这堂课上，有一个亮点，就是“小先生”方式的实践和探究，可以说这是我们本学期探究的一个教学形式。

当小菁双手接过老师颁发的“小先生”的奖牌时，立刻赢得了同学和老师的掌声。掌声中，包含了欣赏和鼓励。当我们的伙伴小老师接过奖牌，也意味着一份使命感的确立。因为从宣布授牌的这一刻起，小菁要扮演“小老师”的角色，帮助她的“伙伴同学”进行操作训练。

确实，这样一个开场的授牌仪式，在我的“伙伴教学”中起到了良好的效应。在这堂课上，小菁发挥了“小老师”的积极作用，同伴的帮教往往有其明显的优势，因为同伴之间比较能相互理解和沟通。在她的帮助下，只见小岭和小维获得了更加充分的练习机会，也获得了“小老师”手把手的单独指导。看见他们全力地投入，我也倍感高兴。

同时，“小先生”的助教作用，也为主教老师争取到更多的时间进行集体辅导。而且，我发现小菁在担任“小先生”的过程中也获得了磨炼和能力的提升。

（范莹老师提供）

成为“小先生”，是对自己学习能力的肯定，同时也无形中提高了自我的学习要求。同伴群体更加容易沟通和交流，“小先生”可以根据自己的学习体会，以同龄人的话语传授技能学习方法，伙伴同学比较容易接受。因此，“小先生”不仅缓解了教育资源不足的问题，更重要的是促进了“伙伴教师”及其他伙伴的进步。

（八）面点：口诀与手指操的运用

随着现代教学技术的不断发展，教学辅助材料与手段越来越多地成为教师与学生学习过程中的重要组成部分。由于感知觉能力薄弱、精细动作发展缓慢，轻度智障学生面点技能的学习差异大。如何在集体授课制的前提下，减少个体间的差异，提高整体学习效率，以及优化课堂教学？面点教研组进行了口诀和手指操辅助教学的探索。

案例 4－13　让我们的小手动起来

“同学们，看了冠顶饺的操作视频之后，你们觉得哪一步最难？”

“推花边……”同学们不约而同地说出了操作的关键。面对这一教学重难点，我也反复示范了几遍，尽管如此，同学们对于推花边这一技能还是很难掌握。

面对这一问题，我也开始思索，究竟是什么原因导致了学生操作的失败？经过分析发现，并不是由于技能难度的高低，而是由于学生自身局限造成了操作的困难。是啊，看看周边学习面点的学生，很多都是脑瘫患者，手指精细动作，双手协调能力均存在很大的问题。如果生理存在缺陷，那么再简单的技能，同学们依然很难掌握。加上面点技能的操作都需要通过手指运用精细动作来完成，如果手指协调和精细动作不稳定，那么学习面点技能将非常困难，这一点我们必须清晰地认识到，并要努力地寻找解决方案……

“开发一套手指运动操吧，就好像康复训练课程内容那样！”

在一次校本教研的过程中，有成员这样建议。这一提议马上得到了大家的响应，达成了共识。于是教研组就开始了面点手指操的编制。先从面点学生本身的技能出发，对涉及手指操作的每一项技能进行了罗列和分析，从而进行针对性地开发。通过一段时间的开发，教研组老师共完成了三套面点手指操，主要针对手指协调能力有残缺的孩子，让他们通过手指操的运用，一方面促进其手部小肌肉群的发展，另一方面让他们明确技能操作的要点和关键，可谓一举两得。

从现在开始，每一次的面点课我们都能够看到同学做手指操的场景，大家并没有觉得奇怪，也没有排斥手指操。相反通过手指操的训练，他们更喜欢上面点课了，并且在一些细小动作的操作上，取得了很大的发展。

（邵志明老师提供）

轻度智障学生识记慢，遗忘快，难以将面点技能的各操作步骤牢记于心，给面点技能的学习带来困难。为此，教师将“专业”的工作分析步骤编成浅显易懂、朗朗上口的“口诀”，促进了技能的学习。

表 4-2　木鱼饺工作分析步骤口诀汇编前后对比表

原来工作分析步骤	汇编后的步骤口诀
及格标准：收口不宜过宽、过厚、形如木鱼。	1. 搓条下剂呈 8 个，擀皮大小 6 厘米
1. 150 克面粉倒在案板上，中间按出一个凹塘逐渐加入温水反复揉匀成面团。	2. 包入 8 克肉馅心，对捏合拢成半圆
2. 面团搓成长条，摘成 8 克重的剂子。	3. 左手轻捏坯中缘，右手持板竖直放
3. 用擀面杖擀成直径 5—6 厘米的圆形皮子。	4. 竖放刮板对生坯，轻轻印于坯中央

续表

原来工作分析步骤	汇编后的步骤口诀
4. 将皮子摊在左手掌中，放入馅心8克。	5. 刮板沿边向上提，左手用力向前顶
5. 圆形皮子对折成半圆形（不要捏住）。	6. 手脱刮板适调整，形似帽檐，外观美
6. 双手的拇指和拇指交替，食指和食指交替捏住半圆形边缘。	7. 上笼蒸制6分钟，口味细腻味道美
7. 稍用力向外挤压。	
8. 边沿呈明显的挤压印，馅心稍往下凸出。	
9. 沸水下锅，用勺子轻轻地推动木鱼饺，使木鱼饺随着沸水翻动。	重难点：两边对称，中间凸起
10. 沸腾后再加一次冷水，等到木鱼饺浮到水面即可。	破解重难点口诀： 双手拇指成三角，双手握紧向里挤

以木鱼饺的工作分析步骤口诀汇编前后对比为例，汇编后的口诀言简意赅，前后对仗，朗朗上口，有助于学生在充满“乐趣”的朗读和记忆中掌握工作分析步骤。

手指操是针对智力落后学生手指精细动作缓慢，注意力不集中而导致的手部操作机能练习困难而汇编。分为操作前——热身操、操作中——巩固操、操作后——放松操。

1. 操作前——热身操

初职学生的手指灵活度不够，又受生理因素的影响，手指精细动作的薄弱，这给操作上带来了困难。我们根据这些特点，在操作前，进行热身操，一方面，舒活手指的灵活度，另一方面，为接下来的训练作铺垫，具体步骤如下。

（1）你我他，有巧手（两只手掌放在胸前，十个手指动）。

（2）洗洗手，搓一搓（双手放在胸前，两手的手心与手心相互搓，两手替换，左手的手心与右手的手背相互搓；右手的手心与左手的手背相互搓）。

（3）捏捏粉，撒一撒（大拇指与四手指聚拢，从桌面伸至与肩同宽处，放开五指，弯曲握拳状，做点头状）。

（4）擀擀皮，揉揉面（双手往前做擀皮状，然后做揉面状）。

（5）你我他，做点心（双手举起，与肩同宽，伸出的双手，双手打开，五指张开，手腕放松，手腕前面弯弯，后面弯弯；可以打圈，顺时针一圈，逆时针一圈）。

（6）数一数，是几个（双手举起，与肩同宽，伸出的双手，双手握拳，五指以食指、中指、无名指、小指，再伸出拇指的形式打开成五指张开状，再以拇指、食指、中指、无名指，再收回小指的形式弯曲握成拳状的形式；握紧张开，可交替反复）。

2. 操作中——巩固操

巩固操是指教师在对技能进行分解的基础上，详细地通过手指的运动指导来进行说明和教授，旨在让操作的主要步骤更加清晰和明朗。同时运用简单的话语让学生熟练记忆。将手指运动结合儿化言语，帮助学生熟练操作要领，掌握操作技能。以木鱼饺制作手指操为例。第一节：左手八，右手五，如图 4－3 中的①所示；第二节：八里五外紧相贴，如图 4－3 中的②所示；第三节：双手拇指呈三角，图 4－3 中的③为后视、正视和俯视三个角度的效果图；第四节：双手握紧向里挤，图 4－3 中的④为俯视和正视两个角度的效果图。

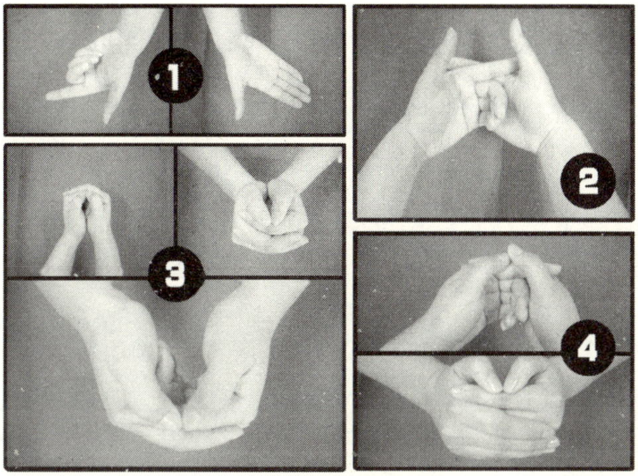

图4－3　木鱼饺手指操分解图

3. 操作后——放松操

放松操是在课堂学习结束后放松练习使用，缓解学生在课堂学习中高强度进行手指训练所产生的手部疲劳，长期训练，可以增强手指的力量及协调能力。

准备：第一节，跟着节奏逐个收、放手指；第二节，跟着节奏左右手的手指逐个互碰、放开（同学之间）；第三节，跟着节奏，双手五指并拢，轮流捏、揉、搓、放；跟着节奏，双手同时握拳，同时张开五指。

由于学生在动手能力、协调性、灵活性、力量等方面存在很大差异，因此，我们认为手指操不仅仅是让学生动手指那么简单，更重要的是根据每个教学内容以及重难点，对每个手指进行了精细化的训练，让他们在手指的灵活性、协调及力量等方面得到一定的锻炼和提高，从而帮助他们提高动手能力。

三、差异性教学中的学生成长

在差异性教学的实践探索中，初职学生职业技能的学习效果得到提高，学生的体艺潜能得到进一步发展，不同能力层次的学生实现了多元发展。

（一）学生获得多元化的发展

学生的职业技能掌握水平逐年攀升。历届学生考证通过率（见表4－3）统计显示：历届毕业生职业技能资格证书截至2006年9月通过率为98.9%，本区轻度智障毕业生就业率为100%。说明差异性教学对学生的技能学习产生了极大的影响，学生的专业技能获得了更大发展。

表4－3　历届学生考证通过率

考证科目		2001届	2002届	2003届	2004届	2005届	2006届	历届
初级烹调师	通过率（%）	100	100	100	100	100	100	100
	通过人数（名）	9	9	14	10	15	23	80
初级面点师	通过率（%）				100	100	100	100
	通过人数（名）				10	12	18	40
初级花卉园艺工	通过率（%）	93.75	100		100	100	100	99.2
	通过人数（名）	15	8		32	13	57	125
初级餐厅服务员	通过率（%）	100			100	100	97.62	99
	通过人数（名）	7			10	13	41	71
初级客房服务员	通过率（%）		100	85.71	100	100		96
	通过人数（名）		9	12	12	10		43
初级插花员	通过率（%）						100	100
	通过人数（名）						13	13
总计	通过率（%）	96.88	100	92.86	100	100	99.35	98.90
	通过人数（名）	31	26	26	74	63	152	372

学生的学习自主性得到进一步激发。本着尊重差异，实现差异发展的认识，教师群体积极探索，教、学、研一体，围绕着教育教学实践中的实际问题开展教学。在当时不倡导特殊学生进行探究性学习的情况下，园艺组教师积极探索智障学生园艺探究学习中的教师指导行为，烹饪组、面点组也以学生探究性学习作为校本教研主题进行了探索与研究。教学与研究相结合，在不断的尝试中，不但改变了以往“智障学生没有探究性学习”的传统观念，而且也大大激发了学生学习的自主性，使学生在基础学科、专业学科学习上获得了很大发展和提高。这是基于学校实践中自主生长出来的，具有学校本土特色，但却与美国智障协会（AAMR）2002 年国际智障新概念所提出的智障学生也有自主自觉行为、倡导进一步激发其自主自觉行为以促进其发展的理念是相呼应的。同时，在学生团队工作方面，通过在一人一岗、爱心义卖、六会仪式等活动中培养学生小干部，实现自主管理、自主检查，大大激发了学生的自主性。

2004 年 9 月至 2007 年 3 月，学生群体共获得个人市级荣誉 235 项，个人区级荣誉 14 项，集体荣誉 23 项。其中，学生群体在 2004 年获得上海市中小学“小公民保洁队”活动组织奖的基础上，2006 年获得上海市中小学“小公民保洁队”活动优秀奖；两位学生获得 2006 年度上海市红读积极分子；2004 年、2005 年、2006 年三年中 6 个学生 8 次分别获得“区十佳道德小先锋”“区优秀队员”“区当代小先生”“区优秀少先队员”等荣誉称号，8 个班级分别获得“区优秀小队”“红旗中队”等荣誉。在教师用心教育下，学生养成了礼貌待人、团结互助、尊老爱幼等诸多道德好习惯，受到所有来访专家、同行、家长的好评，学生群体在思想品德方面获得了较大发展。

同时，学生的体艺潜能也得到了充分挖掘。在 2005 年上海市特奥运动会上，学生共获得 215 块奖牌，其中金牌 75 块。在 2006 年特奥国际邀请赛上，学生又获得 61 块奖牌，其中金牌 21 块。女子手球获得代表国家二队参加 2007 年国际特奥会的资格。2004—2007 年，学生与正常学生一起比赛，陶艺作品获得市级金奖，美术作品获得市一等奖，参加市植物识别比赛获二等奖。学生舞蹈队还在市级汇演中获得一等奖，并6次在市区层面演出。学生体艺方面的发展也受到了媒体的关注，《解放日报》《东方体育日报》《家庭教育时报》《中学生校园周刊》《长宁时报》等报刊上多次报道了学校学生的进步与发展。

学生应爱尔兰使馆之邀表演踢踏舞

（二）学生获得多层次的发展

差异性教学过程中，教师提高了课程实施的能力，也提高了个别化教育教学实践水平。教师通过个别化教育计划、快乐考试、学习进步档案、家校你我他合同等个别化教育教学载体，较全面地关注到了各个学生的发展。在近三年课题研究中，教师共制订个别化教育计划196份，家校你我他合同253份，学习进步档案10294份，使不同层次的学生在学业方面、情绪行为方面均获得了很好的发展。从某年级某次实用语文快乐考试前后成绩的比较（见表4－4），发现A、B、C三层学生[①]的快

① 学校根据学生学习能力、现有学业水平、学习速度进行动态分层，采用A弱C强的分层思路，目的是使各层学生通过努力不断向上攀登，有更多继续发展的空间。

乐考试前后成绩有显著性差异，说明各层面的学生均能在教师的个别辅导下，取得明显进步。

表 4－4　某年级各层学生实用语文快乐考试前后成绩的差异性检验（M ± SD）

层次	学生人数		M ± SD	t	p
A	10	前	73.27 ± 11.20	－7.393	.000
		后	90.20 ± 6.18		
B	17	前	74.18 ± 9.85	－6.875	.000
		后	87.65 ± 4.44		
C	12	前	80.00 ± 9.54	－4.400	.000
		后	92.70 ± 3.56		

另外，从上文提及的学生群体在体艺方面的获奖情况来看，所涉及的学生也不仅仅集中在轻度智障学生层面，中重度学生也在众多比赛中取得较为优异的成绩。仅以 2006 年为例，罗列部分中、重度智力落后学生的获奖情况：

- 2006 年度一位中度智力落后学生的美术作品“美丽的鱼”入选联合国特奥会绘画展；
- 2006 年度三位中、重度智障学生的美术作品“我和宠物散步”等被上海市残联收藏；
- 2006 年度一位中度智障学生获得“手拉手国际儿童绘画比赛”三等奖；
- 2006 年度一位中度智障学生获得长宁区“亲亲一家人”创意服饰中学组三等奖；
- 2006 年度学校舞蹈队参加上海市智障人士文艺汇演比赛踢踏舞“快乐的节日”获得上海市一等奖，其中有四名辅读学校毕业的学生。同年，该舞蹈队多次参与市区各类文艺汇演，受到一致好评。

从上述各数据充分说明：通过差异性教学，学生不仅获得了学业、艺术等方面的多元发展，同时也使各层次学生均获得了尽可能的发展。

根据学生的差异，各学科从不同方面强调差异教学，呈现了不同的学科特色，取得了显著成效。需要指出的是，课堂是师生、生生之间交流、对话的平台，除了以上差异性教学的学科特色，差异性教学强调活动与实践，引导学生在“做中学”，强调合作与交往，鼓励合作探索。

第五章 『情境——体验——内化』的体验性德育

作为特殊教育学校，长宁初职与许多普通学校有所不同，在教育对象、教育性质、教育理念、办学思想等诸多方面都存在着独特性。这就决定着我们的德育工作必须走校本化的道路，以有针对性地解决学生发展过程中的职业意识、社会公德等一系列德育问题。

近几年来，依据市场发展的需要以及轻度智障学生自身能力条件，从事服务行业的轻度智障毕业学生人数正逐年增长，服务行业目前已成为该类毕业生就业的主要方向。然而，由于轻度智障学生情绪自控能力弱、人际协调以及耐挫能力差等心智特点，使其较正常学校的毕业生更易出现职业心理适应不良的问题和状况，而这些问题直接将影响到轻度智障学生今后的工作和生活。调查显示，轻度智障学生刚走上工作岗位，往往对自己担任的职业角色缺乏理解，对自己在职业生活中应履行的权利、义务以及应遵循的职业规范和行为模式缺乏认识，没有职业归属感。学生通过考证虽然能获得相应的劳动技能证书，但是由于轻度智障学生思维刻板、应变能力差的特点，在面对不同单位的个性化要求时，往往不善变通，这为初上岗的轻度智障学生带来了困扰。由于一些轻度智障学生因环境和自身能力等因素，往往缺乏自信，自我评价过低；一些轻度智障学生由于认知局限，缺乏对自身的客观认识，自我评价过高，然而到了实际工作岗位，却又因为能力不足，无法适应。

社会公德是社会共同利益的反映和文明程度的表现，是人类文明和道德体系的重要组成部分，是构建和谐社会的基础保障。良好的公德就像醇美的酒香，它会令你心旷神怡，历久弥新；一个人一旦养成某种公德意识，便不会轻易失却；一旦养成某种公德意识，其行为举止便会受到影响，稳定地做出某种行动。公德的维护和恪守具有全社会的意义，它要求社会全体成员共同遵守这一公共生活准则，而智障学生作为社会一员，也应该加强自身社会公德意识。提高智障学生的社会公德意识，是一项长期而艰巨的任务，准确把握当前智障学生的社会公德状况，开展行之有效的教育，是特教学校道德教育面临的一个重要任务。

从初职学生对他人、社会、自然的公德意识以及对公德意识的整体评价调查发现，初职校轻度智障学生社会公德状况总体情况较好，具体大致可以分为三类：一是大部分学生的公德意识处于较高的水平，体现在能够乐于助人、保护环境，积极参与公益活动，遵守文明礼仪规范；二是有一部分学生的公德意识水平处于中等，能够基本上做到不触犯别人的利益，违反社会公共道德的行为较少；三是极个别学生公德意识处于比较低的水平，经常会破坏公共秩序，对待同学也不友爱，也不尊敬老师，不诚信，比较自私自利。从社会公德评价来看，智障学生对自己的评价高于对他人的评价；从公德内容来看，在宣传力度较大的一些规范，如“七不规范”等，轻度智障学生的实施情况普遍很好，公德意识较强，但是在其他一些细节方面不是很注意；从公德状况的影响因素来看，轻度智障学生自律性较差，认识化为行动的控制能力有待提高。调查也反映出，校园内外一些公共环境或公共场合中，学生的社会公德意识行为之间出现的落差，值得引起教育者深思，公德失范的原因有很多，主要受社会大环境、家庭教育、学校教育等因素的影响。如整个社会公德意识的偏废，家长公德行为方面的负面导向，学校教育与外界影响之间的冲突，导致轻度智障学生社会公德教育方面的一些问题，譬如部分学生倾向于别人怎么做自己也怎么做，对待一些问题“无所谓”或者“看周围情况方便的话就违反规范也没有关系”的一些片面的、错误的认识和做法。

初职教育的目标是让学生走向工作岗位，成为社会人。初职德育工作需要重视学生参与实际情境，亲身体验，获得感性认识。在实践中，我们逐步形成了“情境—体验—内化”的德育特色。即通过创造大量的实践尝试机会，让学生在不同的场景中去体验、去感受、去学习，并从中培养学生发现实际问题、解决实际问题的能力，促进学生对职业道德要求的认识和践行。

初职学生的年龄大多在15—19周岁，正处于青春期，生理发育速度的前倾与心理成熟速度的相对滞后形成了很大的落差，心理学家把这一危机四伏的时期称为“断乳期”，社会学家则把这一时期的人比喻为一台马力强劲，但方向盘和制动器不灵敏的汽车。在这个时期内，学生从善则良，趋恶为劣。根据初职学生职业意识、社会公德的调查分析，我们将“情境—体验—内化”特色概括为：“一个引擎四轮方略”，即以心理健康教育为“德育引擎”，以校本仪式教育（六个学会，通过自己组织活动，强调认知）、校本争章活动（强调激励）、行为动态管理（行为规范教育，不断调整重点加强教育）、一人一岗工作（进行职业准备）为校本“德育四轮”，以驱动“方向盘和制动器不灵敏的汽车”。

2006 年以来，学校以成为上海市生命教育试点校为契机，形成了新的“情境—体验—内化”的德育特色。我们继续将智障学生初职教育的行为规范目标定位在“一个引擎、三个适应、四轮方略、六个学会”。一个引擎是以生命教育为核心思想；三个适应是指适应个人成人生活、适应家庭和社区生活、适应职业生活，养成良好的职业态度和行为；四轮方略是指以行为礼仪、一人一岗、爱心义卖、校本争章为行为规范教育机制；六个学会是指“学会主动参与”“学会依法办事”“学会自信负责”“学会敬业吃苦”“学会合作共处”“学会感恩惜福”。

在体验性德育思想的指导下，我们通过由近及远、逐个突破、从小处着手的递进方式，在教育过程中教师创设情境，辅以模拟实作演练；在教学活动中教师增设目标，辅以感悟行规内涵；在学生活动过程中形成体验，辅以强化实践训练，从多个维度促使智障学生在行为规范的养成教育中获得发展，不断提高智障学生文明礼貌、公共秩序、爱护环境和诚信道德意识。在实践中，我们通过心理辅导、班级建设、家教指导和社区融合等措施，创设各种学习环境，帮助学生在体验中内化和践行道德要求。

一、心理辅导

心理辅导是学校德育的一个重要载体。通过团体心理辅导、个别心理辅导、青春期心理辅导、心理社团等活动有机开展，让学生在丰富多彩的活动中感受积极的心理体验，学会合作、互助。

（一）团体辅导塑造积极人格

团体心理辅导活动课是为学生集体提供心理帮助和指导的一种心理辅导形式，能够促进学生自我探索和助人自助的发展。2007 年，我们形成了由 10 位班主任和 1 位专职心理教师组成的团体心理辅导教研小组，开展团体心理辅导活动课设计与实施的主题性校本研究，关注如何营造积极的心理氛围，从而让学生获得积极的情感体验，促进自我成长。

我们还提炼了一些积极人格辅导方案设计的要素。

第一，内容的选择。选择主题切口要小，尽量避免使用封闭性的题目，多选择一些开放性的题目，这样可以更加活泼，容易引起学生的学习兴趣。

第二，目标的制定。目标须集中且清晰明确，数量不宜过多，团体心理辅导活动重视学生的情感体验，因此更加强调情感目标，同时要注意有重点地坚持一些团体辅导的共性目标——发展团体信任、学会自我接纳、容忍别人、减少孤独感、澄清自己的价值观、增强关怀别人的能力、学会善解人意、尝试改变自己的行为。

第三，重难点的把握。重点对内容而言，难点对学生而言，重难点之间往往关系密切，相辅相成。积极人格辅导的重点难点多集中在非认知领域。例如，要知道什么是挫折、什么是困难并不难，但要真正形成一种坚强的品质则是要经过长期努力。因此在重难点的把握上切忌只重视对一些名词概念的罗列和阐述，而忽视了良好人格品质的鼓励和培养。

第四，活动准备。活动准备要充分，活动设计过程中要把可能运用到的素材都罗列清楚，以便其他教师拿到这份活动方案，也知道要准备哪些材料，便于活动方案的操作。

第五，活动过程。各个活动环节过渡衔接要自然、流畅，活动环节都要有设计的意图，为目标服务，把握重点，从而更好地突破难点。

第六，方法的选择。方法的选择要讲求实效，不搞花架子。要根据教学目标的要求，依据内容的需要来选择不同的教学方法，而不是为了活动而活动，为了形式而形式。一切形式要为内容服务。

第七，时间安排。各个活动环节时间配给合理，导入部分时间不宜过长，在过程部分，教师要保证充分的时间让学生讨论和体验，关键环节有助于突破重难点的，时间要稍长一些，兼顾积极心理品质培养和问题的消解。

和普通儿童相比，智力弱后儿童大多表现出一般活动欠佳，情绪不安定，但是他们同样也有上进心，热爱学习，只是表现的方面有所不同，比如说他们更加喜欢做一些操作性强的事情等。所以，积极人格辅导过程中要充分考虑到智障学生的心理特点，不能过于关注他们的一些缺陷和不足，而要更多地关注他们的闪光点，在肯定和巩固优点的同时，潜移默化地让学生自发地弥补自己的不足。

积极人格辅导是在一种自由、松弛、和谐的氛围中展开的，重视学生的情感体验，使之产生真切深刻的情意倾向，从而推动积极的自我探索和自助发展。积极人格辅导过程中还要注重灵活变通，环节不宜过多，但每一环节的内容力求精彩、充实，且教学素材要有启发性、生动性，以保证有充足的时间让学生得到充分的积极体验。积极人格辅导要在积极心理学理论指导下，将学生看做充满潜力的个体，把培养学生的积极心理品质与提升其生活品质紧密相连，关注学生的自主参与意识，激励学生的积极行为，增强其积极的心理体验，最终巩固其积极品质。

案例5－1　个体捕捉，发现闪光

“个体捕捉，发现闪光”教学策略体现的是一种让每个个体感受到自己身上实实在在的闪光点，获得他人认同的高峰体验。

策略界定：该条策略指的是通过头脑风暴，夸夸身边的每个同学等方式，隐含着每个孩子都是金子的教育哲学理念，形成一种快乐、肯定的心理氛围，提升学生对于过去的我的满意和现在的我的福乐状态。

在一节《你发现了吗?》的心理课上，同学们七嘴八舌地说自己在平时生活中是如何观察的，有的同学说：“我每天乘车时，都会看清楚车牌和车到站的时间”；有的则说：“我通过观察天空的颜色，来判断是否要下雨”；还有的同学说，“平时，我还仔细观察同学的表情，来判断他的心情”。听后，我非常高兴，因为他们能在生活中注意观察身边的一些细节。接着，我让同学们来夸夸身边观察能力强的同学，有的同学就提到了班级的小浩同学，说有一天，他凭借老师办公椅上的便服，判断张老师已经来校，令同学们大为感叹，非常羡慕小浩同学的细微观察。这时小浩带有一丝腼腆的笑容，说：“这没什么，只是日常多观察，多注意一些细节，观察力就是这样培养起来的。”

个体捕捉的基本出发点是关注每个学生的心理需求。因为每个孩子都希望老师或者同伴多肯定自己的优点。因此，为了更好地体现教学策略思想，首先，赞赏要落到具体的人，因为不点名的表扬对于学生的心理感受是不一样的；其次，赞赏要落到具体的事，因为要让学生明白为何会被表扬，我们要实事求是地评价孩子，并且善于发现学生的不同闪光点，给予多元化的评价；再次，赞赏要有深度，因为泛泛的表扬不能让学生获得一种高峰体验，只会产生听觉疲劳。最后，教师要多给学生提供一些表现的机会和舞台，让学生在不断的锻炼和尝试下，变得更加自信和健康。

（丁翠老师提供）

我们在团体心理辅导活动中提炼的教学策略，促进了学生内心的积极体验。在此基础上，为了能更好地开展团体心理辅导活动课，我们还编制了《润物无声》校本心理健康教育手册，共有“走近学校、我是谁、我爱我”等23个模块。

案例5－2 《润物无声》目录

第一模块 走进新学校

第二模块 我是谁

第三模块 我爱我

第四模块 我快乐

第五模块　学习是有趣的

第六模块　铁棒磨成针

第七模块　通向成功的彼岸

第八模块　我和伙伴

第九模块　交友小课堂

第十模块　师生之间

第十一模块　我爱我家

第十二模块　家庭小课堂

第十三模块　豆蔻年华

第十四模块　青春友情

第十五模块　青春你我他

第十六模块　真善美

第十七模块　青春的轨迹

第十八模块　向问题挑战

第十九模块　轻松踏上人生旅途

第二十模块　职业大转盘

第二十一模块　与成功有约

第二十二模块　职业选择大考验

第二十三模块　职业素养

（丁翠老师提供）

第一到第四模块侧重于让学生适应新的校园生活、更加了解自己；第五到第七模块主要侧重于教授学习技巧、克服学习上的困难。第八到第十二模块主要侧重于与人交往方面的教育，帮助学生更好与人沟通交流；第十三到第十七模块主要侧重于青春期教育，帮助学生解答青春期疑惑，安全度过青春期，抵抗外界诱惑；第十八到第二十三模块主要侧重于职业教育，以帮助学生今后更好地适应社会、融入社会。

（二）箱庭疗法唤醒治愈潜能

智障学生由于其生理、心理特点，在人际交往方面存在一定的困难，他们的心理需求不能顺畅地通过语言进行表达，长此以往，极易产生不同程度的心理健康问题。因此，学校于2007年建立了箱庭室，将箱庭疗法运用于心理辅导工作，教师让学生从玩具架上自由挑选玩具，在盛有细沙的特制沙箱里随意摆放。通过创设这种宽松自由的氛围，有利于学生在“自由和受保护”的空间里自由表达情感，从而引发想象和唤醒其自我治愈的潜能，促进心理健康。学校心理健康教育组还开展了箱庭疗法实施的校本研究，选取28名轻度智力障碍的学生（12—15岁），对他们的初次箱庭作品的基本特征进行研究，发现他们在箱庭作品空间使用中，“占满”类型与“部分使用”类型没有显著的差异；大多数学生制作时都不动沙，对沙具基本上进行1—5次的移动；大多数作品场面以和谐、静态和表现外界为主；多数作品没有主题，没有自我像。

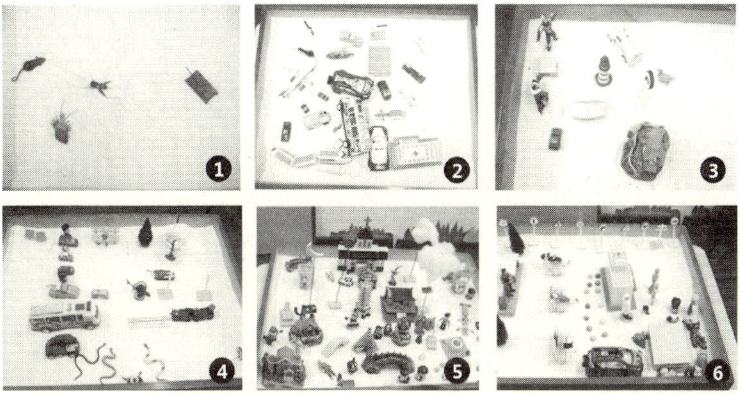

图5-1 箱庭作品组图

第一，玩具的使用量比较少，内心世界不丰富。一般初中生箱庭作品沙具使用数量比较少，平均在19—38个，轻度智障学生平均使用的沙具数量也在33个左右，但是个别学生之间差异比较大，有的多则90个沙具，显得毫无节制，最后是因为觉得“放不下了，迫于无奈才终止了沙盘的制作”；有的少则4个，很利索地从玩具架上拿了几个沙具，随意一放，就说“老师，我好了”，如图5-1中①号zjh（男）的箱庭作品“瞎搞”。

第二，作品场面秩序感缺乏，规则意识需加强。虽然轻度智障学生的箱庭作品场面构成基本是统合的，但是在随班就读学生的箱庭作品中却大相径庭，有打破秩序的冲动，具有一定的破坏性。尽管也有作品显现出了秩序感，但还是表现出内心的冲突和迷茫。如图 5－1 中⑥号 dyl（女）的箱庭作品“生活的老百姓”，⑥号的箱庭作品中虽然出现了一定的秩序感、能量感，包括椅子、人物、彩弹的摆放都是比较慎重、小心翼翼地按照规则摆放。但是交通标志的按顺序一一排列，使陪同者内心感受到制作者对于秩序的认识可能还有待提高，因为如此多的交通标志给别人的感觉只能是不知所措，也许给她一个明确的符合她能力的标准对她来说是目前最需要的。

第三，作品场面体现创伤性，人生态度欠积极。在代表生命力的人物、动物、植物以及交通工具的使用过程中，随班就读轻度智障学生更多的是将其赋予了消极的含义，显现出受阻、陷入、受伤、攻击的主题特征，比较悲观消极的生活态度，如图 5－1 中②号作品 fxs（男）的箱庭作品“这个城市”。②号作品主题的命名以及主题的场面，透视出制作者眼中的这个城市。制作过程虽然只有短短的 6 分钟，但是他非常投入，选择沙具也很果断，控制着他的整个沙盘，火车出轨了，车子翻车了，交通一片混乱，他说他最喜欢撞车的那个场面，车子也被埋住了，开不起来了，而他则在桥上目睹这所有的混乱。

第四，绝大多数学生箱庭作品主题特征表现外界。一般来说，男生箱庭作品的主题主要是外界的（社会生活、战争等攻击性、挑战性的主题），女生作品主题则主要是家庭生活的，较少表现社会生活内容。随班就读男生表现的箱庭作品中可以看出对抗外界的特征，但是在女同学的箱庭作品中表现家庭生活的非常少，经常也会表现一些外界的事物，如图 5－1 中③号 gyt（女）的箱庭作品“无主题”。制作者虽然放了一个别墅和一个橱，但是并没有体现内部世界，而是奥特曼与国王之间为了一个目标的角逐，所以救护车也整装待发。

第五，部分作品主题体现宗教，治愈特征初显现。初中年龄段的箱庭作品主题通常表现的是自己的家庭、生活环境、社会生活（主要是校园生活），较少表现宗教的、抽象的、原型的主题。“家”“城市”是出现最频繁的主题词，尤其是女生的作品，表现家庭活动的作品占主导地位。但是在28张箱庭作品中，只有4张出现了学校这一沙具，有7张出现了家具这类沙具，但只是零星点缀，以家庭、学校为关键主题词出现是没有的，对于家、学校的概念是模糊的。有10幅作品的制作者没有超出主题，5幅作品中明显出现宗教人物（如佛、菩萨、天使），表现出宗教主题，如图5－1中⑤号wyw（男）的箱庭作品“佛教”。⑤号箱庭作品中出现了明显的宗教人物和建筑，观音、佛祖，旁边还有一些具创伤象征意义的鬼的形象，制作者还告诉陪伴者这些门都是开着的，有人在那里做这开门的动作，是欢迎别人进去，他就是一个信徒。而且他说3月是宗教月。从整个场面来看，出现了一些灵性人物，还有图腾等灵性物品，这是一个治愈特征，而且他用了一些桥这样积极的连接物连接周边，呈现了一种沟通。

第六，自我像的表现，呈现内心的渴望。初中年龄段是学生自我同一性确立的一个过程，一般来说初中生箱庭作品中绝大部分没有自我像，或者确切地说，他们对作品中出现的自我形象没有予以认同。在随班就读学生的箱庭作品中同样也是大部分没有自我像，但是部分学生也能够将作品中一些人物作为自我像，如图5－1中④号wzy（男）的箱庭作品“二战时”。④号作品制作者说那个大将军就是自己，他最喜欢开打的时候。他喜欢做箱庭，因为可以有自己的创意，在将军的正对面有个小孩，他是一个旁观者的角色，两方开战，他是两方的控制者，打与不打，谁胜谁败都在他的控制之下，表现出制作者一种控制的需求在箱庭中得到满足。

箱庭疗法像一面窗，可以打开或透视人的心灵，使人能够重新体验前语言和非语言状态。在箱庭作品的制作过程中，轻度智障学生的情感得以自由表达，情绪得到宣泄。教师作为箱庭分析师，可以根据沙盘的场景去洞察学生的潜意识内容，以制订有针对性的辅导方案，促进学校心理健康教育工作的进一步开展。

（三）青春关怀护航花季年华

智力障碍学生迈入青春期以后，随着生理的迅速发育，第二性征的出现，性意识开始逐渐觉醒，产生了对“性”问题的探究欲望和浓厚的兴趣，有了不同程度的性冲动和性行为表现。但是由于智力障碍学生控制能力差，分辨是非的能力比较薄弱，因而埋下了不健康的青春期性心理的隐患，处理不当，可能会影响到自己的一生乃至社会的安全。智障学生的家长几乎没有接受过正式、系统的性教育，处于性知识贫乏、性教育观念陈旧的状态，所以他们羞于谈性，而且也无从谈起。遇到孩子的青春期问题时，往往会不知所措，转而向学校求助，所以，2007年学校开展了青春关怀项目，编写了配套的“青春关怀”校本教材，利用中午闲暇时间开展“丁老师谈女性”“邵老师谈男性”活动，讲授青春期知识，咨询和解答青春期困惑。

案例5－3　“青春关怀”目录

女生篇

第一模块　走进花季

第一课　女大十八变

第二课　女性的神秘花园

第三课　悦纳自己的性身份

第四课　特殊的朋友

第二模块　含苞待放

第一课　生命之源

第二课　青苹果的自白

第三课　保卫花园

第四课　红灯停，绿灯行

第三模块　鲜花盛开时

第一课　话说少男少女

第二课　第一次亲密接触

第三课　朋友一生一起走

第四课　月朦胧 鸟朦胧

男生篇

第一模块 走进花季

第一课 小小男子汉

第二课 阳刚之躯

第三课 悦纳自己的性身份

第四课 是敌是友

第二模块 含苞待放

第一课 生命之源

第二课 青苹果的自白

第三课 远离诱惑

第四课 红灯停，绿灯行

第三模块 鲜花盛开时

第一课 话说少男少女

第二课 第一次亲密接触

第三课 朋友一生一起走

第四课 月朦胧 鸟朦胧

第四模块 阳光下的生命

第一课 青春隔离衣

第二课 红丝带之舞

第三课 珍惜生命

第四课 共享生活

未来篇

第五模块 花样的未来

第一课 温馨的港湾

第二课 幸福的瞬间

第三课 红苹果的自白

第四课 关爱下一代

（丁翠老师提供）

"青春关怀"分女生篇、男生篇和未来篇。女生篇和男生篇的第一、二、三模块主题相同，其中第一模块侧重男女生生理知识讲解，第二模块主要侧重如何安全顺利度过青春期，抵抗外界诱惑；第三模块主要涉及青春期友情和爱情区别；第四模块为男女生共同的篇目，主要涉及艾滋病教育、禁毒教育；第五模块主要涉及对未来婚姻、家庭的认识。

开展"青春关怀"项目，是学校直面智障学生及其家庭的需求所推出的一个举措。在实施过程中，教师结合智障学生的特点，辅以适当的科普录像和实物，把握好"度"，适时、适度、适当，有所侧重，有所深浅，符合他们的认知接受水平。为了更好地开展此项目，我们还通过开办家长学校，及时沟通，协助家长正确处理孩子的青春期问题。

（四）心理社团

除了开展团体心理辅导、个别心理辅导、青春期辅导之外，学校还创立了"幸福快车"心理社团。作为学校的特色之一，心理社团从一开始招募就得到了全校师生及家长的欢迎和支持。心理社团在特殊学校是非常少有的，因为学生能力相对比较弱，但是不可否认的是，特殊学生更需要心理的关怀和帮助。由于社团类活动一般需要学生自主开展，为了能让特殊学生的社团更好地开展，我们采用的形式以心理剧、心理漫画、心理征文、主题摄影等为主，教师在过程中给予一定的支持，并创设给他们展现的机会。我校心理社团的一大特色就是充分发挥了学生的自主性，从社团的成立，到活动的设计、团员的招募一直到社团活动的开展，都由学生自主参与，而老师只是起到了辅导的作用。社团的开展以小组形式进行，同学们在社团活动的过程中交流合作，对于智障学生身心发展起到了很好的推进作用。同学们在心理社团里不仅能锻炼自己团队合作的能力，而且还体验到了帮助别人的快乐。

案例5-4 与成功有约

小纪同学有先天的身体残疾，但在语言和写作方面却胜人一筹。他内心非常渴望有表现的机会。一天，我走在走廊上，小纪向我打了一声招呼，便问我幸福快车心理社团最近有没有大型的市比赛。我告诉他最近有心理剧比赛，问他有没有兴趣。他非常激动地答道：“老师，我要参加，我来写剧本。”“那好吧！你试试看！”

没过几天，他拿着一本破旧的本子跑到我的面前，说：“老师，我的心理剧本出炉了，要不，你看看！我把心理剧的名字起作《我很幸福》。”当我接过那个本子，我惊叹那字里行间的真情！这个剧本明显就是以自己作为题材，将自己的心情融入其中，非常感人，同时我也被孩子的那种表现欲和对于成功的渴求震撼了。

在大家的努力下，这个心理剧得到了专家的肯定，获得了一等奖。当知道这个好消息的时候，他激动得热泪盈眶，说这是他听到的最好的一个消息。他托着并不是很灵活的双脚，“飞奔”进入了教室，他说要把这个好消息与班级同学一起分享，我相信，这时候的他一定认为自己是“最棒”的。

——摘自心理辅导教师手札

的确，心理剧的写作和表演是特殊学生乐意参加的社团活动之一，因为心理剧给予他们酣畅淋漓的情感体验，他们通过撰写剧本或者扮演某个角色，自己的感情得以宣泄，从而促进内心的成长。

心理演讲也是学生表达自己内心世界的一个方式，心理社团每年都会搞一次心理演讲活动，让学生用自己的笔记录自己的感悟，并通过语言表达出来。

案例5-5 我眼中的学校

我眼中的长宁初职校最美，学校的老师和同学最美。

在这里，我一开始不太适应，因为，这里的老师太好了，这里的学生都很热情与乐观，在这里，我受到了重视，还能当上班干部，这是我在梦中才有的，如今，却成为现实。我做事开始有力量了，学习上开始主动了，特别是学校的任何活动，我都积极参与，我觉得，学校、老师对我那么好，我要用行动来表示。由于我的学习与工作出色，很快，我就成为了团员。

但有这么一件事情我始终忘不了，从中我发现，老师和同学是那么的善良、美丽。我是个对自己的生日从不关心的人，今年的生日我又忘记了。当然，如果真的过生日的话，我也是个不太喜欢别人为我过生日的或是为了过生日而吃饭，那样总会让自己很不习惯。

一大早，我照例早早起床，没有过多久，门铃响起，我正在想是谁的时候，打开了门，没想到，门外竟然站着我的老师与几位同学，小秋、小沈……他们齐声对我说："生日快乐"，我一愣，"今天是我的生日?"我感到很惊讶，他们拥了上来，说道："生日快乐!"我的眼睛湿润了，连声说"谢谢你们。这是我最有意义的一个生日。"打开蛋糕，只见蛋糕中央插着心形卡片上豁然写着："生日快乐！Happy Birthday!"。此时，我想起了我们相处的几个月，几个月里老师无微不至、细心呵护着我，几个月的同学之间的心心相印，几个月我们的理解支持，我们同喜同忧、同乐同愁。此时，我真的很自豪、很幸福。我流泪了，那是激动的泪，那是幸福的泪！

一整天我都沉浸在幸福之中，此时，我很愿意过生日了，我要把这样的美丽紧紧地抓在手里，藏在心里。

（小潘同学提供）

小潘同学的心理演讲稿通过一个简单的故事，表达了内心对同学、老师和学校的热爱。心理社团的意义不在于最后获得什么荣誉，关键在于让学生放飞心灵，自由想象，插上自信的翅膀，敢于尝试。

二、班级建设

班级是学校中基本的教育单位，是学生日常学习生活的场所，是学生走上社会参加的第一个社会群体。对于学生来说，班级就是他们的第二个家，在班级中，学生在老师的引领下学习着人类社会积淀下来的知识精华；在和其他成员的互动交流中，积累着人类社会生活的经验；通过各种显性的和隐性的方式，接受着适应未来生活和个人发展需要能力的锤炼。我们将“学习场所”“社会体验”“经验积淀”作为“班级”这一概念的核心内容。在我们进行班级文化的建设过程中，我们十分强调“家”的概念，把班级作为我们的家。我们积极营造和谐温馨的班级人文氛围，每个班级积极通过环境布置、师生良好互动、生生互助，加强班级人际氛围的和谐。在班主任培训的过程中，我们十分强调班级文化建设的重要性，认为“班级”是一个多领域、多视角的研究对象，一位好的班主任一定是一个好的班级研究者。

在此认识基础上，我们认为素质教育实施的最好途径就是将所有活动内化为班级建设项目，在班级中实施各类活动项目。在德育教育实施过程中，我们分别以班级行为动态管理、校本雏鹰争章、温馨教室创建等工作载体，让智障学生真正从活动中去体验，在体验中内化。

（一）行为规范塑品德

作为上海市一所行为规范示范校，我们将行为规范训练作为强化智障学生内在正确习惯的一种训练途径，因为我们始终认为行为规范的管理，能够对特殊学生起着重要又积极的意义，是学生塑造良好品德的命脉。为此，学校强调的是动态化的管理模式，即实施过程采用由近及远、逐个突破、从小处着手的递进方式。在教育过程中，教师创设情境，辅以模拟实作演练；在教学活动中，教师增设目标，辅以感悟行规内涵；在学生活动过程中形成体验，辅以强化实践训练，从多个维度促使智障学生在行为规范的养成教育中获得发展，不断提高智障学生文明礼貌、公共秩序、爱护环境和诚信道德意识。学校制定了校本行为规范20条。

1. 早上不在校外逗留，按时进校不迟到。

2. 看到老师主动行礼、问好；校门口一立正二行礼三问好。

3. 着装校服，佩戴校徽（团徽），不染发、不吸烟，不佩戴首饰及其他不符合中学生形象的饰品或者背包等。

4. 带好手帕或纸巾，指甲干净，不留长指甲，进校门先洗手，个人卫生情况好。

5. 骑车同学进校门下车推行，停车摆放整齐。

6. 注意财产安全，不带贵重物品进校园。

7. 升降国旗时，立正、脱帽、行注目礼，唱国歌、校歌，声音响亮。

8. 两操精神饱满，动作有力、到位。

9. 上课或参加仪式等活动时，注意秩序井然，不喧哗、吵闹；课间离开座位放好桌椅。

10. 不准在校园内吃零食饮料，不准随地吐痰，乱扔果皮、纸屑。

11. 注意用厕文明，及时冲水。

12. 在校坚持说普通话，不说粗话、脏话。

13. 上下楼梯靠右走，保持行走畅通。不在楼梯上相互嬉戏，做到一步一跨。

14. 不在走廊、教室、操场玩危险游戏或追逐、打闹、奔跑；不趴在窗口和楼梯扶手上向下探望；不向人行道、操场扔杂物。

15. 进办公室前先敲门，得到允许方可进入；双手接递物品，态度诚恳。

16. 文明用餐，排队拿放饭盒，爱惜粮食、不使用一次性筷子。

17. 节约用水、文明用水，保持用水后地面干净，不浪费开水资源作“焐手、擦物品”之用，并做到不帮老师倒水等。

18. 爱护学校公物，保护环境，爱护绿化。

19. 离开教室随手关灯、电扇、门窗。

20. 放学按时回家，教室打扫干净，关好门窗，正、副班主任带学生排队离校，送出校门。

在实施过程中，主要通过体验情境模式，提高学生文明礼貌的意识。在培养学生文明礼貌习惯的过程中，教师通过创设不同的情境，让学生在不同的场景中去体验、去感受、去学习，逐步养成文明礼貌的好习惯。在模拟的时候，教师通过主动向学生问好、主动捡起地上纸屑、主动将桌椅放回原位、主动双手递接物品等方式，传授给学生良好的文明礼仪，通过教师的“主动”感染每个学生。当学生发现老师主动和自己打招呼、老师主动捡纸屑、老师主动帮自己放桌椅的时候，内心也会感动，渐渐地学生在老师的带领下逐步形成了良好的文明礼仪习惯。但是由于智障学生身心特点，一段时间后会出现滞后的现象，于是在每学期开学一周内，教师依然“主动”完成各种“任务”，以此强化智障学生文明礼貌习惯，不断地内化为自己所固有的行为。这就是“情境—体验—内化”的德育模式。通过这个模式，逐步过渡到日常的教育中，学校紧抓学生日常文明礼貌，从小处着手，注重“教育”“培养”和“体验”，使学生逐步形成文明礼貌意识。

行为规范养成训练主要由三种措施来保障。一是行为规范教育的学生自主教育机制。虽然智障学生能力弱，但是，我们还是加强了学生自主教育，学生自主提出班级行为规范的要求，集体讨论和反思班级学生行为规范的情况，实施班级自主管理，开展 1+1 互助教育，形成了学生自主结合、以强带弱的良好态势。二是行为规范教育的学生自主管理机制。从广大学生实际需求出发，我们成立了红领巾服务社，成为学生自主管理、自我教育的重要阵地。制定章程、规范职责，下设职技部、校园服务部、社区服务部、岗位实践部等六大部。由于智障学生能力弱，我们采用各部学生部长自组建制、聘请教师顾问、牵头活动为主要活动形式开展活动，形成机制。三是行为规范教育的学生自主评价机制。在学生行为动态管理中，以学生自主评价、伙伴互评、学期推优为日常自主评价的机制，强化学生在自我评价、自我约束中的主体地位，满足学生个体多方面的身心发展需求，让行为规范教育评价主体更加多元化。

（二）仪式教育见行动

仪式教育是我们根据“六个学会”的支持式课程目标，即“学会主动参与，我来做……”“学会依法办事，我记牢……”“学会自信负责，我能行……”“学会敬业吃苦，我不怕……”“学会合作共处，我来帮……”和“学会感恩惜福，我珍惜……”，开展校本六会仪式活动，将六个“学会”分化为一个月一个主题，让他们在活动中认识“六会”的含义，加强“六会意识”。“学会参与”仪式是让学生懂得无论做什么事都要积极参与，只有积极地参与，他们的主动性才能发展和提高。“学会服从”仪式告诉学生个人利益要服从集体利益，遵守纪律。在家里要服从父母，在学校要服从老师，而今后就要服从单位的安排。“学会负责”仪式是让学生懂得做任何一件事情都要认真负责。“学会吃苦”仪式让学生知道每一项工作都要付出艰辛的努力，要有不怕苦、不怕累的精神。“学会协作”仪式教育培养学生的群体意识，明白一个人的力量是有限的，集体的力量是无穷大的。

在实施的过程中，教师指导学生理解“六会”是为将来打基础的，给学生提供自主的机会，将动机或内在的愿望转化成行为。整个仪式是通过集会形式开展，分别进行劳动呼号、唱职业准备之歌和主题汇报三个环节。最为主要的一个环节即主题汇报环节。在一定质与量的基础上，让学生情绪共鸣，不同层次学生分别在相应的学习层次上表现出不同程度的冲动，体现了“六会”精神的综合性。

如图5－2所示，主题汇报分为以下几个部分。一是制订计划，学生通过听故事或看录像，知道了仪式教育的主题，然后班级干部制订计划，分配人员，安排人员，组织工作，如寻材料、理材料等。让同学们知道自己该干什么，为他们明确方向。二是寻找材料，“六会”仪式教育活动是要培养学生的自主学习和探究精神，因此，在告知学生当月的主题后，就放手让学生自己去寻找有关的材料，从中锻炼学生的各方面能力。由于学生的特殊，教师同时也在搜集材料，当个别学生遇到困难时，教师就引导学生去找材料，告诉学生在哪儿可以找到相关材料。三

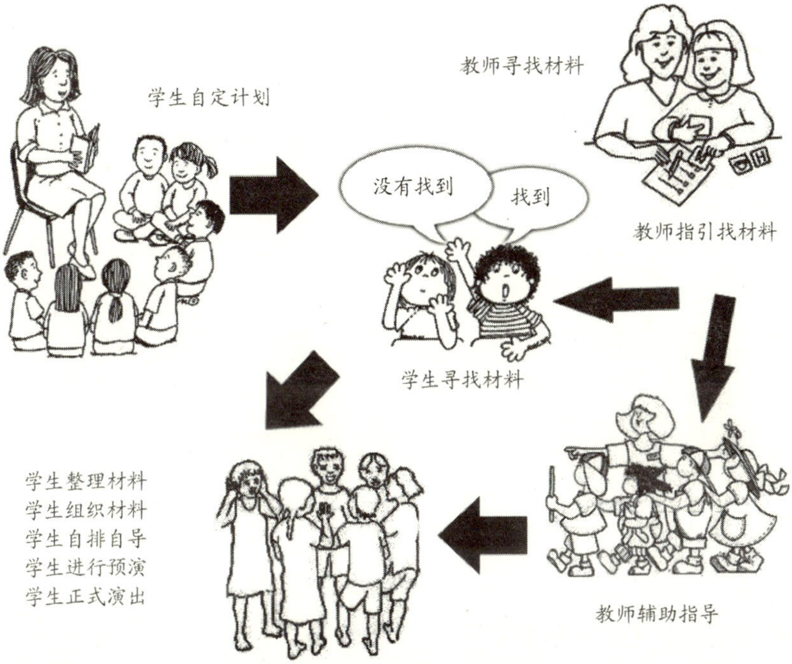

图 5－2 主题活动组织流程图

是整理材料，在学生找到材料后，就开始整理材料，此时可以分组进行，每一小组负责一部分材料，对材料进行筛选，选择适合主题的部分。教师作为“参谋”给学生一些有建议性的提示。四是组织材料，学生在对材料筛选后，就开始组织材料，将材料转化为不同的节目，可以有小品、朗诵、相声、快板、歌曲等。学生在编写中有问题可以请教老师，而教师应当给予学生一些建议。五是自编自排，当学生将材料都准备好后，就开始自己分工，由学生负责人安排人员，谁演什么节目，谁负责后勤工作等。然后就开始排练节目。这些工作都由学生自己安排，教师只是一个顾问，在学生有困难是及时给予帮助。然而对于这个环节有困难的学生，教师可以辅导他们排练节目，帮助他们排练节目。六是预演，在排练得基本上成型后，就进行一次预演，给教师看，教师在看完预演后，告诉学生有什么不足的地方，让学生再修改或再练练。七是正式演出，当所有的工作都准备就绪后，这里指演员都准备好了，负责道具、录音等后勤工作的同学准备好了，就开始正式演出了。从整个过程中，可以清晰看到，每一步都是以学生为主，最大限度地发挥学生的主观能动性，通过这样一个仪式教育，让学生当家做主，看着自编自导的节目演出，会有一种成功的体验，也激发起他们的兴趣，将“六个学会”认识得更透彻。

仪式教育遵循主体性、探究行、活动性原则，在活动中，充分发挥学生的主动性，从整理材料、编排设计节目到排练演出，都让学生一手操办。教师只是做“幕后策划”工作，在学生有困难时指引他们。这就体现了寓德育于活动中，充分锻炼了学生能力，培养了学生的自信心，更挖掘了学生的潜在能力。

（三）温馨教室好心情

“温馨教室”是一种含有民主、温馨、和谐、高品位特点的班级育人环境，它不仅仅是温馨舒适的“硬环境”，更主要的是温馨和谐的“软环境”。创建温馨教室是《上海市学生民族精神教育指导纲要》和《上海市中小学生生命教育纲要》的一个重要载体。学校早在2003年就提出了创建“自信场”，让智障学生在班级环境中感受成功的喜悦。在此基础上，在创建温馨教室的过程中更进一步体现“每个孩子都是金子”的教育哲学思想。

在实施过程中，学校以建设“和谐校园”，打造“温馨教室”为目标，定期和不定期进行全校性的环境教育活动，并在班级中具体落实。在创建的过程中，分为固定项目和个性化项目。固定项目为学校的特色工作“自信场”和“板报宣传”，这两个项目自2003年开始实施，已形成了一定的机制。“自信场”的布置中，要求各班必须设置一个“色彩心情”，用不同的方式表达师生当天的心情，便于班主任及时进行心理干预，调节由不良心情所产生的偏激行为。“争章栏”也是自信场建设中的一个必修栏目，用不同的进阶方式表示学生争章的数目，便于学生时时看到自己的成功，增强自信心。“板报宣传”是各班进行教育宣传的一个窗口，我们改变了粉笔布置板报的传统，改由用彩色纸来布置，让教室顿时五彩缤纷，方便了师生们的布置，也丰富了教室的环境。个性化项目则是各班根据各自的班级实际情况，开展具有班级特色的“人文化”建设，如案例5－6。班主任根据要求，选择一个主题，围绕若干个关键词设计“温馨教室”的创建方案，并通过实施要点的设计以及创建的反思，争创“温馨教室”。学校每周进行“温馨教室”评比活动，在周一的升旗仪式上为班级颁发“温馨教室”花瓶，与其他流动红旗有区别的是，这个花瓶是由班主任代表班级领取的，以此进一步增强班主任在教育过程中的使命感。

案例5－6 个性化“温馨教室”建设方案

<table>
<tr><td colspan="2">班 级</td><td colspan="2">五（1）班</td><td>参与人员</td><td>于忠美，赵静红</td></tr>
<tr><td colspan="2">关键词</td><td colspan="4">和 谐　　环 保　　绿 化</td></tr>
<tr><td colspan="2">主目标：
温馨教室理念</td><td colspan="4">创建一个让学生和老师都倍感和谐温馨的教室，让教室充满生机，同时通过环保小工艺品的展示和收集，提醒大家节约资源，爱护环境！</td></tr>
<tr><td colspan="2">分目标1</td><td colspan="4">通过主题班会课，进行环保知识的学习，使环保理念深入人心。</td></tr>
<tr><td colspan="2">分目标2</td><td colspan="4">通过环保小工艺品的制作，学会废物利用。</td></tr>
<tr><td colspan="2">分目标3</td><td colspan="4">通过绿化教室，构建和谐温馨教室。</td></tr>
<tr><td colspan="2">具体措施</td><td colspan="3">实施要点</td><td>活动反思</td></tr>
<tr><td rowspan="3">达成分目标1</td><td rowspan="3">有图书角、才艺角、闲暇游戏。</td><td>1</td><td colspan="2">主题教育课结合绿色教育，强调环保。日常从小事做起，以身作则，展现环保，比如收集水瓶，随手关灯等。</td><td rowspan="3">废旧电池往往会造成环境的污染，应该集中回收。喝完水的瓶子和易拉罐也可以回收，利用这些废弃物制作小工艺品可以锻炼学生的动手能力，也能美化教室。</td></tr>
<tr><td>2</td><td colspan="2">发挥学生特长，在班级一角布置废旧物制作的小工艺，以及旧电池的回收桶。</td></tr>
<tr><td>3</td><td colspan="2">每个月的板报布置，反复利用相关材料，实施环保。</td></tr>
</table>

续表

<table>
<tr><td rowspan="3">达成分目标2</td><td rowspan="3">人人争做小帮手、小主人，同学之间能够互相帮助，是个和谐的大家庭。</td><td>1</td><td>集体制定班级规则，加强每个学生的规范意识，为成为不污染环境的文明公民而努力。</td><td rowspan="3">班干部在班级中起到很好的带头作用，经常开展与环保相关的班会活动。同学之间互帮互助，是和谐的一家人。</td></tr>
<tr><td>2</td><td>加强小干部队伍建设，经常开展班务活动，同学之间互相监督，杜绝不环保现象。</td></tr>
<tr><td>3</td><td>引导学生之间互相帮助、互相关心，就像一家人一样，更加热爱自己的班集体。</td></tr>
<tr><td rowspan="3">达成分目标3</td><td rowspan="3">教室干净整洁，生气盎然。</td><td>1</td><td>安排好每天的值日生表，责任到位，分工明确，保证教室的干净整洁。</td><td rowspan="3"></td></tr>
<tr><td>2</td><td>安排有责任心的同学负责花草的养护工作，以及小动物的饲养和管理。</td></tr>
<tr><td>3</td><td>午休时间开展活动，比如手工比赛、看书等，增强班级学生之间的凝聚力，认真维护班级的绿化和干净的环境。</td></tr>
<tr><td rowspan="3">亮点资料</td><td colspan="4">1. 学生学习和生活中的照片。</td></tr>
<tr><td colspan="4">2. 班级的好人好事记录本。</td></tr>
<tr><td colspan="4">3. 手工制作角，班级中的绿色植物。</td></tr>
<tr><td>其他资料</td><td colspan="4">学生小家务手册、日常照片的积累、板报布置</td></tr>
<tr><td colspan="2">自评</td><td>★★★★</td><td>学生评价</td><td>★★★★★</td></tr>
</table>

（于忠美老师提供）

“温馨教室”的创建丰富了校园的环境建设，成为一道亮丽的风景线，学生在充满温馨的教室中生活学习，让他们感受快乐，身心愉悦，提升了他们的班级荣誉感，也让他们更喜欢学校。

（四）中队网页见成长

智障学生由于智商低于常人，因此最显著特点是自卑，且在普通学校受到了“不公正”的待遇，本着“每个孩子都是金子”的教育哲学思想，在办学的过程中，我们处处体现以学生为本，并开发了“找回自信的我”的学生电子档案，记录学生成长过程中的点点滴滴，让学生感受到自己的成功，体验自信。

学生电子档案以中队网页的形式呈现，共分为三个版块，分别是班级新闻、班级相册和班级成员。这是为智障学生提供了一个网络交流的平台。其中最具特色的是“学生发展手册”“学生成长影像”“家校你我他合同”“多元智能分析”“学生分层进阶表”“学生谈话”这几个栏目。

“学生发展手册”是校本开发编制的成绩册，其中除了常规的基本情况、学习成绩的记录外，我们更关注学生的发展态势。各学科都配备学生学习的雷达图，呈现学生的学习过程，让家长能一目了然。每学期记录一个学生发展案例，以及2—4次的谈话，让家长了解孩子进步最快的一个地方，以及孩子一学期的行为动态。此外，将所有的分数以等第标注，取代了数字的直观性，给予孩子更多的鼓励。

“学生成长影像”反映的是学生成长的点点滴滴，从入校的第一天开始，就记录下学生成长的影像，每学期要求班主任必须为每个孩子拍一张照片，制作成PPT。但在真正的实施过程中，许多有心的班主任不单单拍一张照片，而是制作一系列进步的照片集，最终每学期都编制一个电子相册记录学生的成长点滴。

“学生分层进阶表”是学生学习能力的一个汇总表。刚入学，班主任根据测试记录学生的初始能力，随着时间的推移，每学期都为学生进行一次综合性的评估，在毕业时综合评定学生在学习中不同能力的提升，让家长能清楚地了解到孩子的进步。

“学生谈话”是班主任与学生的谈话。学校要求班主任每月至少与学生进行一次谈话，记录下谈话的过程，在每月的交流中发现问题，及时解决，让师生之间的关系更为融洽。这是学生与教师心与心交流的一个重要载体，有很多学生都喜欢这个版块。

在“找回自信的我”的中队网页中，记录了学生方方面面的信息，直观地呈现了学生的发展。

（五）主题教育增知识

未成年人思想教育工作事关民族未来。当前，随着信息技术的日趋发达，未成年人思想道德建设面临着复杂化、多样化的趋势。对智障学生的思想道德教育则显得更为重要，为此学校开展了各类主题教育活动，旨在强化智障学生良好的习惯，增强职业道德意识。

主题教育活动是学校德育实践的一个特色，其中“单元主题课程”是每学期一个月集中开展一个相关主题的活动，以强化学生体验，让学生从活动中体会到，从实践中感悟到。如我们开设过“好习惯养成心动月”，通过一个月的实践活动，促使学生养成良好的行为习惯。这个活动也持续了近十年，开展了无数个主题学习，在每次的学习过程中，学生都能从中有所收获，特别是相关与习惯养成的主题教育活动。

还有的主题教育是渗透在课程中。如学校开发了“主题教育”校本教材，将“主题教育”排进课表，每天下午两节课后是班主任的“主题教育”课，分为“社会与发展”“青春与健康”“居家与休闲”“劳动与就业”和“人际与礼仪”五大版块，班主任结合各自班级的实际情况，选择教材中相应的内容，开展主题性的教育活动。

（六）校本争章促自信

“中国少年雏鹰行动”（简称“雏鹰行动”）是1994年初由共青团中央、全国少工委发起的面向全体少年儿童的一项素质训练活动。我校立足于本校教学的实际情况，根据智力障碍学生的心智水平和认知发展特点，开展智力障碍少年儿童雏鹰奖章活动的行动研究。这些年来，我们结合智力障碍少年儿童心智特点设计奖章活动，以弥补智力障碍少年儿童的缺陷，在课程整合、开发潜能、促进学生主动发展等方面取得了有效经验。在长期开展雏鹰奖章活动的实践基础之上，我校着力探讨智力障碍学生的少先队雏鹰奖章活动和普通学生的奖章活动的共性与差异，筛选提炼出适合智力障碍少年儿童的少先队雏鹰奖章活动的主要理念。目前，初步探索总结出以下三个主要理念。一是强调发展取向。校本雏鹰争章体系走出智障学生鉴别筛选性评价的围墙，提供智力障碍少年儿童积极主动发展的机会。校本雏鹰争章给学生的是积极正面的鼓励，为不同程度的学生设置不同的章，搭设了成长的台阶，以激发学生内在驱动力，调动了学习积极性。二是强调快乐体验，校本雏鹰争章体系与智障学生课程教学相整合，在校本支持式课程建设中，将争章作为一种代币，以不断鼓励学生获得奖章，当学生获得奖章的一刹那，大大增加了学生的快乐体验。三是强调适切优化，校本雏鹰争章活动不断总结、反思活动开展的经验。在活动实施过程中，制定了《长宁初职成功手册》，每学期进行手册的编制和修订，目前已修订了四版；校本争章体系也进行了修订和调整，目前是第二版本，以此不断寻找适合我校学生发展的最优活动方式。

争章活动的本质是代币制行为技术。我们运用奖章这样一种条件强化物，使学生在系统实施的活动中，不断积累奖章，以此来获得更多的技能知识，矫正自身的不良行为，习得良好的道德素养、行为习惯。在争章活动过程中，奖章的运用使强化作用更加有效。在学生通过学习努力争取后，我们采取了各种形式及时发放。一枚枚奖章使学生明确地看到自己的进步，促进了学生自我教育的速度。同时，奖章的使用可以更有效地控制教师的行为，提醒教师不断去强化学生的良好行为，并对学生的良好行为进行记录。奖章除了能有效地激发学生的行为动机之外，还是一种良好的教学工具。因而奖章活动的本身既是一种行为技术，又是支持性课程的一个组成部分。

校本争章特在"奖章"，优在"灵活"，实在"活动"，重在"竞争"，好在"课程"。这就提供了与学校课程全面结合的可能性。通过校本争章活动与学校课程的融合，我校将争章体系纳入整个教学工作中，在每一门课程中设立章目，针对不同学生通过一定时间的学习进行考核，对考核优秀的学生颁章，以此激励学生。

表5-1 长宁初职校本争章活动体系

	主动参与	依法办事	敬业负责	合作共处	吃苦耐劳	感恩惜福
校级章	小记者章 小小评论章 小主持章	自主管理章 青春知识章 小卫士章 小标兵章	小主人章 学军章 团务知识章	社会考察章 升旗手章 实践体验章 小帮手章	小伙伴章 救护章 才艺章 发展章	队务章
中队章	清洁章 保健章 礼貌章 理财章	法律知识章 校纪校规章 安全章 国防章	消防章 服务章		交往章 科学知识章 环保章	团结友爱章 爱国章 孝敬章
学科章	识字章 阅读章 表达章		艺术章 家政章 英语章	写作章 烹饪章 面点章 体育章 电脑章 酒店服务章 园艺章	陶艺章 律动章 舞蹈章 美术章 小算盘章	心理健康章

校本争章活动以学校德育总目标——“六会”，即学会参与、学会服从、学会负责、学会吃苦、学会协作、学会感恩为基础，结合校本课程体系设置。在整个活动设计中坚持以学生为本，以学生的发展为第一目标，通过争章活动的持续开展，使我们的学生在学得技能本领的同时也得到成功的体验，建立良好的自信。

校本雏鹰奖章活动的开展遵循社会化原则、实践性原则、激励性原则和递进性原则。校本雏鹰奖章活动的特色是对象的延伸——扩大覆盖面，全面地介入——推进课程化，目标的分层——实现个别化。在同一个班级中，学生与学生间存在的差异还是很明显的，如果采用一定的要求去面向全体学生，这对于某些学生就成了一个可望而不可即的目标，这与我们开展校本争章活动的初衷背道而驰。因此，根据每个学生的实际情况，我们不仅在教学过程中采用了分层教学，在争章活动中我们也采用了目标分层的办法以激励学生。不同系列的奖章分为若干个级别，要求、目标循序渐进，呈阶梯形上升。学校校级争章活动分为十二级别。

第一级——铜质奖章（需获得10%校级章、50%学科章、50%班级章）

第二级——银质奖章（需获得20%校级章、60%学科章、60%班级章）

第三级——金质奖章（需获得30%校级章、70%学科章、70%班级章）

第四级——白金奖章（需获得40%校级章、80%学科章、80%班级章）

第五级——水晶奖章（需获得50%校级章、90%学科章、90%班级章）

第六级——钻石奖章（需获得60%校级章、全部学科章、全部班级章）

第七级——阳光学生铜质奖章（需获得70%校级章、全部学科章、全部班级章）

第八级——阳光学生银质奖章（需获得80%校级章、全部学科章、全部班级章）

第九级——阳光学生金质奖章（需获得85%校级章、全部学科章、全部班级章）

第十级——阳光学生白金奖章（需获得90%校级章、全部学科章、全部班级章）

第十一级——阳光学生水晶奖章（需获得95%校级章、全部学科章、全部班级章）

第十二级——阳光学生钻石奖章（需获得全部校级章、全部学科章、全部班级章）

如图5-3所示，我校争章活动的流程为：目标体系—实践学习—总结表彰。通过校本争章活动课程化的不断深入，改变了学生的学习态度——化被动为主动；改变了学生的学习环境——化枯燥为生动；同时也改变了教师的教学方法——由一律化向个性化转变。

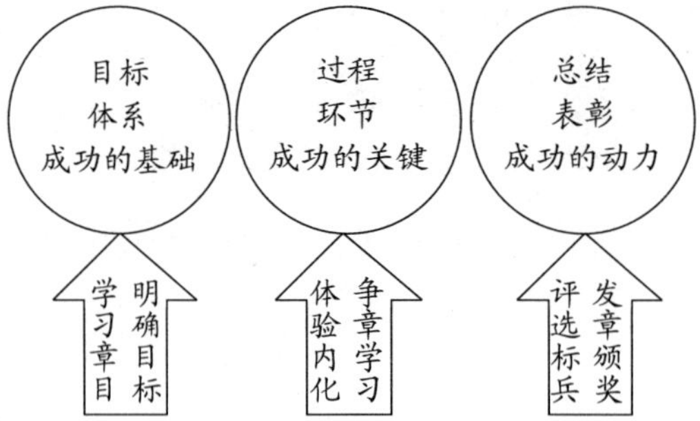

图 5 - 3　长宁初职校本争章流程图

随着校本争章活动三个环节的深入推进，我们借助“章”这一生动载体提高学生学习的兴趣，提高学习效率，切实加强争章活动的实效性；通过学生争得“行为规范示范员章”“岗位能手章”提高每一个学生的自我意识。在整个参与过程中，学生们约束了自身的行为举止，提高了自我行为意识；培养了学生的自我管理能力，使学生的思想道德品质体现在实际行动中。

三、家教指导

学生的家源性心理障碍是一个不容忽视的重要命题。因此，学校十分关注家庭教育指导，并不断完善家长学校的建设。近几年来，学校秉承“家校互动，亲子和谐，让每个智障孩子发光”的基本理念，形成了让家长受到感动、让学校走近家长、让家长参与教育、让家校合作互动四种做法。我们建立了学校与家长联系的沟通制度，有每周 1 次的家校联系手册、每月 1 次的电访、1 份《家长心声》小报，每学期 1 个学生发展案例、1 本《学生发展手册》、1 次家长征文活动、1 次家长满意度调查、1 次校园开放日，每年 1 次家访；还开展了家校合同、家长夜校、家长工作室、家长心理工作坊等特色项目。

（一）家校合同改善偏差行为

家校合同是就某一学生个体存在的行为或心理问题，有针对性地制定目标，实施行为心理教育的一种方法。其借鉴劳动关系确定的合同形式，在教育中实施可以将对学生的个体教育性得以更强地凸显。首先，根据教师对学生、家长对学生的现状分析，通过教师、家长与学生三方共同讨论，确定学生亟须改进的某一行为或心理偏差，由教师、家长和学生共同提出一个奋斗目标，作为实施家校合同最终达成的标志。以小王同学订立的家校你我他合同为例。家校你我他合同制订前，先请家长填写一份家校你我他合同实施调查问卷。

家校你我他合同实施调查通知

请各位家长认真填写以下选项，这关系到对你孩子的教育，谢谢！

1. 你认为教育孩子更多的是（C）的责任。

A. 学校　　B. 家长　　C. 学校、家长

2. 你对“家校你我他合同”工作的重视程度。(B)

A. 非常重视　　B. 重视　　C. 不重视

3. 你觉得自己孩子身上有没有需要通过“合同”来教育的问题？(A)

A. 有　　B. 没有

4. 你觉得下个学期需要继续实施“合同”，加强对孩子的教育吗？(A)

A. 需要　　B. 不需要

5. 你觉得下个学期孩子应该纠正的不良行为或习惯是<u>人际交往中过于胆小</u>。

孩子觉得下个学期应该纠正的不良行为或习惯是<u>胆子太小</u>。

学生：小王　　家长：王××　　长宁区初级职业技术学校

日期：2006.9　　日期：2006.9　　日期：2006.9

教师、学生、家长三方商定后觉得小王同学在与人交往方面存在一定问题，希望通过家校你我他合同的执行，可以使小王的胆子大一些，敢于与他人交流，见表5－2学生小王提高人际交往能力代币积分系统表——积分项目。

其次，制定家校合同代币积分奖励机制。由教师、家长与学生共同商定达到每一个具体操作目标时可获得多少积分，形成目标积分体系。再由教师、家长与学生共同商定累积至某一分值，可获某一奖励。这一奖励由家长最终落实，故更多地应考虑学生家庭经济状况，使奖励最终能兑现。这就形成奖励体系。

表5－2 学生＿＿小王提高人际交往能力＿＿代币积分系统表

积分项目	点数
1. 在学校经常能与同学老师开展交流	2
2. 带着问题在家经常与父母沟通	2
3. 积极参加学校组织的各种公益活动	3
4. 参加各项体育活动，特别是游泳，提高胆量	4
5. 要有独立思考问题能力，能辨别是非，有自己的主张	5
报酬项目	**点数**
1. 能看1小时电视	20
2. 一瓶百事可乐	40
3. 一只票夹	300
4. 一件运动服	400
5. 一百元	500

在小王的家校你我他合同中，每一个具体操作目标都给予相应的积分，如“在学校经常能与同学老师开展交流”积分为2分，“带着问题在家经常与父母沟通”积分为2分，“有独立思考问题能力，能辨别是非，有自己的主张”积分为5分，每天根据操作情况累计。满20分给予“看1小时电视“的奖励；满40分，给予“一瓶百事可乐”的奖

励；满300分给予“一只票夹”的奖励等，形成了小王家校你我他合同的积分奖励体系，并且在小王获得相应积分后给予相应的奖励，促使小王进一步认真履行家校你我他合同的条款，获得了较好的效果，见表5－2学生小王提高人际交往能力代币积分系统表——报酬项目。

再次，由教师、家长与学生共同签名，并书面承诺认真实施家校你我他合同。合同一式三份，教师、家长与学生各一份。教师与家长共同承诺，认真督促合同的执行，学生也承诺认真执行合同条款，使自己获得进步。在合同执行的过程中，记录学生每天的得分情况，以此了解学生每天执行合同的情况，便于教师和家长协作指导，及时纠正或预控孩子的偏差行为。学生可以定期做家校你我他合同实施情况的小结，家长作一个相应的点评，教师则作指导，定期了解家校你我他合同执行情况，发现问题及时与学生和家长沟通，提出建议，以保证家校你我他合同的有效执行。

（二）家长夜校促进技能学习

进入初职，虽然没有升学压力，但是对于初职学生而言，同样有一个十分重要的“挑战”——专业技术考证，这是由劳动局统一组织的劳动技术考核，有一定的难度。我校的每一个学生都要接受1—2门专业技术课的学习，也都希望能拿到1—2张专业技术证书。有的家长平时疏于对孩子专业技术学习的关注、指导，不了解孩子的能力，所以可能产生高期望，让孩子同一时间准备两门专业技术考证。有的家长十分重视，但是往往给自己、孩子施加了很多心理压力，最终适得其反。家长夜校是以职业技术培训为主的家庭教育指导活动，以帮助家长更好地了解学生的专业学习情况以及专业技术考证的要求，方便在家中指导孩子。我们每学期都会集中安排几次家长夜校的活动，如烹饪专业、面点专业、园艺专业等，授课的老师都是学校的专业技术老师以及相关班主任，在家长夜校开班之前，都会进行方案设计。

案例5-7　支持孩子，引导孩子，正确对待孩子的能力

——迎接专业技术考证

活动背景分析：

对于初职四年级的学生来说，距离考证时间只有1年了，因此如何正确面对学生的技能水平，如何引导学生在最后的1年时间里，加强练习，提高技能，顺利考证就显得非常重要，也就需要一个面对面的、集中性的讨论，更好地了解孩子的学习技能情况。

活动目标：

1. 通过让孩子亲手为家长烹制食物，引导家长学会正确看待自己孩子的能力，多了解孩子的学习情况，从而正确客观地对待一年之后的考证任务。

2. 通过活动，解决在家长中出现的三种不良家教心态，解决出现的包办代替、不让孩子做家务活等的问题，提高思想、排除顾虑的同时，帮助家长培养孩子的学习能力和劳动能力，从而为将来的工作打下基础。

活动对象：初职四年级（2）班学生和家长

课前准备：

1. 通过家长信，告知活动事宜，争取支持。

2. 事先了解学生要烧的菜，准备好原材料以及准备服务用的托盘、杯子和餐巾布。

活动过程设计：

第一环节：孩子能力展示

［板块一］烹饪技能展示

学生独立为家长展示自己的刀工和热菜水平。每个学生可以选择自己相对比较擅长的菜肴来烹制。

烹饪学科教师对学生的操作情况作反馈。

［板块二］爸爸妈妈我来为你服务

在这个板块中，学生将会为自己的父母展示自己在服务课上学习的

本领。即让孩子做一回服务员，家长做一回顾客，进行一场模拟的情境演练。包括在每位家长面前放置相应的杯花，以及以刚才烹制的菜肴为载体，进行上菜、报菜名等服务。

学生上菜结束之后，家长可以品尝自己孩子所烹制的菜肴以及班级中其他同学的菜肴，并适当评价孩子的作品。

第二环节：孩子技能评价

[板块一] 自我评价

学生在自己的操作过程中基本上已经对自己的表现有一些认识，但是学生的想法有的时候很少会对家长说明。因此通过这样的活动，使学生有机会对家长说出自己真实的想法。

[板块二] 教师评价

烹饪课教师、服务课教师根据学生的技能作品进行评价。

第三环节：孩子技能展望

[板块一] 家长和孩子共同制订学习计划

经过了实际的操练和教师的客观评价，学生和家长都对学生的专业技能有了比较清楚的了解，知道自己的优势在哪里，知道哪些方面还需要努力。那么在此基础上能够制订今后的学习计划或者进步目标就更加有针对性，也更加具有操作性，同时孩子也比较能够接受。

[板块二] 教师提供指导

教师从自己的专业角度出发，为学生和家长提出若干可操作性的建议和指导，具体如下：

1. 学校专业课上能做到认真听讲；
2. 按时完成课任老师布置的操作任务；
3. 学会在出现问题的时候寻求老师或者同学的帮助；
4. 正确对待每次学校或者班级举办的技能比武；
5. 学会看专业老师提供的操作视频，根据视频来练习；
6. 每周保证一定时间进行专业技能的训练。

……

从以上一份详细的家长夜校方案可以发现，活动中的能力展示，让每位家长看到了自己的孩子在班级中专业学习的情况；教师客观并且有针对性的评价也能让家长和学生进一步了解学生的不足，以及需要努力和加强的方面；针对孩子的技能学习现状提供的意见或者建议，从问题出发，帮助孩子可以在技能上有所提高。家长夜校这种形式，有助于家长直接地了解和体验孩子的技能学习情况，以便配合学校教师，从家长、家庭的角度指导技能的学习。

（三）家长工作室营造心灵港湾

家长工作室是家长自主形成的一个团体，是在家委会的基础上生发出来的一个非机构性的、非营利性的供家长相互沟通、交换意见的平台。工作室采用灵活的组织形式和多样的活动方式，帮助家长之间良性沟通，促进家长自主参与学校教育教学管理，以使家长成为真正意义上的“家校合作、家校互动”的实施者、主体。

俗话说“家家有本难念的经”，特殊孩子的家长更加需要有倾诉自己困扰、苦恼的地方。家长工作室就是家长们的心灵港湾，每天有1—2位家长在工作室值班，接待其他家长，共同探讨在家庭教育中的遇到的困惑，为孩子的发展出谋划策。

表5-3　长宁初职2009学年第二学期家长工作室的值班安排表

星期一	星期二	星期三	星期四	星期五
陶××	唐××	梁××	都××	童××
王××	林××	刘××	朱××	吴××

家长工作室突破了传统学校的一些办公机构模式，采用自主、合作的形式，完全由家长代表进行操作性的指导和工作。目前，家长工作室的成员共有10位，他们有的是退休老师，有的是厨师，有的是会计，有的是家庭主妇，开展了很多家庭教育活动，并主动为学校出谋划策，积极宣传，帮助解决其他家长的困惑。虽然他们来自不同的特殊家庭，知识背景、家庭环境均不同，但他们对自己的孩子都有着同样的责任心

和科学教育孩子的意识。虽然他们没有家庭教育技巧的正规系统培训，但是他们有教育特殊孩子的切身体会，这些经验心得是宝贵的资源，可以让更多的特殊孩子的家长在教育子女的过程中少走弯路，多一些方法。工作室俨然已经成为了特殊孩子家长的心灵港湾。开办以来，通过多种活动方式，家长自主参与学校教育教学管理的意识和能力得到了提高，实现了真正意义上的“家校合作、家校互动”，充分体现了“教师、家长、学生、学校”生命共同体的理念。

经过家校的努力，家长工作室的影响也在不断扩大。区残联领导对家长工作室的做法给予了高度评价，并推荐我校的两位工作室家长参加了2007特奥家庭论坛和长宁区残联第五次代表大会，更加可喜的是，今年还有3位工作室家长分别成为了区残联智障亲友协会副主席、秘书长、副秘书长，为全区更多的智障人士、特殊家庭提供服务。《家庭教育时报》也多次报道了我校家长工作室的相关活动和感人的“坚强家庭”故事。家长工作室已经成为了我校学校教育中的一个生力军，一个品牌。因为它让更多的特殊孩子的家长凝聚在一起，共同为特殊孩子的发展努力着。

（四）家长心理工作坊激发积极情感

家长心理工作坊是学校心理健康教育与家庭教育有机整合的一个创新载体。因为学生的很多心理问题源自家长、源自家庭。所以，从2006年起，每月的最后一个星期四晚上定为我校家长心理工作坊活动的固定时间，由专职心理教师开展系列讲座或团体心理辅导活动，主要围绕“亲情与责任”“知识与技术”两大课程内容开展。每学年前，我们先对全校家长进行一个调查，了解他们在家庭教育指导方面最感兴趣的话题或者最想得到帮助的内容，对调查结果进行分析以后，确立主题，梳理出“家长心理工作坊主题清单”（如表5-4）。每学期，我们在家长心理工作坊活动中还会加入一些“夸夸我的孩子”“夸夸孩子的班主任”等家长征文和演讲活动，每学期末还进行“我心目中的优秀家长”颁奖活动，旨在树立家庭教育的榜样，创设一个积极向上的氛围。

表5-4 2005年2月—2007年6月家长心理工作坊活动一览表

日期	主题	日期	主题
2005年2月	一起来谈家庭教育的重要性 你是什么样的父母	2006年5月	当孩子出现行为适应问题，家长该做些什么
2005年3月	父母跟孩子说理的技巧 冷静地对待孩子的失败	2006年6月	当孩子出现情绪适应问题，家长该做些什么
2005年4月	怎样帮孩子养成做事有条理的习惯 如何处理孩子的抵抗	2006年9月	家长与孩子的沟通问题
2005年5月	怎样让孩子拥有幽默感 如何用强化方法矫正孩子的行为	2006年10月	孩子眼中的家长
2005年6月	如何抓孩子的思想道德教育 如何安排孩子的暑假生活	2006年11月	孩子的进步我看得到
2005年9月	如何适应初职生活 抓住挫折带来的机会	2006年12月	教孩子学会思维——箱庭疗法带来的思考
2005年10月	如何培养孩子的自信心，让孩子获得成功的体验	2007年2月	共同携手，促孩子健康成长
2005年11月	如何让孩子安全地度过青春期	2007年3月	12招教养出快乐孩子
2005年12月	如何让孩子学会感恩——让我们共同感恩	2007年4月	哪些是父母不必要的帮助
2006年1月	如何让孩子成功踏上社会	2007年5月	怎样表扬效果更好
2006年3月	当孩子出现生活适应问题，家长该做些什么	2007年6月	做孩子成长的点灯人
2006年4月	当孩子出现学习适应问题，家长该做些什么		

经过实践，我们认为，家长心理工作坊所要承担的功能主要有以下

三点。

第一，激发特殊家长的责任意识和使命感，以使家长充满“内驱力”。如何激发和提高特殊家长的责任意识，我们通过小组讨论对话的形式，阐述自己的观点，在思维的碰撞中，得到心灵的震撼。家长心理工作坊并不是一言堂，这里并不是以主讲教师或者某个家长为中心，它是一种互动的平台，家长之间互相沟通互相学习的场合，特别强调对话、交流，而且这种沟通是发展性、建设性的。虽然过程中有些家长的观点非常偏激，但是我们的一些家长会“站”出来，将自己特殊家庭的心路历程跟大家分享，通过互相交流，可以达到家长引导家长，家长感化家长、家长改变家长的效果。家长心理工作坊的责任则是提供一种平台，让他们意识到在孩子的成长中他们的重要性以及不可推卸的责任和使命。

第二，提升特殊家长爱的能力和身心愉悦的水平，以使家长充满“爱力”。绝大多数的特殊家长，都非常疼爱自己的孩子，只是有时候方式方法欠妥。家长心理工作坊前期，我们会拿着摄像机去采访一些学生，然后放给我们的家长看，有些家长感叹道，这些话，他从来没有跟我说过。家长心理工作坊正是建立亲子沟通的另一个桥梁。特殊家长中的很大一部分人面对的是重重生活或心理的压力。因此，通过创设一种宽松、和谐的氛围，让家长没有顾虑地袒露自己的心声，获得一份轻松、释然，这里没有人会笑话他，因为大家都能感同身受。我们还设计了一系列的合作沟通、创新游戏、绘画、和孩子一起比赛、演讲等形式，激发家长的热情，活跃气氛，增进彼此的信任和感情。

第三，提高特殊家长家庭教育技术和涵养，以使家长充满“耐力”“信心”。在家长心理工作坊过程中，有些家长会急切地问：“我该怎么做?”“如何做更好?”其实有些家长并不是没有在家庭教育上花心思，而是没有一些好方法，所以我们在工作坊的过程中，主题都是结合一定的情境来讲，集合家长的经验方法与一些家庭教育具体技术进行讲解。

针对特殊家长很容易产生失望和急躁的消极心理，我们通过介绍“特殊孩子的生理、心理特点以及行为表现”，让家长更好地了解孩子的认知特点、思维特点、记忆特点，从而多一点耐心，让家长学会如何看待孩子的点滴进步和自己在家庭教育过程中的努力，树立一定的信心。家长心理工作坊要达到的一种境界就是“你行我也行”的家庭教育指导。即特殊家长告诉其他正常孩子的家长：你们孩子很优秀，我们孩子也很优秀！也很棒！特殊家长告诉其他特殊孩子的家长：你们能为孩子做到的，我们也能做到！

（五）亲子活动优化家庭关系

面对特殊孩子，大多数家长不可避免地面临亲子沟通的困难。为此，我们定期举办一些亲子活动，有些是体育类的亲子活动，有些则是主题摄影类的亲子活动，在活动中促进家庭亲子关系的优化，推动家校沟通。亲子活动中强调家长和孩子参与的积极性，一方面注意家长和孩子间的互动，另一方面要注重组织者与家长之间的互动。亲子活动参与的人员可以是全校性的或者是小型的，也可以是在校园内或者校园外的，这可以根据具体的活动主题和目标决定。

案例5－8　阳光·同乐·分享户外亲子活动感想

多次参加长宁初职举办的亲子活动，感受颇深，在孩子们主题摄影作品里体现了他们的专注和潜能，在延中绿地跳绳活动中体会了他们的天真和活力，在校园里家长和孩子拔河时体验了他们的健康和欢乐，感到孩子们爽朗的欢笑中蕴涵着呼声：我能，我行，我可以！没有长不大的孩子，努力也不会白费，尽管只是微不足道的表现，却蕴藏着希望，虽然智障给他们带来学习和生活的不便，但社会倡导的关爱，学校肩负着特教，家庭给予了温暖，他们是幸福的。

至于未来，我认为：弱智、弱势，不能弱志，在教育上多花些精力是必要的，独立是早晚的事，也许“多留点”他们未必守得住，但是“多教点”他们肯定用得着，希望所有的期盼能实现，感到欣慰就够了，作为虽难求，康复更难得，那就用爱的力量撑着，给他们一个自信的理由，一个美好的梦想。

——家长参加亲子活动有感

正如活动感想所呈现的，亲子活动给孩子和家长都留下了深刻印象。在活动中，孩子尽情展示自己的才华，家长为智障孩子的表现感到欣慰，他们意识到“多留点”不如“多教点”，以积极的心态去看待智障孩子的教育。亲子活动，拉近了家长与孩子之间的距离，促进了家庭亲子关系的优化。

四、社区融合

随着21世纪社区功能的不断拓展，德育工作也从单纯的学校内部向外拓展。各所学校都开始关注学校、家庭和社区的三位一体，真正让学生在真实的生活情境中逐步增强德育意识。智障学生融入社会，适应社会是我们共同奋斗的目标，为此特殊学校需要开展更多的融合活动，让智障学生能够自信地步入社会，也让社会能够真正地接纳他们。如果说家庭和学校是智障学生学习的场所，那么社区就是他们的第一实习基地，为此我们学校关注社区融合，为智障学生搭建平台，让他们接触正常人，从而学会去接受、去包容，更多地学会感恩。学校通过“爱心义卖”“社区敬老”“艺术展示”等活动，让智障学生能够走出校园，开阔眼界，让社会能够接纳他们、认可他们。

（一）爱心义卖学交往

由于学生的特殊，他们平时很少接触社会上的人，一般除了父母、亲戚和老师外就基本上是生活在一个相对“封闭”的世界中，而且很多人的语言能力又相当差，他们无法正常地与人交流。什么样的实践活动能够锻炼学生的交往能力呢？经过集体讨论，我们确定了一个主题——“卖”，以上街卖东西为主，开展了“爱心义卖”活动，目的是让学生走出校园，在情境中体验，在体验中内化，锻炼他们的社会交往能力，为步入社会奠定基础。这样一来，不仅可以让学生直接走进社会，直接去体验生活，直接和“陌生人”打交道，同时也锻炼了他们的是非辨别能力、社会交往能力、社会适应能力和语言表达能力等，为他们将来步入社会作铺垫。让他们从真正的情境中去更深刻地体验社会生活，将学校中所学的六个学会——职业生活必备的条件，融入到实践中去，让他们做到将这“六会”融进自己的“血脉中”，实现真正的内化，使之成为自己身体的一部分。如果实践活动能给学生带来如此的效果，对于我们的学生来说，是一种收获，是一种无价的财富。

学生走上街头“爱心义卖”

“爱心义卖”实践活动是教师创设真实情境，增强学生的实践尝试和内心体验，从而促进学生职业道德的内化，这是活动的根本目标。带领学生走出学校的保护伞，步入社会大舞台，让他们感受社会生存之道，去体验，去内化，改变自己的行为习惯，融入社会；“爱心义卖”实践活动是学生自主管理的一个活动，让智障学生也能够在整个实践中，学会自主管理，提高自主管理能力。让智障队员在“享受”每次已安排的活动中，尝试独立策划活动，也体现了部分智障学生的能力，给了他们一个“跳一跳”摘桃的机会，让他们展现自己的才能；“爱心义卖”实践活动是德育活动的一个延伸和拓展，学生从学校走向了社会大课堂，让学生真正去感知德育的无痕，让学生知道日常行为规范的重要性，要知道尊重别人，这样才能成功“义卖”。

“爱心义卖”之初是卖花，但是经过第一次“卖花”活动之后，大家总结发现，花不是很畅销，又要批发，又要包装，每次花费的人力精力都很多，而且花容易凋谢，成本挺大。考虑到看报纸的人范围比买花的人多，特别是畅销的《申江服务导报》，又便宜，看的人又多。经过集体商议，我们改为卖报纸。

“爱心义卖”实践活动以班级为单位，由班级组建成小队，各自独立开展卖报活动。“四固定”分别是：固定时间、固定地点、固定人员、固定内容。固定时间是每月一次，固定为周二下午；固定地点是经学校统一安排，将各班级分派到学校附近相对较为热闹的地点进行义卖活动；固定人员是各班级每次都必须保证所有学生的参与，班主任作为辅导员；固定内容是每次活动都是卖报，让队员不断去了解尝试。活动是由学校大队部总体策划和实施，各班级落实。活动主要为七个环节。一是宣传环节，由大队部宣传委员到各中队进行宣传，张贴“卖报”通告，告知本月活动开展的时间，然后让各中队思考此次活动他们准备卖的份数。二是征订环节，由大队委员到各中队统计卖报份数，进行登记。三是订报拿报环节。由大队委员负责打电话到报社进行订阅，交付所需费用，开好发票回校报销，并在要求时间与其他大队成员共同将报纸领回学校。四是分派报纸环节。大队部成员对报纸进行分派，根据各中队征订数量分配报纸，报纸的各个版面必须整齐清楚，不能错放。五是上街卖报环节。在规定时间，由大队辅导员统一组织全体学生上街义卖。班主任老师进行指导和帮助，大队部和相应部门对各班的总体情况以及教师的指导情况进行综合评估。六是捐款环节。活动结束后利用升旗仪式，各中队将卖报所得钱款捐献给学校的“爱心基金”。七是总结表彰。由各中队上报实卖份数并推荐卖报能手，大队部根据各中队实际出售的份数以及各中队上交的学生评价和检查结果进行综合评估，评选出前三名，将积分纳入班主任积分榜中。

“爱心义卖”实践活动自2001年至今已经开展了近十年了，我们的活动也在不断发展和完善。整个实践流程从开始的教师全权负责，到现在完全由学生自主化实施，从宣传、订报到分报卖报，学生都能独立完成。我们活动的内容，也从原来的“不确定”到现在的“固定”；由于原本高年级的学生已经从开始的羞涩到大胆，从不敢与人交流到娴熟地完成每一次活动，逐渐感受到内容的单一，于是由全校参加改为低年级学生参加，分年段开展活动。在整个活动阶段中最让学生有所感受的是每次活动后的“捐款仪式”，让学生更加感受到自己付出的辛劳的回报，现在看着学生独立自主开展活动，让人不觉感到欣慰。

案例5-9　卖报感想

“啦啦啦！啦啦啦！我是卖报的小行家，不等天明去派报，一面走一面叫，今天的新闻真正好，七个铜板就买两份报……”相信大家都知道这首歌，现在我们学校也举行了“爱心义卖”活动，那就是每个月第三周的周二下午。为保证大家的安全，要求师生务必在四点前回校，各班应根据学生的实际表现，推荐产生本次实践活动的卖报小能手。

今天下午两节课后，学校又组织我们上街卖报。卖报看似简单，把报卖出去就可以收回钱，实际对我们而言并不简单，因为这需要我们主动上前去询问，和人交流。而且卖报是集体活动，很有意义。因为我们是义卖，收入是捐给那些需要帮助的人，作为团员的我，在班中是骨干，这样的活动，我更要冲在前头，积极参加。

每次卖报我都很有收获，第一次，感觉很好玩，但是就是不敢叫喊，所以一份报也卖不出，多次参加后，胆子也渐渐大了，不但能大声叫卖，还能多卖出几份。通过义卖我们也知道这是锻炼我们的能力和胆量的，为今后走上社会打下基础，更重要的是看我们能不能融入社会。

我想在今后的集体活动中，我们也要积极参加，这是让我们锻炼的好机会。

初职三（1）班小王

从学生简短的“卖报感想”中，我们不难发现，“爱心义卖”实践活动一方面陶冶了特殊学生的情操，磨炼了特殊学生的意志。让特殊学生在活动过程中有所体验、有所感悟。实践活动为特殊学生提供了在开放的情境中亲身体验的机会，搭建了提高特殊学生人际交往能力的平台。

（二）一人一岗练本领

作为一所初级职业技术学校，我们学生面临的一大问题就是在就业前必须作好职业准备，特别在职业道德上，一定要作好充分准备。为了达到这一目标，我们特地开设了与学科课程平分秋色的隐性课程——“一人一岗”岗位体验课程，其宗旨是让智障学生在学校为之创设或走出校门在社会上随机遭遇的情境中通过实践而体验多类型的工作，不断内化、深化、强化职业意识，获得职业适应力，使之在将来即使从事的是没有经过专业培训的工作，也能很快适应职业要求，较快进入工作状态，为谋其一生的幸福作好准备。

“生活即教育，教育生活化；社会即学校，学校社会化”这句话是我们开展“一人一岗”工作理论基点的生动诠释，它融合了外国教育家杜威和中国教育家陶行知的中心教育观点。杜威“做中学”理论要求教育要生活化，学校要社会化，让学生通过实践活动“从经验中学习”。我们的“一人一岗”工作把实践的中心基地放在学校，力图把学校创设成为一个小社会，设置一些涉及学生日常生活的工作岗位，让其在工作中实践体验。陶行知的教育理论则强调生活和社会对人的教育作用，认为人是在社会实践中得以提高，要求我们以社会为大学堂。同样，我们深知，校内创设情境让学生体验固然有其好处，但不可避免地有着局限性，例如教师控制性过强，岗位的随机性不够等，所以我们争取了很多让同学参与到校外大社会大环境中去的机会，让同学们在大世界中获得更为丰富的经验。

自2001年至今，“一人一岗”岗位体验课程相对比较健全和完善，主要形式是“校内一人一个岗位”。对智障学生而言，学校就是他们体验工作的小社会，在这个社会中，他们每个人有一个相对固定的岗位。经过多年的经验积累，校内的“一人一岗”已形成一套比较完善的工作机制。每学期一开始，由“职业转衔”项目组老师组织筹划高年级学生的“一人一岗”招聘会。在宣传动员工作后，高年级同学打破班级界限，先从自己的实际出发，在学校设置的众多岗位中挑选自己适合和喜欢的工作。填好模拟校外单位印制的非常正规的应聘登记表后，到各招聘台应聘。学校在汇总后根据同学的需求和特点进行调配，但以尽可能地满足他们的应聘愿望为优先考虑。在新一轮的“一人一岗”工作开始之前，举行一次宣誓上岗仪式，以强化同学们的工作意识。每周评选“岗位能手”，每学期评选“岗位明星”，增强评选的激励作用。

“一人一岗”岗位体验课程的三个重要环节是：情境创寻、实践体验、内化升华。这三个环节相辅相成，循环往复，构建了促进学生职业道德形成的良性教育系统。“情境创寻”是课程实施的基础。要实现学校社会化，就意味着要把学校设置成模拟社会，进行合理的资源配置和安排，使学校基本能与社会接轨。除了在校内创设情境外，更高的追求是在真正的校外社会中寻找到真实的能让同学进行实践体验的情境。实践体验”是三个环节中的中心环节。没有它，情境的创设将失去意义；没有它，更别谈内化升华。每一个同学都必须经历这一环节，才有可能进入下一环节。在实践中学生的主观内在与客观现实得以实现不断地碰撞，促使学生体验到工作的实际状况。“内化升华”是实施课程的终极目标。情境的创寻和实践体验为的就是让学生最终能在主观上认可并建立正确的职业道德，使之在面对不同性质的工作时表现出的是比较恒定的认真负责态度。

“一人一岗”岗位体验课程的四项原则是社会实践性原则、道德体验性原则、学生自主性原则、教师主导性原则。“一人一岗”岗位体验课程的开展锻炼了智障学生的社交能力，他们学会了如何与人交往，在实践中获得自信，敢于步入社会，增强了自信。体验教育强调实践第一，重在体验的“过程”，“用心感悟”，我们帮助学生在体验中把“六会”内化为行动，形成良好的道德情操。众所周知，活动对于学生德育生命的成长具有核心作用，坚持“实践育人”是学校德育坚持的方向。引导智障学生在实践中体验这是一种先进的教育理念，也是一种科学的教育实践。体验教育的过程将激发智障学生的潜能，并将知情意行等所有的心理因素激活，唤醒人格的心灵，获得生命的总体升华。

（三）敬老服务学关爱

尊老敬老是中华传统的美德，是素质教育的一个重要组成部分。学校长期以来一直坚持开展“敬老服务”实践活动，让智障学生学会去关心老人、尊重老人。智障学生一直接受着来自社会方方面面的关心和帮助，通过这项活动的开展，让智障学生自己力所能及地回报社会，培养他们的感恩意识。学校与区内“积孝敬老院”签订了长期合作协议，让智障学生能够在“敬老服务”实践活动中去体验、去感悟。

在实施的过程中，我们不断完善活动机制，形成了每两周一次与团员教师共同前往敬老院，为老人服务的机制。活动开展初期，由于学生的特殊性，像正常学校那样独立开展志愿者服务小队似乎有一定的困难，学生也无法自主前往敬老院为老人打扫卫生，于是我们改变活动方式，与教工团合作，每次活动由1—2位团员教师配合，共同前往敬老院，学生主要的活动内容是前去敬老院与老人说说话，锻炼学生的人际交往能力；为老人读读报，锻炼学生言语表达能力；为老人送上自制点心，培养学生的自信心；为老人带去尚不成熟的节目，为学生展示才能搭建舞台。这些项目看似简单，但就在这简单的实践活动中，智障学生们发现他们给老人带来了欢笑，给老人带来了感动。每次活动结束时，许多老人都拉着他们的手依依不舍，这样的情境是学生们从未体验过的，他们从活动中发现原来自己也能给人带来那么多的欢乐，自信心提高了，也更愿意去敬老院了。值得一提的是，家长也反映孩子在家更懂事了，能够尊敬长辈了。

（四）艺术潜能陶性情

艺术能陶冶人的性情，开发人的潜能，特殊学校的艺术教育更能挖掘智障学生的闪光点。俗话说“当上帝关上一扇门的同时会打开一扇窗”，在艺术领域中出现了无数个这样的特例，指挥家“舟舟”，特奥使者“乔美丽”等。

为了更好地挖掘智障学生的艺术潜能，陶冶性情，学校开设陶艺、美术、舞蹈、摄影、工艺、船点（面点）、烹饪雕刻等艺术课程。在校内实施“双五固定”机制，即每周五下午固定活动时间，实行走班制，打破班级限制，相同爱好的学生在一起共同翱翔在艺术的天堂。每年五月固定“金职杯”学生技能比武大赛，晒一晒学生的才艺，共同切磋技艺。为了给学生更多展示的平台，让社会了解他们、走进他们，学校为学生在上海残疾人艺术中心、华阳社区中心举办了两届“放飞生命”艺术作品展，学生的艺术作品获得了市区领导以及各地嘉宾的好评。

在老师的努力下，我校的艺术教育也收获颇多，出现多个舞蹈小天才、绘画小天才、陶艺小天才和摄影小天才。他们在全国的陶艺、美术、摄影、舞蹈比赛中，与正常学生同台竞技，拿下了多个一、二等奖的好成绩，在市区级别的比赛中，同样是与正常学生同台竞技，一样获得多个最高奖项。

“放飞生命”艺术作品展（食品雕刻）

（五）特奥训练强体魄

对智障学生而言，特奥运动不仅是一项增强体质的健康活动，更是赋予特殊生命特殊意义的活动。为此，我们为学生开设了体育、康复、律动等课程，成立了特奥训练队，每周开展两次训练活动，旨在提高智障学生身体素质，在强身健体的同时更是为智障学生提供展示才能的平台，参加特奥运动会。2005 年，我校学生作为长宁区代表参加上海市特奥运动会，共获得金牌 75 块，银牌 58 块，铜牌 43 牌，占长宁区获奖牌总数的 75%。2006 年，我校学生参加了在哈尔滨举行的第四届全国特奥运动会，获得篮球亚军、足球季军。2006 年，我校学生组队参加了上海市国际邀请赛，共获得金牌 21 块、各类奖牌共计 61 块，其中我校男子手球队勇夺团体冠军。2007 年“世界特殊奥林匹克运动会”，我校 14 位学生代表国家获得了男子、女子手球冠军，男子垒球亚军的好成绩。

第六章 智慧型阳光教师群体发展

面对21世纪的信息化、全球化、市场化以及教育的现代化趋势，教师首先要能够把握时代脉搏，及时准确地发现社会需求，勇于创新，主动地投身于教育改革之中，站在时代发展的高度，用明天的需求来呼唤人、要求人和培养人。随着新课改的逐步深入，教师角色的转变已成为一种必然。这种转变是让教师改变原先知识权威者的形象，侧重于对学习过程的组织、引导，并对自己的教学实践进行反思、研究，以取得更好的教育效果。这就促使教师必须不断进行观念和知识的自我更新，促使自我知识结构综合化，书本知识与社会知识相结合，理论与实际紧密联系，实现自我发展。

教师是学校发展的主体。面对智障学生，教师总是感到困惑，职业成就感低。通过“每个孩子都是金子”教育哲学思想的阐释，老师们在实践中逐步发现并认可智障孩子同样可以获得发展和成功。我们试图以“智慧型阳光教师”这样一个概念来对教师专业发展方向进行概括，以便对教师专业成长的内涵理解得更为全面。因为教育智慧是对教师教育理念、知识学养、情感与价值观、教育机智、教学风格等多方面素质提出更加全面的要求，我们的教师需要具备特教的知识技能和实践智慧。而特教教师为满足学生不断增加的个别化教育需求，付出了很多的时间与精力，职业成就感低，特教教师更应该具备积极的“阳光”心态。

一、教师群体发展的学习环境：“高挑战—低威胁”的教师学习场

支持式课程的变革发展给教师群体提出了更高的专业发展期待。教师不但需要更新课程知识，转变角色，整体性地提升职业道德、心理素质、教育观念，以新的课程理念指导实践，特别需要提高对特殊教育对象的认识与理解，提高专业技术水平，并由此**增强专业判断水平与课程领导能力**。随着教师队伍日益扩大，新教师比例大大增加，青年教师成长迅速，涌现出一批充满活力的骨干教师。近年来，随着教师队伍的扩

大，新进一两年的教师所占比例高达50%以上，而且知识背景与学历程度的差异加大（参见表6－1），教师的课程经验也有很大差异，**教师发展呈现出较不均衡的状态**，这就需要我们发挥骨干教师的模范带头作用，引导教育实践经验不足的新教师快速地专业成长，使他们能够尽快地胜任学校的课程与教学。另一方面，还要有效组织和建设教师学习共同体，激励每一位教师发挥自身的优势特长，积极参与支持式学生课程发展，让全体教师都学会学习、学会研究，提升教育教学的实践性智慧。

表6－1　课题研究之初学校教师队伍基本情况

知识背景		学历程度	
不同类型	所占比例（%）	不同类型	所占比例（%）
小学教师	40	专科	52
特教专业教师	16	本科	36
其他师范类教师	20	研究生	—
非师范类教师	24	其他学历	12

教师群体发展的需求可以从三个层面来理解。首先，寻求发展是每个人自然的、本能的心理需求，每个人或多或少都有向上的、自主的发展需求；其次，教师的社会角色也会引发相应的发展需求，学生课程的变革需要教师参与课程领导，这就激发了教师专业发展的需求；再次，教师群体发展不是一个人的发展，是在“生命共同体”愿景引领下的平衡协调发展，这就让教师在个体发展需求的基础上，增加了一些能够获得团队归属感、能够与人合作的发展需求。

每位教师都有各自的学习需求，作为教师学习主要阵地的学校必须要为教师发展提供充足的学习资源，引领教师从更多的专业视角出发，自主把握生长点。但是，教师个体价值观存在差异，在研究实践中我们发现，由于极个别的教师价值观与学校文化不相容，在教师群体发展过程中，个别教师的发展得不到教师群体的认同。由于个体价值观的不同，教师的需求有层级、有差异、有个性、有共性，有阶段性的不同。

可能有些教师学习和发展的需求不是很明显，或者说个别教师的主导需求与工作无关。本研究认为，人不是被教育的，而是主动发展和完善的。教师个体的价值观在入职之前就已经形成，彻底改变一个人的价值观是不可能的，也是没有必要的。在价值多元化的现今社会，良好的学校文化不但应该坚持学校主流价值观，而且应该具有一定的文化包容性。价值观的差异决定着个体发展的方向，影响着个体发展的需求。教师发展与个体需求密切相关，教师群体发展不是一种平均发展，不是大家齐步走的发展，而是一种差异发展、特色发展和亮点发展。

在现代物理学中，场是物体相互作用的中介。教师学习场是一种教师学习环境，以及教师在这个环境中的相互关系或相互作用。学校中必定会有一些无形的学习场；根据其对教师群体发展产生的不同影响，可以大体分为学校认知冲突场与学校人际和谐场两个区域，当然这两个区域并非截然分开，而是交互影响的。学校认知冲突场的形成与教师群体的创造力水平和自主程度直接相关，越是具有创造力和自主性的群体越是容易引发认知冲突，而又正是在这种思维的冲突与碰撞中，整个教师群体的创造力和自主性才能不断得到发展；学校人际和谐场则与教师群体的执行力水平和合作程度的关系更为密切，这两个指标分别影响垂直方向和水平方向的人际和谐，和谐的人际关系则非常有利于教师群体执行力与合作性的发展。因此，认知冲突场与人际和谐场交互形成的学习场是一种“高挑战—低威胁”的教师学习场。学校是教师发展的主阵地，为了更好地促进教师群体发展，学校需要提供大量的支持。在学校的支持系统中，“高挑战”主要存在于促进教师群体专业成长的学校认知冲突场，尽可能给教师群体提供复杂的、创新的学习任务，使其能够积极加工并构建意义；“低威胁”的人际关系和谐场给教师群体营造的是放松的、安全的学习氛围，更有利于教师群体发展。

依据学校办学特点及课程发展的具体情况，立足于个人、群体、学校发展的交互作用，学校特别提出了“营造学校文化为先，促进教师心理发展为重，创建高自主、高合作、富有强盛创造力和执行力的学习共同体”的原则，以支持式教师学习课程为载体，构建教师群体发展的学习环境。

二、教师群体发展的载体：支持式教师学习课程

在课程领导和课程开发等先进理论背景下，学校确定了“课程即教师、课程即对话、课程即经验”的课程观，并据此初步开发出一套挖掘教师自主发展学习潜能、满足教师学习需要的支持式教师学习课程，以促进特教学校教师群体发展及学校整体课程的变革。

（一）支持式教师学习课程的理念

理念是行动的先导。基于特教教师职业成就感不足，伴随课程开发、教师学习等理论的学习与探讨，我们认为，教师学习的本质属性之一是“服务”，教师学习的目标从本质上讲是为学生提供更好的教育服务；教师学习的本质属性之二是“差异”，学校教师亚群体以及教师个体之间的差异是一种资源，教师学习需要以对话的形式实现教师之间的互通有无和优势互补；教师学习的本质属性之三是“实践”，教师学习应该是一种“做中学”，其学习过程与教育实践过程是不可分割的。

在学习、汲取和转化以上重要观念的基础上，我们不断进行实践经验的总结，并把两者有机结合，逐步形成了一系列立足于实践层面的支持式教师学习课程理念。

理念一：关注教师的职业认同与专业期许，为教师的终身学习提供支持

立足于学校“生命共同体”的组织价值观，支持式教师学习课程倡导教师在职业生涯与专业发展中始终保持阳光心态，帮助教师增强压弹能力，提高生活质量，不断超越自我，提升生命价值，实现幸福人生。为此，支持式教师学习课程更为关注的是教师职业认同与专业期许的提升，以激发教师对职业理想的追求和主动学习的动机，而不仅仅是追求专业知识技能水平上的进步。课程将贯穿教师职业生涯的整个过程，为教师终身学习创设平台，使教师持续、主动的学习成为幸福人生

的源泉。

理念二：有效的教师学习要以服务学生为最终目的

从教师学习需求出发，支持式教师学习课程以教师经验为起点，以自主合作为基础，以对话反思为支撑，以问题解决为根本，创新教师学习方式，促进教师有效学习。同时，支持式教师课程明确提出了教师学习的目的：教师学习不仅仅是为了自我发展，更是为了认识学生、理解学生、服务学生，解决教育教学中不断生成的各种难题，满足学生日益增长的学习需求。

理念三：强调职业要求与学校文化，体现课程开发的价值取向

对于特教学校的老师来说，对于职业要求和学校文化的认同是十分必要的。在生态主义课程浪潮给当代课程发展的启示当中，最重要的一条是，在课程价值取向上，要摒弃西方对自然的二元论、还原论和功利主义态度，真正确立起系统整体观念、民主平等原则、尊重差异的思想以及动态发展的观点。而对于我们校本性质的支持式教师学习课程来说，一方面需要营造一个和谐健康的学校文化环境，另一方面也需要积极引导教师认同、融入、内化和弘扬学校文化，促使教师与学校、与他人、与自我之间良性互动，和谐发展。

理念四：基于教育教学实践和网络学习平台，构建教师学习共同体

支持式教师学习课程旨在促进教师的群体发展，因而构建教师学习共同体是它的重要内容。为此，学校主要开辟了两条路径：基于教育教学的实践问题，支持式教师学习课程要关注学生、聚焦课堂，通过校本研修等课程实施途径，促进教师合作对话，实践反思，提升课程决策能力和教育实践智慧，使学校真正成为师生共同成长的场所；搭建教师网络学习平台，提高教师信息素养，发挥网络即时性与交互性的特点，注重知识管理，促进默会知识与显性知识、个人知识与组织知识的转化，形成教师学习共同体。

理念五：尊重教师之间的差异，优化课程资源

教师知识背景和工作经验存在很大差异，支持式教师学习课程充分认识到不同教师个体之间存在的差异，并将这种差异视为资源，尊重差异，善用差异，创设交流共享、优势互补的合作氛围，开发每一个教师的潜在能力，并使教师成为学生发展的第一资源。一般来说，按照课程资源的功能特点，可以把课程资源划分为素材性资源和条件性资源两大类。但是，在我们的认识与实践中，为了更便于理解和操作，直接将课程资源分为人的资源、事的资源、物的资源三大类。在人的资源中，我们较为关注教师群体及个体的经验与差异；在事的资源中，教师自我意识的差异、教师的问题和错误往往成为重要的课程资源，并强调教师对于机遇的把握；在物的资源中，广泛包括场地、媒介、设备、设施和环境等物质因素。

理念六：倡导教师群体发展理念，发挥评价整体功能

支持式教师学习课程提倡群体发展理念下的教师个体评价，评价指向教师群体发展，促进教师团队的自主与合作，增强团队的创造力与执行力。为充分发挥评价的导向、激励、诊断功能，支持式教师学习课程紧紧抓住各种教育评价，引导教师密切关注学生问题，激励教师主动学习，帮助教师及时诊断教育教学问题，确保教师学习的有效性。借鉴发展性评价及绩效评价的理论思想，为了适应教师群体发展，课程评价应该密切关注教师个体差异与潜能发展，突出教师在评价中的主体地位，充分发挥评价的诊断、激励、导向等功能。基于这样的认识，我们在课程评价中积极与教师互动对话，鼓励教师更多参与评价，变由上至下地检查走向多元合作、双向互动的对话、协商、讨论、沟通和交流；注意采用灵活且多样化的评价方式，有机整合发展性评价和奖惩性评价；关注教师日常教学细节，加强监督力度，以评促改、以评促行，并进一步完善评价制度。

（二）支持式教师学习课程的目标

学校支持式教师学习课程的目标是：发现并最大限度地挖掘教师潜能，使教师职业道德日臻成熟、心理素质保持良好、教育观念趋于先进、专业知识与技能逐渐娴熟，成为不断自我超越的智慧型阳光教师。

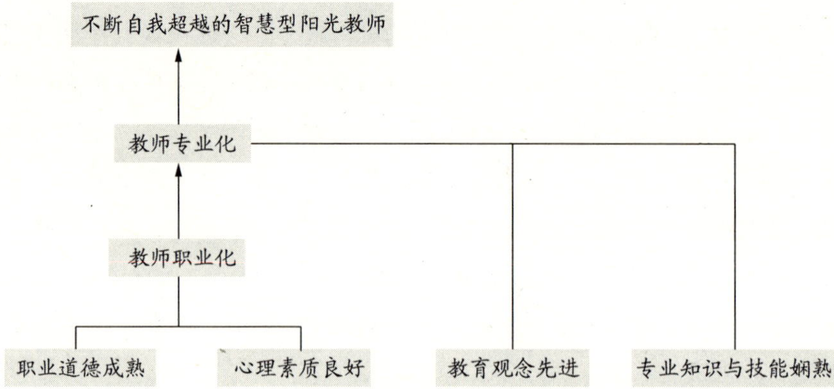

图6－1　支持式教师学习课程目标层级

一般的观点认为，职业和专业截然不同，教师是一个职业，而非专业。我们认为教师首先必须对职业产生认同感，有着职业理想和事业追求，具备一个职业人所需的道德品质，并具备健康的阳光心态，在此基础上，才能有更进一步的专业发展，提升教育观念和专业技能。一群专业化程度很高的教师未必能形成一个团队，而一个教师团队必定是由具备较高职业道德和心理素质的教师组成的。支持式教师学习课程有着职业化与专业化维度的分目标。

“爱自己的孩子是人，爱别人的孩子是神”，面对特殊孩子，特殊教育教师首先要善良，能够对特殊教育充满爱心，具备正确的教育观念。面对特殊教育这块“贫瘠”的土地，特教教师容易产生职业倦怠，难有工作的激情，这就需要教师能够不断进行心理调节，提高心理素质。还要能够扩大专业视野，拓展特殊教育知识，提高特殊教育教学能力。

支持式教师学习课程职业化维度的目标为职业道德成熟，即明确合格职业人所需要的素质，具备较成熟的职业道德，富有爱心、良心、细心、耐心、同情心与责任心等，逐步完成特殊教育教师的职业化进程；心理素质良好，即拥有“努力过程、看淡得失、满怀感激”的阳光心态，具备克服困难的工作意志和专业发展的内驱力，善于感受生活与工作的幸福，提升生活质量。支持式教师学习课程专业化维度的目标为教育观念先进，即适应智障学生不断增长的特殊学习需要，坚信“每个孩子都是金子”的学校教育哲学思想，不断更新教育观念，拥有先进的学生观、课程观；专业知识与技能娴熟，即具备特殊教育和职业教育的专业知识与技能，增强教育研究意识和反思能力，提高教育教学能力，获得教育机智，不断提升实践智慧。

需要指出的是，支持式教师学习课程目标是不断完善的。最初，根据特殊教育对于教师的职业和专业要求，我们将培养教师成为不断自我超越的研究型阳光教师作为总目标。后来在研究实践过程当中，我们发现，对于普通教师而言，研究本身不是根本目的，它只是一种教师智慧生成的重要途径和手段，更重要的是需要具备特教的知识技能和实践智慧。而对于我们的教师来说，要形成更高的实践智慧，却也是离不开立足于自身真实教学情境的教学研究的。这样的目标定位更符合教师职业的特征和规律，有利于把教师从过于烦琐深奥的理论研究当中解放出来，不至于出现为了研究而研究的情况。所以，我们以“智慧型教师”这样一个概念来对教师专业发展方向进行重新的概括，以便对教师专业成长的内涵理解得更为全面。因为教育智慧是教师教育理念、知识学养、情感与价值观、教育机智、教学风格等多方面素质提出更加全面的要求，与教师参与课程领导的专业判断能力密切相关。提倡智慧型教师，一定程度上会使教师的专业发展更为协调、完整和全面。

（三）支持式教师学习课程的结构

从整体结构框架看，目前的支持式教师学习课程主要由“两个维度、四类课程”组成，即职业化维度的“师德修炼课程”和“心理修炼课程”，专业化维度的“观念修炼课程”和“技术修炼课程”（参见表6－2）。

表 6－2　支持式教师学习课程结构

	课程内容			
	职业化维度		专业化维度	
课程类别	师德修炼课程	心理修炼课程	观念修炼课程	技术修炼课程
学习项目	师德征文 教师精神 报告文学 党课学习 金点子 文化带教 教师明星访谈 新教师职业导航 名师讲坛 ……	心理沙龙 校长推荐 休闲天地 新教师培训 教工团活动 ……	五日谈 教师论坛 研究生课程班 专家讲座 240 培训 ……	五日思 用心做教育 教育会诊 微格课堂 学科伙伴小组 组内交流课 240 培训 区级导师带教 ……

如表 6－2 所示，职业化维度的支持式教师学习课程有师德修炼课程和心理修炼课程，每类课程都有若干个学习项目。设置这四大类课程主要是从学校教师群体发展的现状与需求出发来考量的。首先，学校的青年教师占绝大多数，其中又有许多是职初教师，为了帮助新教师缩短对职业要求的适应期，形成并实践学校的组织价值观和先进学生观，加快新教师的专业发展速度，明确专业化发展的目的性和方向感，因此需要设置师德、观念、技术方面的课程内容。其次，教师群体的知识背景差异大，其中专业课教师多为非师范类专业毕业，教育观念与教学技术在他们原有的知识背景中基本上是空白，亟须补课；还有一些教师来自其他小学，虽然他们的教育教学经验丰富，但是教育观念相对落后，也需要补上来，因此需要设置观念、技术方面的课程内容。再次，作为特殊教育的教师，在师德、心理、观念和技术方面都有一些特殊的需求，可以通过相关课程内容的设置来满足这种需求。另外，除了教育对象的特殊性需要教师具备良好的心理素质外，学校的不断变革也给教师带来了挑战。适应新环境、应对新问题的挑战，不但激发了教师学习新观念、新技术的强烈动机，更让教师迫切需要提高心理调节能力与压弹力的心理修炼课程。

（四）支持式教师学习课程内容

不同于一般学校的教师在职培训活动或学院式的教师教育研究，支持式教师学习课程是教师参与选择并灵活生成课程。教师的实际需求是他们参与支持式教师学习课程的主要内驱力，应该得到充分的尊重。作为成年学习者，教师的学习需求主要来自自己原有的知识结构和经验背景。支持式教师学习课程由学校和教师合作开发，在课程目标的商榷、课程内容的选择与组织、课程实施与评价的过程中，特别是在主题性校本教研等课程实施途径中，教师发挥着极其重要的作用，教师不仅是学习者，更是开发者，在不同的学校背景下，教师根据学校提供的框架和自己的需要，学习不同的内容，教师是支持式教师学习课程的共建者与共享者。如依托网络平台的“五日谈”是建立在老师们已经具备比较先进的教育观念的基础上，才开始学习学校教师的教育教学案例，以形成本土的教育理念。但不断更新教育观念，使之保持先进性也是很有必要的。因此，版主的导读就显得更加重要。“五日思”在精选课程资源的基础上，版主先对课例视频作简单的介绍，并引导教师进行有主题的讨论。这对版主的要求无疑是提高了，要能把握到值得讨论的“关键教育片断”的点，做到精选片断。另外，学习内容的选择还要关注各学科的教研主题，将教师学习与校本教研联系起来，发挥综合效应。

1. 师德修炼课程

“以人为本”是新课程背景下师德教育的新视角。职业化维度的师德修炼课程建立在承认与认同教师人性合理需求的基础上，内容包括教师所需要的共性的师德要求，以及作为特教教师更需要的细心与耐心、同情心与责任心等职业道德素质。师德修炼课程旨在帮助教师了解作为一个合格职业人所需要的素质，尤其是作为特殊教育教师所需的职业道德，逐步完成职业化的进程，树立成熟的职业道德观念，具备基本的职业品格，并不断提升教师的角色认同，使师德要求转化为教师内在德性与德行的主动追求，最终提高育人水平与服务质量。师德修炼课程强调建设学校健康和谐的师德文化。

通过积淀师德文化，以情优教，润物无声，产生近体效应与团体动力效果，使教师在实践情境中体验感悟师德真谛，潜移默化地提高师德参照标准，强调叙事化、体验化、无痕化，形成了自我教育、群体互育的特色，并强调学校和教师群体是师德课程开发的合作者与创造者的观点。教师是课程开发的主角，而学校则发挥“引导主流文化”“设计学习活动”“打造示范群体”的作用。师德修炼课程大量选择了教师身边的感人事迹、教师撰写的师德短文，以及具有师德示范性功能的优秀教师事迹作为课程内容，强调将教师正在不断生成的师德行为与情感作为课程内容加以选择与运用。这类课程主要包括师德征文、党课学习、教师明星、教师精神等学习项目。

- 师德征文：是学校常年定期开展的一项建设学校文化的师德自我教育活动，每个学期开展两次交流活动。征文主题一般根据各阶段学校现实情境或学校文化发展状况确定，在开学初即向全校教职员工公示。征文撰写强调叙事性，夹叙夹议，以教师中的感人事迹营造积极的情感氛围。师德征文的征集工作完成之后，学校组织全校教职员工参加师德征文的交流、演讲活动，并进行相应的评价。
- 党课学习：为充分发挥党员教师的模范带头作用，学校领导不仅在党组织内部长期开展大量的党员教育活动，而且还把党员教育活动的平台搭建到了网络平台上。作为学校网络学习论坛的一个重要组成模块，“党课学习”要求教师至少两周学习一篇先进教师事迹，交流心得体会。
- 教师明星：是根据学校每月的工作重点和教师的综合情况，每月评选一名或一个小组作为教师明星，附以短小的明星事迹发布在学校论坛上，以供全体教师学习，营造一个良好的学校变革的师德文化氛围。
- 教师精神：为弘扬学校先进文化，学校发动教师在网络论坛平台上上传身边的精神文明好事，相互学习，营造良好的人际氛围。使教师身边的事情成为师德学习的宝贵资源。如今，“教师精神”论坛已经成为学校教师温馨的心灵花园，教师的道德和精神风貌在这里淋漓展示。因此，“教师精神”不仅是师德修炼类的主干课程，同时也兼具有心理修炼类课程的特点。

2. 心理修炼课程

职业化维度的心理修炼课程是为了提升特教教师压弹力、成就感与职业满足感而开设的一类课程，它的课程内容主要包括教师的生活态度、职业态度、工作意志、人际沟通、合作意识等方面所需要的心理素质。尤其在学校变革过程中，学校管理者和教师都会不同程度地遇到困难，产生困惑，加强心理修炼显得尤为重要。这类课程主要包括心理沙龙、校长推荐等学习项目。

- 心理沙龙：在学生心理辅导工作的基础上，借鉴其他学校教师心理辅导的经验，学校面向全体教师进行团体心理辅导活动。每月开展一次教师心理沙龙活动，组织方式多种多样，主要开展团体游戏活动和参与式培训。在宽松和谐的团队氛围中，教师可以舒缓心理压力，提升集体意识。
- 校长推荐：为帮助教师心理成长，校长定期推荐有助于教师积极调整心态的心理辅导内容，包括心理知识普及和职业发展的相关寓言与案例等，以网络学习的形式开展，教师一般每两周选择一篇进行学习、讨论和交流。作为心理修炼类的代表课程，“校长推荐”仿佛是心灵航道上的一盏明灯，为教师指引方向，带来进一步参与支持式学生课程变革的力量。

3. 观念修炼课程

专业化维度的观念修炼课程涉及与时代精神相符的先进课程观、学生观以及课程教学、教育心理、特殊教育、职业教育和终身教育等教育学理念。学校变革，观念转变是关键。一直以来，学校教师接触的都是特殊教育的理念，对全纳教育和终身教育的了解甚少，这不利于随班就读和终身教育功能的拓展。

- 五日谈：作为网络论坛上的一个重要学习项目，由版主每两周推荐一篇优质的教育观念文章，或从用心做教育版块中海选出一篇学校教师撰写的教育教学叙事，完善教师教育观念，形成校本教育观念。成为教师教育教学智慧积淀、扩散的主要园地，通过教师之间的相互学习，教师对特殊学生的认识加深了，在课程资源的选择、把握以及课程实施的具体环节上都有了更为深入的合作探讨，达成了共识。
- 特殊教育学研究生课程班：与华东师范大学特殊教育系等高校院系结成教师教育资源联盟，面向全体教师，丰富教师特殊教育领域的知识与理念。在研究生课程班上，教师们一边接受着前沿理论思想的熏陶与影响，一边热烈地与专家教授们对话交流，为自身的教学困惑与难题寻求理论思想的资源。研究生课程班作为观念修炼类课程，对教师的理论学习与教育观念更新具有重要的意义，在认识与研究特殊学生、理解课程理论与实践等各方面都有了一个更高的学习平台。

4. 技术修炼课程

为促进教师提升教育教学实践能力，加快专业化发展，技术修炼类课程必不可少。专业化维度的技术修炼课程涉及课程开发、课堂教学、班级管理等内容，尤其是面对特殊学生进行心理辅导、行为训练、言语个训、制订个别教育计划等技术，还包括发现问题、自我反思、提炼概括等思维训练，以及搜索并处理信息的能力培养。教育是“做中学”，是在教育教学的实践情境中做会的。技术修炼课程较为固定的学习项目主要有用心做教育、五日思等。

- 用心做教育：版块主要还是继承原有的学习内容，不同的是，目前的用心做教育是版主从共享空间的三大类分别选取一篇优秀叙事文，提供给五日思版块，而不是以往的从所有的教师叙事中进行海选。
- 五日思：是沿用原有技术修炼课程的名称，但学习内容不再是优秀课例视频，而是原有五日谈的学习内容，即从用心做教育提供的三篇叙事中精选一篇供全校教师学习。由于五日谈的叙事都来自于学校教师，叙事的学习更大程度是提高教师的教育教学能力，因此，目前的教师网络课程将它归为技术修炼课程，而不是观念修炼课程。

以上分别呈现了四大类课程中的一些主要学习项目，或者称为核心课程，这些课程一般要求全体教师必须参加学习。但这并不限制教师以此为基础在内容和形式上进行自主学习，支持式教师学习课程是一种核心课程与教师自主学习相结合的课程形态，并且还在课程实施层面，给教师学习提供更大的灵活性和选择空间。

（五）支持式教师学习课程的实施

支持式教师学习课程并非一个常规的封闭式教师教育课程，其课程实施往往与课程开发相伴相随，不能截然分开。课程实施过程自觉融入了课程领导的理念，十分重视学校文化生态的作用，强调充分发挥多种学习载体的功能，采取综合性的课程实施策略，并时刻关注教师学习共同体的知识管理。

主题性校本教研、网络学习、教师职业导航是三条主要的课程实施途径。其中主题性校本教研是典型的“做中学”，对教师的课程领导能力，尤其是教育智慧的生成有着最直接的影响作用；网络教师学习论坛的意义主要在于：它跨越了时空界限，在虚拟空间中将四大类课程的主要内容加以呈现，并以知识管理理论为依托，综合提高了教师的学习效率与自主性；教师职业导航主要是为了解决学校中大量新教师的职业化问题，也会促使新教师在知识技能方面尽快适应课程领导者的角色。接下来，分别从主题性校本教研、网络教师学习论坛、教师职业导航三条主要的课程实施途径入手，介绍支持式教师学习课程实施的主要方式与特色。

1. 基于教育情境的实施：主题性校本教研

在众多教师学习方式当中，校本研修涵盖面极广，能够充分、有效地吸纳各种学习方式之长解决现实的教学难题，特别是对教师课程领导能力的成长产生强大推动力。所以，基于真实教育情境的主题性校本教研，是教师群体推动支持式学生课程变革，提升自身课程领导能力的最重要的途径。

主题性校本教研是支持式教师学习课程的一种综合性实施载体，在这种学习、研究、工作一体化的研修活动中，学校制定了相关制度，并发展出一些具有学校特色的现实做法。如何通过校本教研，最优化地综合实施支持式教师学习课程一直是本研究的核心问题之一。从主题性校本教研的实施过程和相关制度文本中可以发现，在主题性校本教研过程中，我们强调了教师研究路线的“草根性”。从主题确定开始，经由研究方案制定、文献综述撰写、日常教研活动（包括课例研究、教研综述等），再到教研报告的撰写和成果汇报，主题性校本教研正是这样一个不断循环的过程，为教师群体的螺旋式上升发展提供了一条有效途径。其中有一些特色鲜明的具体做法，如通过课程领导例会协商确定主题、以行动研究框架设计研究方案、推动课程变革的日常教研实践、召开主题性校本教研成果汇报会等。

（1）通过课程领导例会协商确定主题

正如一个好的题目是一篇文章的灵魂一样，一个适当的校本教研主题也是问题关键所在。在校本教研主体的确定过程中，学校课程领导者正是通过组织课程领导例会及其他形式的建设性对话、协商，促使各个学科伙伴小组积极思考，自主反思，根据各自课程教学存在的问题以及

主题性校本教研

教师构成情况，确定适宜的教研主题，以提升教师的教育智慧，推动教师群体密切关注自我更新、合作发展，主动迎接不断面临的课程变革挑战。也就是说，校本教研主题的确定，不仅可以促进教师教育观念的更新，而且也反映出教师的职业认同与专业期许，还可以体现出他们对课程变革方向的把握。

随着研究的逐步深入，教师群体把握支持式学生课程变革的能力也日益增强。这一点可以从课程领导例会上的一些细节体现出来：从刚开始教师提出三个主题，学校帮助选择一个确定主题，到现在教师直接提出一个主题；从少数教师参加到参与讨论的对象越来越广；从校长的决定性角色，到发言较少、有意识向后退，给教师更大的把握课程主题的自主性与自信心。从各学期学科伙伴小组校本教研主题的发展与转变中，可以发现（参见表6－3），每个学科伙伴小组的教研主题都有其独特的发展轨迹，也是校本教研推动支持式学生课程变革的一个缩影。

表 6－3　2004—2006 学年校本教研主题的发展

<table>
<tr><th>教研小组</th><th>2004 学年一学期</th><th>2004 学年二学期</th><th>2005 学年一学期</th><th>2005 学年二学期</th><th>2006 学年一学期</th><th>2006 学年二学期</th></tr>
<tr><td>实用语文</td><td>在实用语文课堂教学中采用快乐考试对 A 层学生实施个别化辅导的探索</td><td>在实用语文课堂教学中采用快乐考试对 A 层学生实施个别化辅导的探索</td><td>实用语文快乐考试运行机制完善的实践研究</td><td>差异教学理念指导下实用语文个别化教学的研究</td><td>初职校朗读差异性教学的研究</td><td>初职生朗读方法促进阅读理解能力提高的探索</td></tr>
<tr><td>实用数学</td><td>在初职校中开展数学与实际生活相结合的教学研究（一）</td><td>在初职校中开展数学与实际生活相结合的教学研究（二）</td><td>九年内外不同智力层次学生使用同一教材的实践探索</td><td>不同智障程度学生实用数学的教师教学行为有效性研究</td><td>初职校数学新授课教师教学行为有效性研究</td><td>提高初职生应用题解题正确率的实践研究</td></tr>
<tr><td>实用英语</td><td>在英语单词教学中，对不同层次的学生实施教学的方法探索</td><td>结合生活实际，创设语言情境，开展英语口语的教学</td><td>融入真实生活情境的英语口语教学探索</td><td>基于情境认知的英语口语教学研究</td><td>初职校实用英语课程内容组织的行动研究</td><td>初职校实用英语任务型课堂教学的探索</td></tr>
<tr><td>心理辅导</td><td rowspan="2">体育活动课中渗透心理健康辅导理念的教学探索</td><td rowspan="2">心理健康学科与体育学科相互整合的实践探索</td><td rowspan="2">音体美学科对话教学策略的研究</td><td rowspan="2">综合康复课程对话教学策略的研究</td><td rowspan="2">初职校综合康复课程课堂对话教学有效性研究</td><td>团体心理辅导中,初职生积极人格发展实践研究</td></tr>
<tr><td>艺体康复</td><td>初职校艺体康复学科工作分析步骤开发与运用</td></tr>
<tr><td>信息技术</td><td>初职学生信息技术项目学习的内容体系和分层教学的探索</td><td>初职学生信息技术项目学习教材的编写与教学实践</td><td>智障学生信息技术校本教材的编写研究</td><td>基于课程统整的信息技术教材编写的研究</td><td>课程整合理念下的初职校信息技术课程实施的研究</td><td>游戏教学法在初职校信息技术课堂教学中的实践研究</td></tr>
</table>

续表

<table>
<tr><th>教研小组</th><th>2004 学年一学期</th><th>2004 学年二学期</th><th>2005 学年一学期</th><th>2005 学年二学期</th><th>2006 学年一学期</th><th>2006 学年二学期</th></tr>
<tr><td>烹饪</td><td rowspan="2">课堂教学过程中如何实施主助教配合的实践研究</td><td rowspan="2">专业技术课重难点的突破上的课程资源学具包的研究和运用</td><td>专业技术课重难点的突破上的课程资源学习包的研究</td><td>接受学习与探究学习相结合的烹饪课堂教学研究</td><td>初职校烹饪课细化关键工作分析步骤的实践研究</td><td rowspan="2">初职校烹饪技能工作分析步骤运用的深化研究</td></tr>
<tr><td>面点</td><td>专业技术课重难点的突破上的课程资源学具包研究和运用</td><td>面点探究学习的教学探索</td><td>初职校面点课突破技术难点的实践研究</td></tr>
<tr><td>园艺</td><td>园艺分层组织室外教学的实践研究</td><td>园艺分层组织教学的实践研究</td><td>运用现代化技术辅助园艺课堂教学的实践研究</td><td>现代信息技术辅助园艺教学的主题性研究</td><td>初职校插花课程资源包开发与运用的研究</td><td>初职校插花课程资源包开发与运用的研究</td></tr>
<tr><td>服务</td><td>新教师服务课教学指导与实践方式的探索</td><td>服务学科中运用伙伴教学的实践研究</td><td>餐饮服务课教师课堂指导方法的探究</td><td>服务实作课课堂教学方法的课例研究</td><td>初职校服务实作课评学结合的实践研究</td><td>初职校服务实作课情境教学的实践研究</td></tr>
<tr><td>主题教育课</td><td></td><td></td><td></td><td>基于学生问题的主题教育课教材分析与教学设计研究</td><td>初职校基于学生问题的主题教育课教学设计的研究</td><td>提高初职生人际交往能力的初步研究</td></tr>
<tr><td>语言个别训练</td><td></td><td></td><td></td><td></td><td>初职校语言沟通个别训练的初步探索</td><td>初职校言语沟通个别训练课程内容与资源的开发与运用</td></tr>
</table>

续表

教研小组	2004 学年一学期	2004 学年二学期	2005 学年一学期	2005 学年二学期	2006 学年一学期	2006 学年二学期
随班就读						基于脑科学的初中随班就读学生走向有效学习的绩效研究
职后跟踪						初职生职业适应状况的初步研究
中重度康复						初职生潜能开发的个案研究

（2）行动研究取向的教研方案制定

确定好教研主题之后，学科小组需要制定具体的研究方案以计划具体的教研活动。我们十分注重行动研究方案的作用，因为开放、创新不等于杂乱无序，正如行路需要地图一样，具体教研活动的开展离不开具体的研究方案。正是基于这样的研究思维，每学期各学科都要制定学科教研方案。在行动研究方案的制定过程当中，一方面需要学校课程领导者的指导，另一方面也需要小组成员的共同讨论、协商。通过制定一份缜密的行动研究方案，不仅可以培养教师的研究思维，而且可以进一步激发教师自主钻研、合作研究的意识和能力，教师的教育观念、专业知识素养与心理素质可以得到较充分的体现。

（3）推动课程变革的日常教研实践

将行动研究方案具体地落实到日常教研实践中，才能够真正推动课程变革。在形式多样的日常教研活动中，教师围绕课堂教学，不但要开展“三循环两反思”的课例研究，改进课堂实践，还要不断丰富课程资源，为学生提供更好的教学服务。

- 丰富课程资源的教研活动：由于教师的课程意识逐年增强，许多学科伙伴小组都将不断充实丰富本学科的课程资源作为教研活动的重要内容。其中比较典型的有园艺组借助多媒体手段开发课程资源包；烹饪面点组开发学具包，并拍摄一系列视频片段作为课程资源等。
- 改进课堂实践的课例研究：课堂教学是教育教学实践的主阵地，在校本教研过程中，需要将教学与研究结合起来。为此，学校大力倡导课例研究，要求教师重视积累，增加实践智慧；发展自我反思能力；共同面对教学，分享成功教学经验。教师学习共同体借助课例的交流、探讨，变得充实而富有意义。

（4）对话分享的教研成果汇报会

校本教研成果汇报会是学校校本研修制度发展过程中的一个闪光点，是一个具有开创性的重要举措。每学期末学校组织主题性教研成果汇报会，各小组设计个性化请柬，邀请全校教师和专家，开展教研质疑和对话，并将“教研得实、展示得好、对话得热、探讨得深”作为评估指标，对汇报组和提问组分别进行评价。它不但为各个学科伙伴小组的教研成果展示提供了平台，激发了老师们的教研热情，更是一个交流与碰撞的平台，为教师知识的扩散与传播创设了有利的条件，突破学科之间的樊篱，营造了合作与对话的校本教研氛围。

校本教研成果汇报会的引入，促进了学科伙伴小组更好地总结和提炼主题性校本教研的教研经验和研究成效，增加了各学科伙伴小组之间相互学习和交流的机会。经历一场校本教研成果汇报会，对于举办汇报会的教研小组来说，无疑是紧张的，因为他们要接受来自专家及其他小组的提问甚至质疑，然而痛苦过后的收益和成长却也是“痛并快乐着”。

2. 基于网络平台的实施：网络学习

作为支持式教师学习课程的主要实施载体，教师网络学习论坛以知识管理理论为基础，从教师的教育观念、师德素质、心理状态和专业技术四个维度入手，为教师群体发展构建了一个健康有效的知识共享学习环境。

什么是教师知识？教师知识既关注教师的思想和观念，也关注教师的教学实践。在教师知识的假设中，教师是积极的认知者和思考者，是专业团体中的一员，而不是消极的“技术工”。由于教师所从事的是一种实践的事业，所以教师的“实践知识”也是教师知识的重要组成部分。实践知识主要是指教师在教学实践经验中获得的知识，它指导教师如何处理教学事件。教师的“实践知识”实际上是一种“默会知识”，它不容易被清晰地传授和陈述，而只能去领悟和感受。这种知识的存在更显示了教师知识的隐蔽性。[①] 因此，网络论坛学习是一个教师群体共同参与的“隐形实践知识——系统显性知识——新的隐形实践知识”不断螺旋上升的充满活力的知识创造过程。

在近三年的教师网络学习论坛建设过程中，我们逐步积累了一些实践经验，形成几个关于网络论坛学习组织与运作的特色做法。

（1）版主组织课程学习

学校为网络课程的每个学习栏目设置版主，由版主负责精选学习材料，组织老师进行学习讨论。教师专业隐性知识是教师在教学实践活动中通过自身的感悟和直觉来获取和形成的。教师的学习需求主要来自原有的知识结构和经验背景。如“五日思”在精选课程资源的基础上，版主先对课例视频作简单的介绍，并引导教师进行有主题的讨论；另外，学习内容的选择还要关注各学科的教研主题，将网络学习与校本教研联系起来，发挥综合效应等，这样就促使教师在学习的过程中，将原

① 杨明全．革新的课程实践者——教师参与课程变革研究［M］．上海科技教育出版社，2003：8.

有的知识与所学的隐性知识进行分析和对比，不断反思自己的教学实践，最终促进教师专业隐性知识的学习和掌握。

案例6－1　我这样做版主

作为五日谈论坛的版主，每两个星期在我的信箱里就会收到“用心做教育”版主发给我的三篇老师们写的关于学生发展案例或者是叙事。这是从全校老师们上传的教学叙事和教育案例中海选出来的，案例的后面附有版主的推荐理由。2005学年第二学期第三周我收到的是这样三篇案例、叙事。H老师的《“侦探”与“老师”》，这篇班主任叙事，生动而详尽的叙述了一个学生偷同学的钱，教师通过一系列的教育活动，使学生改正了自己的缺点。Z老师的《沉闷的课堂——该怎么办?》，教师通过前后两堂的比较，以学生的不同反应为切入口，对如何调动学生上课的积极性，进行了一番比较深入地反思。L老师的《一堂感觉不舒服的英语口语课》，教师针对一堂失败的英语课，进行了深刻的反思。我结合自己的想法精选了H老师的《“侦探”与“老师”》作为第三期的学习内容，展开为期两周的学习与讨论。在讨论的过程中，老师们提出了不同的观点，有的欣赏H老师的处理方式，认为保全孩子的面子是上策。也有老师提出疑问，这种方法可能比较适合初犯的学生，而对于已经对老师这招有免疫的或者持无所谓态度的学生则不适用，根本起不到效果。在讨论的过程中我还不断地结合老师的讨论，提出问题引发更深的讨论，最后大家得出，不同的情况可以采用不同的方法，不能一刀切。而且很多老师从中都学到了以后处理这一问题的方法，对自己的工作有很大的帮助。讨论后我要把老师们的发言结合案例完成学习综述，仍然发至五日谈版块。然后由写这篇案例的老师再根据综述修改案例，发至网上共同学习。

（于忠美老师提供）

案例6－1，来自论坛版主的工作日志，可以从一个侧面体现论坛版主作为知识管理者在论坛运作中的作用。

（2）版主撰写学习综述

除了精选学习材料、组织老师参与论坛学习之外，每个版主还有撰写学习综述的职责。这也是网络学习论坛知识管理流程中的重要一环。

表 6-4　撰写学习综述的方法与步骤

主要流程	具体步骤	示　例
编码发言	1. 为了方便将原文与发言对照，可将网络论坛上的学习文章与所有教师的回复发言集中粘贴在一文档中，并将此文档加页码，打印成册，便于随时随地在材料上圈画标注。	原文： ××××××××××××××× ××× ××××××××××××××× ××× 发言： ×××××××××××××××× ×
	2. 将此材料从头至尾浏览一番，回顾文章大意的同时，大致了解老师发言的内容和方向，做到心中有底。	
	3. 将每位老师的发言按顺序进行编号，为之后整理发言提供方便。	① ×××××××××××× ×××× ② ×××××××××××× ×××× ③ ××××××××××××
概括段意	4. 由编号①始，精读此段发言，并概括出发言的主要意思或评论的大致方向，列为主旨一，并在此主旨下加编号①，代表此主旨的意思是由编号①的发言提供的，或编号①的发言涉及此主旨所表达的意思。	主旨一：×××××××××× ××× ①

续表

主要流程	具体步骤	示　例
归类主旨	5. 按编号逐条精读，凡是涉及主旨一的发言，将此条发言的编号归入主旨一下，若发言另立观点，则重新列为主旨二，并将与主旨二观点相同的发言合并同类项，以此类推。	主旨一：×××××××××××× ①⑤⑧ 主旨二：××××××××××××××××× ②④⑨⑩ 主旨三：××××××××××× ③⑥
	6. 在品读每句发言的同时，若发现精彩的、经典的词句单独列出，形成词句库，这些词句可以为之后各类标题的设定提供参考。	词句库： a ×××××××××× b××××××××× c ××××××××××
提炼标题	7. 全部发言均归类于各大主旨之后，再对各大主旨进行归纳，若主旨与主旨之间存在某种关系，则可将这些主旨的大意与词句库中相关的词句结合起来看，提炼出一个大标题，大标题下的各主旨经过调整与浓缩，可成为分标题。若有主旨独成一意，则直接从此主旨中精炼出一大标题，标题可尽量工整，简练。	大标题 A：×××××× 分标题 1：××××××××（主旨） 分标题 2：××××××××（主旨） 大标题 B：××××××
	8. 思考各大标题之间的层次关系，确定标题的呈现顺序，一般有递进关系、转折关系、并列关系或按认知发展顺序等关系。	大标题 B：××××}（递进关系） 大标题 A：×××××× 分标题 1：××××××}（并列关系） 分标题 2：×××××（主旨）

续表

主要流程	具体步骤	示　例
充填内容	9. 将与各级标题相关的发言全部拖入与之对应的标题下，根据实际情况理出层次，剪裁衔接，必要时还要加上自己的话来通顺语句。	大标题 B：×××××× ②×××××××××× ④×××××××× ⑨×××××× ⑩××××××××× 大标题 A：×××××× 分标题 1：××××××××（主旨） ①×××××× ⑤×××××× ⑧×××××× 分标题 2：××××××（主旨） ③××××××⑥××××
	10. 整理完毕后通读综述，统筹文意，精拟综述题目。	题目：××××× 大标题 B：×××××× ×××××××××× ×××××××××× 大标题 A：××××× 分标题 1：×××××（主旨） ×××××××××× 分标题 2：×××××（主旨） ××××××××××

如表 6－4 所示，将教师们在学习过程中的成果、体会、感想以综述的形式呈现出来，实际上就是一个将教师知识不断组织与积淀的知识管理过程。

（3）网络课程学习交流会

以网络课程学习交流会的形式进行汇报，既比较全面地体现了教师群体的学习成果，又是一个将积累的知识再一次扩散的过程。整个汇报一般从两大方面入手，要兼顾方法和成果。这里的方法不但指论坛组织与运作过程中的方法：如何选择学习材料、如何安排学习周期等，还要尽可能体现知识管理的流程，其中编码度主要体现在版主撰写综述的过程中，具体方法可以有给综述起名字，或是借助其他老师的文字表达自己的观点等；掌握度主要体现在教师学习的过程中，如何进一步提高教师学习的有效性，是接下来需要思考的问题之一；扩散度除了目前每期综述的形式，还可以将综述再综述，使整个学期的学习成果以一个总的框架的形式向全校教师进行汇报。

案例6－2　网络论坛学习交流会

为了让我们的老师改变“会做不会写”的情况，提高教师知识的编码度，学校在开学初召开了一次网络论坛交流会——“版主与记者对话”。由学校每个论坛的版主交流自己的工作情况及目前存在的困惑，以及综合上学期全校老师的学习体会所撰写的综述进行汇报。其他老师则作为“记者”在下面提问。以期在对话中，提升老师的专业能力，使思考能够更深入。

“教师精神”的版主黄老师首先进行了交流，她不仅对学校老师所发的精神文明好事总数进行了统计，还向大家展示了本学期“教师精神”论坛的新举措——“每月亮点”，即每个月被表扬次数最多的老师。大家都觉得这个新举措很不错，这更有利于我们学校教师中好人好事的弘扬。随后“五日思”“五日谈”“用心做教育”“党课学习”的版主也依次作了汇报。

当一向以归纳提炼能力强著称的“校长推荐”的版主赵老师汇报时，会场的气氛掀起了一个小高潮。赵老师除了向大家介绍了自己对老师们的发言所作的综述外，还用简洁明了的语言向大家介绍了自己做综述的方法，即①对所有老师发言进行编码；②用自己的话对老师们的观点进行归纳；③提炼出大标题；④对文章的结构进行整理。特别是最后他向大家展示了自己对上学期“校长推荐”版块所有主题内容及学习体会的一张表格式的汇总，引起了台下老师的一场“争辩赛”。“正方”的老师认为，这张“汇总表”高度提炼了一个学期“校长推荐”论坛的所有内容，可以让老师们能够在最短的时间内，就获得最大的启发。“反方”的老师则认为，这张表格没有太大的意义，只是对综述进行了一番重新的排列，对一些学习观点的罗列反而会框住老师们的思维及感受，对内容的提炼也很“鸡肋”，完全可以删除。“正方”的老师又反驳认为，至少这也起到了“电视报”的“导视”作用，能够让工作比较忙的老师对所有内容一目了然，再对自己特别有兴趣的内容进行重点学习，有更直观的感受。“反方”老师又提出了自己的想法……交流会的气氛愉快而热烈。

这场论坛交流会不仅让全校老师深入了解了每个论坛版主的工作运作情况，也从版主们如何撰写综述的过程中，学习到提炼和归纳的方法，有助于平时自己撰写教育教学叙事时一些观点的提炼，积淀下真正属于我们学校的本土化的知识精华或教育教学观念。

（王开妍老师提供）

3. 基于教师需求的实施：教师职业导航

为了更加适应每个教师的发展需求，学校对教师主要通过制定职业规划、入职宣誓与培训、专业与文化带教与业务咨询四种方式进行职业导航。

（1）制定职业规划

这是教师职业导航中最为核心的一种方式。学校提供一系列相关文件予以支持，引导教师分析职业发展现状、制定分阶段目标，并最终形成符合自己发展需求的职业规划。

- 个人职业现状分析：为了更好地制定职业规划，教师职业导航给教师提供一些手段来帮助教师分析个人职业现状，如画社区图、SWOT 现状分析等，以此了解分析个人职业概况及变化，重建发展资源观。
- 切实可行的分阶段目标制定：如果入职初期就一下子使教师有过高的发展目标，这不但不能促进教师迅速成长，反过来容易引发目标无法达成的挫败感，影响教师的稳步发展。因此，学校的教师职业导航计划为教师提供“一、三、五”分阶段发展目标，分成长磨合期（第1、第2年）、成长适应期（第3、第4

年)、成长热爱期（第5、第6年）制定相应目标。

- 反映个人特点的职业发展规划：在关注教师差异的基础上，新教师职业导航应对教师的不同教育需求，帮助教师制定出反映个人特点的职业发展规划。

（2）新教师入职宣誓及培训

为了帮助新教师尽快地转变角色，了解学校各项工作，感受学校文化，每年暑假开学前，学校都会为当年入职的新教师进行专门的职前培训。其中，较具特色的一项内容就是要求新教师入职宣誓，誓词中引述的是每一位美国教师在从教之初的庄严承诺。虽然两国社会制度不同、价值观念不同、教育理念不同，但是作为教育者所必须具备的对事业的献身精神和平等对待学生的责任意识，却是与我们现今对教师提出的“教书育人、为人师表”的要求有着惊人的相似之处。所以，我们坚信，教师专业发展的关键在于提升教师高尚的奉献精神和执著的职业追求。

我将时刻注意到我的责任——通过严格的对知识的追求来提高学生的智力。即使非常辛苦，即使受到放弃这一责任的外界的诱惑，即使遇到失败等障碍而使之更加困难，我也将坚定不移地执行这一许诺。我还将坚持不懈地维护这一信念——鼓励并尊重终身学习和平等对待所有的学生。”

学校教师就职宣誓誓词

尊重自己选择，热爱特教事业；履行职业使命，关爱每个学生；

牢记师德要求，努力钻研业务；积极乐观工作，谱写青春乐章。

我在此宣誓，我将把我的一生贡献给教育事业。我将履行作为教育者的全部义务，不断改善这一公共福利事业，增进人类的理解和能力，并向一切为教育和学习作出努力的作为和人表示敬意。我将这些义务当做我自己的事，并时刻准备着、责无旁贷地鼓励我的同事们做到这一点。

除了入职宣誓的环节外，职前培训还有其他各项内容，如学校制度介绍、职业发展设计、教育教学介绍、学校文化介绍、职业发展设计等。

（3）专业与文化带教与业务咨询

不同于一般学校仅为新教师安排一位带教师傅的做法，学校给每位新教师分别安排一个专业带教老师和一个文化带教老师。前者帮助教师在教学和日常工作方面尽快上手，后者则负责帮助教师尽快融入学校文化，在学校工作生活的方方面面遇到了问题都可以向文化带教老师请教。一般担任专业带教的是教学经验丰富的老教师或学科牵头人；而担任文化带教的则多为学校领导、中层行政或优秀党员等。为了将此做法落到实处，每位两年内新教师都有一个带教情况记录本，其中记录了每一次新教师遇到各种问题，请教带教老师并得到帮助和解决的具体情况。

另外，在新教师刚上岗的第一个学期，学校还会不定期组织一系列业务咨询活动，以此集中解决新教师在教育教学工作中碰到的专业问题。或是请在这个问题上做得比较好的老师介绍经验，或是拿出以往比较优秀的相关材料作为范本，让新教师学习如何具体操作。咨询活动的形式，让新教师在宽松活跃、积极自主的学习氛围中获得专业的引领，适切的指导，从而加速成长，适应工作岗位。目前新教师业务咨询活动的具体内容有：进步档案制定、学生发展手册制作、教师课堂教学常规、个别化教育计划的制订、新教师职业规划的制订、专业雷达图的制作、班级自信场建设、家校你我他合同的制定、学生成长视频的制作、家校联系指导、教学计划的制订、教师详案反思撰写、教案及叙事撰写、ISO9001 不合格服务控制项目等。

（六）支持式教师学习课程的评价

学校把“让评价伴随教师成长”“评价指向教师群体发展”“在合作对话中实现有效评价”等作为支持式教师学习课程评价的主旨，构建了教师多元发展评价体系，并采用多样化的评价方式，充分发挥评价的诊断、激励、导向等功能，以促进教师职业化方向与专业化方向的共同发展。在具体做法上，学校积极探索多样化的评价方式，在方法层面整合发展性评价和奖惩性评价。

1. 指向不断自我超越的“教师成长记录册”

支持式教师学习课程是促进教师发展的重要途径。那么如何来评价教师在学习过程中的成长情况呢？学校探索出一系列评价方式来见证教师的成长。其中最能体现教师成长和发展关键点的莫过于教师成长记录册。这是一种教师自我评价的好方法，是对自我实践的提炼与反思，它并不是教师成长材料的简单叠加，而是有一定设计结构的教师评价形式。

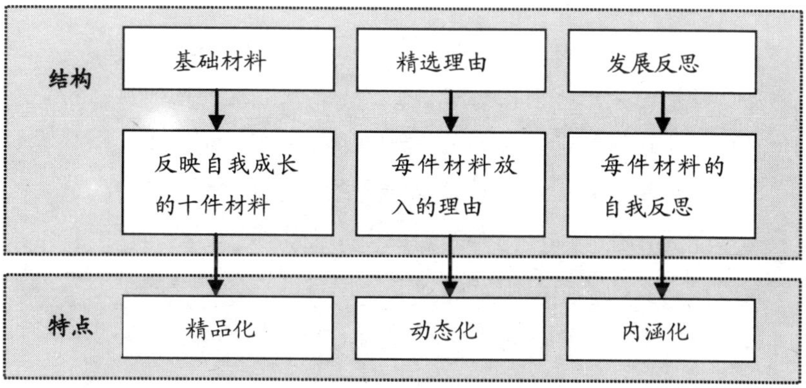

图6－2　教师成长记录册的结构图

图6－2介绍了教师成长记录册的结构和特点。教师要选出最能体现自己成长发展的十件材料，作为教师成长记录册的基础材料。同时，教师可以写出成长记录册中每个材料的放入理由，既然将这一材料放入自己的成长记录册，必定是有一定的思考，有一定的原由，这体现了教师对自己成长的肯定，也让自己或他人看时能更明确为何放入这十件材料。这就是教师自我评价的一个过程，也为他人评价提供了参考和依据。如果说写放入理由能体现教师对自己成长的思考，那么，在十件材

料的后面再附上对今后成长发展的思考，就更深入地激发教师对自己进一步持续发展的反思。每个学期，教师都可以对成长记录册进行一次自我调整，将自己认为已不能反映自身成长的材料淘汰掉，再加入新的材料。可见，精品化、动态化、内涵化是教师成长记录册的特点。

2. 提升教师实践智慧的教育教学评估

教师的发展归根到底还是要体现在他们的教育教学过程中。这方面的评估是学校评估室的主要日常工作，基本上每周都有评估内容，广泛涉及教师教育教学工作的方方面面。通过如此高密度的评估和及时反馈，以优质的教育教学为目标，激发教师的工作积极性，以提升教师的实践智慧。在实践中我们发现，让教师广泛参与到评估过程中是一个好办法。通过这一举措，教师们对各项工作的评估标准更加熟悉了，反过来以这些标准来要求自己，就可以做得更好。为了增强教师的自主性，每学期初评估室会把评估校历公示于网上，让老师们选择自己希望参与的评估项目，这对教师，尤其是新教师熟悉工作、快速成长很有效果。

为了进一步提升教师的教育实践智慧，除了日常的教育教学评估，学校每学期还在教师中广泛开展教育小办法的评选。从大量的日常教育教学叙事中，教师先自己筛选出最能体现自己教育智慧的小办法参加评选，再由全体老师一起投票产生本学期的五个最优教育小办法，并加以推广。

3. 努力过程、看淡得失、满怀感激的“阳光教师奖章活动”

从2004学年第一学期开始，学校设立“阳光教师奖章”。“阳光教师奖章”活动是学校支持式教师学习课程中“心理修炼课程”的评价方式，也是对教师职业心理成熟程度的一种评价手段。阳光教师奖章活动的具体操作要点如下。

- 参加对象：学校全体教工，他们既是评价者，也是被评价者。
- 奖章设置：奖章分为“两轮十二级”，即铜质章、银质章、金质章、白金章、水晶章、钻石章，获得这六枚奖章的教师，可以获得“阳光教师”称号；连续两次获得“阳光教师”称号的教工，学校将授予“生活艺术家”称号。

- 评选方法：（1）每学期末评选一次，全体教工依据大家平时表现，根据“阳光教师”三条标准进行评价。（2）全校评价总分前50%的教师，学校将张榜表扬，成为升等候选人。（3）在不同级别奖章的老师中，取前50%的教师，在原来奖章级别上直接升等一级。（4）为使不同级别奖章获得者比例适当，根据教师工作表现，学校在升等候选人中，推荐未直接升等教师给予升等。（5）为了使比例适当，在特定情况下，对于后50%的教师也可以适当放宽比例。
- 激励手段：不同奖章的获得者均能获得纪念品，学校对获得“阳光教师”“生活艺术家”称号的教师给予重奖。

4. 在合作对话中开展校本教研专项评估

在校本教研过程中，除了一些常规评估，特别要结合校本教研的中期汇报会和成果汇报会进行专项评估，将对教师群体的评价与对教师个体的评价充分结合起来。

中期汇报要求汇报组主要呈现研究框架与分工情况、前期文献综述、前半学期的研究成果，以及接下来的研究问题与困惑，而其他组则要帮助汇报组释疑并提出有效建议。与中期汇报有所不同的是，终期汇报则要求汇报组准备好过程性材料、最终研究成果，并制作相关视频，而其他组则可以针对研究汇报提出建议和意见。教研成果汇报会的主要评价指标非常明确，其中对话交流的效果更是判断一场汇报会成功与否的主要依据。在这里，对话不仅存在于教师之间，更有意义的对话往往会出现在教师与专家之间，引发思想的碰撞并达成共识。

5. 在知识管理中开展网络学习评价

评价教师网络学习的情况一般有质性和量化两种评价形式。其中质性评价主要体现在版主对教师上传的叙事进行海选并点评，以及各版主对每一期教师学习情况进行综述。学习综述不仅是教师群体知识积淀的过程，对自己的观点被选入综述的教师而言也是一种无形的激励。除了类似于这样的质性评价，对于教师网络论坛学习的评估还要辅以一定的量化手段。每个月每位版主都要统计各版块每位教师的发帖数，并进一步统计出每位教师该月学习过程中所发的质量帖数。再将这两个数据一并上交课程质量评估室，由评估员统一汇总，计入教师个人和教研小组的积分中，最后再将其及时反馈给每位教师。以此督促教师在学习过程中多发帖、多发有质量的帖子。

6. 在职业导航中开展“3 分钟 PPT”展示性评价

展示性评价是一种重要的评价手段，集自评与他评为一体，为教师职业发展提供阶梯。学校对新教师进行职业导航，需要在每个阶段及时评价。因此，在每个学期末，我们一改以往传统的小结汇报形式，要求每位老师结合自己职业规划中的一年目标与达成标志，从“德、能、勤、绩”等方面进行自我评价，对自己一个学期的发展与成果进行总结，并以不超过 3 分钟的时间，配以优美的音乐，插入相关视频，用 PPT 自动循环播放的形式向大家进行展示。使得原本枯燥的汇报变成了一场愉悦的艺术欣赏。通过这种评价形式，激发了教师的积极心理，不断自我肯定，不断自我突破，有利于教师的职业成长。

三、教师群体发展的有效经验

通过课程领导、学校支持系统、支持式教师学习课程，促进了教师群体的有效发展。在学校的实践探索中，我们从特教学校课程领导赋权、教师群体发展的学习环境、教师群体发展过程和教师群体发展评价四个角度形成了六条促进教师群体发展的有效经验：首先，从特教学校课程领导赋权的角度形成了在学校课程领导的赋权中实现自主合作群体发展的经验；其次，从教师群体发展学习场的角度，形成了营造学校人际和谐场与认知冲突场有助于教师群体发展的经验；再次，从教师群体发展过程的角度具体形成了要为激发每位教师自主把握生长点提供充分的学习资源，支持教师群体基于学校现场教育情境进行案例式反思，教师群体发展需要分享经验及其形成的思维与行动过程的经验；最后，从教师群体发展评价的角度形成了促进教师群体与个体互动成长的经验。

（一）教师在学校课程领导的赋权中实现自主合作的群体发展

国家、地方和学校三级课程管理体制，赋予了学校充分的自主权，保障课程能够适应不同地方、学校及学生的要求。教师是课程开发和实施的主体，教师参与课程领导是实现有效的课程领导的重要条件。教师只有拥有了相应的权力，才能名正言顺地参与课程变革，才能对自己的课程事务做主。

在扁平化的学校管理结构中，教师提出课程规划和实施中的问题，通过课程领导例会和网络平台，引发教师群体的思考，形成课程变革的建议。比如，某个学生因言语沟通障碍而无法通过职业资格考试，这引起了学校的关注，与全体教师讨论之后，集体决定新增了语言个训教研小组，老师们根据自己的兴趣和特长自主报名参加个训教学，合作开展教研。经过近一年的实践，学校初步探索了言语沟通个别训练的课程建设等一系列问题，促进支持式学生课程的发展与学生的发展。在此过程中，教师群体的课程选择、开发和实施的能力也得到了发展。

（二）营造学校人际和谐场与认知冲突场有助于教师群体发展

作为促进教师群体发展的学习场，我们提出并努力构建了学校人际和谐场与学校认知冲突场。学校通过每月一次的教师心理沙龙和教工运动会等促进了教师间的沟通和理解，增强了教师生活的幸福感和集体归属感，营造了一个有助于教师群体发展的良好人际氛围。在此基础上，学校还积极引发教师的认知冲突，促进教师在对话中实现群体发展。学期初的课程领导例会上，每个学科伙伴小组提出教研主题。校长、管理人员和各科教师从不同的视角出发，讨论、分析、确定教研主题，以引领学校各学科的课程变革走向。为了帮助教师更好地将教研实践上升到理论层面，根据不同的教研主题，我邀请和组织相关专家一起参加教研成果汇报会的点评。汇报会上，汇报组成员合作介绍教研情况，并对教师们的质疑进行回应。教师和专家针对汇报情况积极发言，提出质疑或建议。通过课程领导例会和教研成果汇报会等，引发教师的头脑风暴，引领教师直面教育教学问题，以开放的心态接纳新的事物，不断反思自身的实践并积极吸取新的观念以指导实践，促进教师群体素质的提升。

值得注意的是，人际和谐是引发教师认知冲突的前提。在教师之间没有和谐的人际关系的情况下，如果再加上认知领域的冲突，这无疑是非常危险的，将会加剧学校人际关系的紧张与恶化。有了和谐人际关系，才有引发认知冲突的条件，否则本意促进教师群体发展的认知冲突就有可能起到破坏作用，成为导致学校人际冲突的导火索。因此，学校要为教师创设低威胁的环境，学习者只有放松神经系统，在思维、情绪等方面感到安全，才会有学习动机；学习因挑战而增强，因威胁而抑制。创造高挑战—低威胁的和谐生态，是学校为教师群体发展准备的前提条件。另外，由于差异的存在，教师之间的认知冲突是不可避免的，学校要尽可能把这种认知冲突激发出来，在对话与沟通中增进理解，进而达成共识，形成更高层次的人际和谐，以实现学校人际和谐场与认知冲突场的最大张力，而不是把问题都隐藏在“你好我好大家好”的一团和气之下。

（三）要为激发每位教师自主把握生长点提供充分的学习资源

通过研究我们发现，为了适应学校课程领导对教师群体发展提出的高要求，作为教师学习主要阵地的学校必须要为教师发展提供充足的学习资源，引领教师从更多的专业视角出发，自主把握生长点。学校通过问卷调查，了解教师的发展需求，打破时空的限制，开发了一套较为系统的教师学习课程，包括师德修炼、心理修炼、观念修炼和技术修炼课程，尽可能地为教师提供充分的学习资源，而并非强调让教师自主寻求争取学习资源。这样，一方面确保了高质量、高专业化的学习资源，又降低了教师在寻求学习资源方面的压力，有利于教师将有限的时间投入学习过程，提高学习效率。

教师作为学习个体，其自身的学习和发展可以分为已有经验、潜力之内的未知经验和潜力之外的未知经验，已有经验和未知经验之间的差异——最近发展区是教师学习和发展的基础。学习不是在原有水平上的原地踏步，也不是远远高于个体的现有水平，而应稍稍高于个体原有的水平。每位教师都有各自的学习需求，教师之间最近发展区的差异正是一种具有活性的学习资源，开发得越及时、越充分，这种资源的量值就越大。在研究中，我们重视观察、反思和了解教师的现有发展水平和发展需求，如果支持式教师学习课程与教师的原有经验相容，则给以支架和辅助，在其最近发展区对其进行支持，实现有辅助的学习；如与原有认知相冲突，则通过构建交流对话平台，引发“生命共同体”合作者的思维碰撞，让教师在冲突和碰撞的交互作用中把握自己的生长点，选择学习资源。

任何一所意欲促进教师发展的学校，都会尽可能为教师成长提供资源，这一点毋庸置疑。对于物化的学习资源，如图书、资料、学习设备等，学校要尽可能充分提供。但是，还有许多学习资源或许是无形的，却对教师成长起到更为关键的作用，那就是各种各样的发展机会。机会就是课程，机会就是能力，有什么样的机会就可能发展什么样的能力。学校如何适时、适人、适量地为教师提供机会和发展可能，回应这个问题，学校强调，让教师自主把握生长点，这里的生长点包括教师职业兴趣点和工作增长点。从教师学习的意义来看，教师学习在很大程度上不仅仅是为了自我发展，而是为了更好地理解学生、服务学生，教师的发展主要应该体现在具体工作中。故此，与学校支持系统的目标参照相对应，这里的“自主”应该是适度的，不能完全按照自己的兴趣来发展，而应在工作领域中寻找增长点。即使在工作中，由于每个老师的具体情况不一样，教师能否把握到适合本人的生长点，还可以有几个维度的考虑，是低位的优势突破，还是高位的不足补偿，学校支持系统需要帮助教师不断提高这种自我定位与判断能力。因此，我们认为，虽然教师群体发展需要强有力的专业引领，但不是包办一切。使不同类型、不同起点的教师都能在原有基础上有不同程度的成长和发展，是学校促进教师群体发展的基本诉求。

（四）支持教师群体基于学校现场教育情境进行案例式反思

实践反思是一种理解和实践之间的对话，是反省、思考、探索和解决教育教学问题，促进教师群体发展的核心因素。在研究中，为了提高反思的有效性，学校倡导的实践反思是基于学校现场情境的案例式问题的反思，而非基于理论框架学习的案例式问题的反思。因为只有基于学校自己实践土壤里的，产生于教师教育教学情境中的反思才能更有效地改进实践。正如建构主义教育范式认为学习者是信息加工的主体，意义的主动构建者，他们必须根据先前的知识经验来建构意义，而不是外部刺激的被动接受者。作为学习者的教师，他们的专业活动以及他们对专业活动的理解，同样习惯依赖自身所处的情境，即强烈的情境依赖性。

学校强调教师基于学校现场的反思，这里所说的学校现场既包括自己的课堂现场、自己其他的日常工作的现场，也包括同伴教师的教育教学现场，形成一种自我反思与合作反思相结合的良好发展态势。为了达到这种状态，通过研究我们发现有几个需要注意的关键点：首先要在实践反思中摆进自我；要在实践反思中抓住问题的关键；反思要关注实践效能，尤其是要关注学生的实际获得。为此，我们鼓励教师在日常教学中，积极观察，认真思考，撰写课程叙事，一方面通过网络论坛平台，与大家一起分享和交流，以提升集体的实践智慧；另一方面，通过寻求理论的支撑，挖掘叙事背后的深层原因，加深教师个体对课程的理解，引发教师对课程的思考。

我们认为，教育不是学会的，是“做中学”，是在教育教学的实践情境中做会的。作为教师学习支持者的学校，我们通过新教师的“10堂组内交流课”和老教师的“示范课”，创设有意义的、真实的环境，设计复杂的具有挑战性的问题情境，承认并重视学习者个体的独特性，又不断促使教师根据现场的教育教学情境进行案例式反思。在基于学校教育情境的反思中，教师通过头脑风暴，进行思想的碰撞，对某一实践问题达成共识，进行理论思考，形成校本教研主题，并对此进行研究和实践。通过以上学习途径，教师不再匍匐在理论的脚下，实现了理论与实践的交锋与对话。当然，由于理论与实践的结合具有渐进性，我们强调教师可以在理论与实践中反复穿行。教师要两只眼睛看教育，用一只眼睛来捕捉鲜活的关键教育事件，并进行叙事“深描”，用另一只眼睛透过文献与理论来看生动的教育案例，并进行分析反思。也就是说，在教师专业化水平达到一定水平之后，也不排除可以基于理论的反思，或是突破学校现场的拘囿，从自己所不熟悉的教育情境中获取更多的有利于自己成长的养料，实现多元情境学习的迁移性。

（五）教师群体发展需要分享经验及其形成的思维与行动过程

一般说到经验分享就是分享经验本身，其实这远远不够。我们认为，经验的形成是一个动态而曲折的过程，经验的价值往往在于其形成的思维和行动过程。分享经验形成的过程更有价值与意义。在和谐互助的学校课程文化中，通过学校课程领导例会、教师网络叙事平台等机制，引导教师在学习、交流和发言的过程中，不仅分享课程经验，而且全面分享彼此课程知识与经验的动态形成过程。多数教师倾向于在轻松活跃的非正式的场合分享经验，而非正式场合的经验分享难以形成体系，难以沉淀为集体知识。教师知识的分享需要走向正式场合。于是，本研究注重将这种有效的经验分享方式移植到正式的学习环境中，让教师的有效经验向整个教师群体的知识盲区、隐藏区扩展。首先通过任务驱动（如学科小组教研）（和项目驱动）（如外事接待），促进教师群体通过非正式场合的合作与交流，习惯于与人分享，面对质疑。在此基础上，通过学校课程领导例会、主题性校本教研、教师网络叙事平台等机制，逐步引导教师从非正式场合的分享走向正式场合的分享。以便教师在学习、交流和发言的过程中，不仅分享课程经验，而且全面分享彼此课程知识与经验的形成过程，把行为改善与理性思考连接起来，最终优化支持式学生课程与课堂教学，追求学生的真实发展，提升学校教师群体合作的课程领导力，实现分享的最大增值。

本研究认为，要实现教师经验与经验形成过程的有效分享，第一，要选择大家都关注的问题进行分享；第二，均衡考量分享过程的即时与长时效果，防止只图一时热闹的为分享而分享的现象；第三，这个分享过程同样是一个不断修订自我的动态过程，防止成为一次性的、直线式过程；第四，分享过程强调合作对话，防止出现只有分享者一家之言的现象，要在思维与行动的交互作用中最终解决问题；第五，要在分享活动中纳入载体，将非正式学习研讨变得正式化、载体化，防止分享的成果在不经意中流失。

（六）指向教师群体发展的评价促进教师群体与个体互动成长

评价具有使评价对象产生、逼近并实现预期目标而不断进取的内在动力。学校课程领导中指向教师群体发展的评价强调人人参与的对话。一直以来学校本着“教师是好人，教师是阳光，教师是钻石”的学校教师观，创建自主、合作、创造、执行的教师学习共同体，强调指向教师群体发展的评价。实践中，我们从教育理念、师德素养、心理状态和专业技术四个维度对教师进行综合评价。但是，面面俱到的评价是不现实的，比起专业技能，教师的态度价值观显得更为重要。突出评价在学校文化建设中的导向作用，这应该成为我们教师群体多元评价的重心所在。特教教师的工作是一份十分复杂的工作，担负着重要的职责，所以，对于特教教师评价的内容无疑应该是多方面、多层次的。目前学校针对教师的多元评价的内容主要体现在三个层面上：教师群体评价、教师个体融入教师群体的评价、教师个体评价。

研究实践得出指向教师群体发展的评价可以促进教师群体与个体互

动成长。个体和群体在互动中成长是教师群体发展的快速通道。个体的快速进步会触动群体，进而激发群体，形成“木桶理论”所描述的群体提高的景象。群体包含、涵盖个体，群体的整体进步会带动个体，使个体间形成一种你追我赶的良性竞争。有关心理学家的研究进一步证明了我们的观点，个体所属的团体决定了个体的行为和心理趋向。个人的抱负水平总是参照别人的成就而定的，它总是高于比自己水平低的人，低于比自己水平高的人，接近与自己水平相同的人。如果没有团体作参照，个体的工作效率会大大降低。

由于指向教师群体发展的评价方法并不是将指向教师个体发展评价的简单加和，需要我们结合校本实际对这些方法进一步加以改进，而所有的评价方法落实到实践层面，都会转化成为具有更强操作性的评价策略与技术，比如，如何使评价更加适合不同教师群体的特点；如何更好地对教师学习共同体（如学科伙伴小组）进行评价；等等。

第七章 研究总揽的立体化管理

学校管理必须使科学管理、民主管理、制度管理形成合力。通过实践反思，学校提出了立体化管理的概念，即以研究为总揽、民主为基础、制度为保障、需求为依据、学习为主线、课题为形式、创新为要求，努力建设学习型组织、研究型学校。

以质量求生存，以品牌求发展，今天的质量就是明天的市场。质量目标的实现又是靠管理。管理是对组织的有限资源进行有效整合，以达成组织既定目标与责任的动态创造性活动。学校的教育创新在某种程度上就是一种自我否定，一种“创造性破坏”，必然会带来不同思想的交锋，不同观念的碰撞，不同利益的纷争，不同关系的调整，常常会遇到种种阻力。特教学校的教育创新需要管理者充分预测和分析变革创新的阻力，纵观全局，采取相应的策略，开发创新的动力源，沟通变革的动力，增强学校变革创新的能力。

转办之初，学校前途未卜，18 位“老弱病残”不可避免地存在畏难情绪；面对没有教材可教的状况，学校需要凝聚人心，尽快培养骨干教师，加强初职教育课程与教学的研究与探索，这对学校管理提出了挑战。立体化管理始终突出质量为本、管理立校方针，不断创新学校内部管理机制，尤其在管事和理人的学校制度管理上，坚持制度建设和机制创新，推动了学校各项工作的发展。

一、研究为总揽

“科研兴校”是我们学校发展的实践总结。从 1998 年学校转办至今，我们总是积极回应办学中的问题，认真分析，围绕学校发展中的关键问题设计龙头课题，以此来统筹学校发展的各方面工作。为了更好地聚焦问题，有计划地完成龙头课题的研究任务，我们将问题进行分解，有的分解成子课题，有的转化、细化成教研主题，形成课题群，鼓励一线教师立足于教育教学实践问题，以行动研究为取向，在行动中研究，在研究中行动，以研究促课改，以课改促研究，持续深入地开展教育科研，促进学生、教师和学校的发展。

支持式学生课程的开发使学校在危机中走出低谷。1998 年学校转办为初职校之时，我国初职教育只有 20 多年历史，针对辅读学校九年级毕业的大龄智障学生的初职教育只有四五年的历史，在上海乃至全国，针对大龄智障学生的初职教育没有统一的大纲和课程教材。面对教育对象变化而引起的一系列实际问题，学校广泛发动教师，组织开展了全国特教课题、上海市科研项目《大龄智障学生初职教育支持式课程的研究》。我们以支持式课程研究为龙头课题，形成了《智力落后学生运用计算机学习数学的研究》《烹饪技能工作分析步骤教学方法的研究》《适应每个智障学生发展的“多元发展评价”研究》《人与社会课程的开发》等教育部特殊教育“十五”课题、全国家庭教育“十五”课题、上海市教育科研课题、上海市绿叶基金课题等区级以上课题组成的支持式课程研究课题群，总数达到 21 个。

课题研究期间，我们共开发了 80 余册校本教材，编制了富有校本特色的评价工具《支持式课程学生发展手册》，开发了“每个孩子都是金子”学校网站、“找回自信的我”学生电子档案和“范老师教你学十大名花”主题学习网站。课题中期研究成果获得上海市教育学会科研成果一等奖，子课题研究成果获得上海市心理辅导协会科研成果一等奖，等等。相关研究成果曾在海峡两岸职业教育研讨会、上海市特殊教育课程研讨会上交流，获得好评。几年的课题研究使学校获得了跨越式发展，家长满意度连年保持在 97%、98% 的水平。学校先后荣获“上海市学习型团队创建奖”“上海市雏鹰大队”“上海市优秀青少年维权岗”“全国残疾人手拉手先进集体”等 18 项上海市和全国先进集体称号，两年一个台阶，获得了长宁区教育系统文明单位和区文明单位称号，还获得了长宁区科研、教学、德育、青保、行为规范、优秀家长学校等一系列区级先进集体称号，成为了上海市家庭教育指导研究基地、上海市中小学心理辅导协会实验校、上海市重点学科华师大特殊教育研究基地、教育部学习潜能研究基地。

特教学校课程领导中促进教师群体发展。随着办学规模的扩大，随班就读学生在学校教育对象中占比的提高，原先的支持式学生课程的不适应性与局限性逐渐显现，需要持续发展与变革，教师群体面临课程领导带来的挑战。基于办学的成功经验，我们积极思考，2004 年 9 月立项上海市重点教育研究项目《特教学校课程领导中教师群体发展的研究》。以此为总揽，我们还立项了《信息技术环境支持教师群体发展的研究》《特教学校课程变革中校本教研的研究》《初职教育教师多元发展评价的研究》《特教学校新教师职业导航》，立项了全国教育技术重点课题、上海市名校长工程专项课题等国家、市、区级课题 16 项。

通过本课题研究，教师的科研能力、教育教学能力都得到了提升。研究期间，教师科研成果 237 项，其中发表核心期刊论文 22 篇，全国论文一等奖 22 篇。教师共获得全国市区教学比赛一、二、三等奖 32 项。教师群体发展的同时，学生群体也获得了多元化、多层次的发展。学生获个人市、区荣誉 249 项，集体荣誉 23 项。其中，2006 年一位中度智力落后学生的美术作品“美丽的鱼”入选联合国特奥会绘画展；三位中、重度智障学生的美术作品“我和宠物散步”等被市残联收藏；一位中、度智障学生获得“手拉手国际儿童绘画比赛”三等奖。随着课题研究深入，学校得到了上级领导、各界人士及家长的高度评价，实现了可持续发展。学校获“全国模范职工小家”、上海市中小学行为规范示范校、上海市中小学心理辅导示范校、全国家庭教育指导研究实验基地等国家、市级荣誉 14 项，区级荣誉 17 项。研究成果得到评审专家的肯定，获得上海市第九届教育科学研究成果二等奖。

特教学校由初职教育走向全纳教育。在《大龄智障学生初职教育支持式课程的研究》和《特教学校课程领导中教师群体发展的研究》两个龙头课题的统揽下，学校在智障教育教学实践和研究中不断探索，逐个攻破发展过程中的难关，得到了社会的肯定。2006 年出台的《上海市教委关于加强随班就读工作管理若干意见》将学校推向“无生可招”的生存危机，学校迫切需要变革。如何从一所相对隔离的特教学校转变为开放的、具有较强服务指导功能的新型特教学校，服务于区域随班就读工作，是摆在我们面前无法回避的现实问题。2006 年 5 月，学校积极思考，提出《全纳教育视野下特教学校变革的行动研究》这一命题，成功立项为2007年上海市教育科研重点研究项目，并着手设计了《特教学校教师成长为资源教师》《区域随班就读学生走向有效学习》《学校、社区合作推进智障人士终身教育的研究》等子课题。

1998年以来，学校以研究统揽大局，构建课题网络，人人参与。在立足于教育教学实践问题的教育研究过程中，教师通过学习新的理论，学习先进的教育思想和观点，不断更新自己的知识，提高实践水平，实现了学生、教师和学校的协调发展。预期在立足于学校发展实践问题的教育研究过程中，在全国范围内率先变革出一所新型的特教学校。

二、民主为基础

“众人拾柴火焰高”，只有每一位师生员工的积极性、主动性和创造性都得到了充分发挥，并形成一种集体教育力量时，综合办学效益才能提高。学校注重赋权给教师，通过任务来诱发，促进教师个体与群体之间的互相合作和学习，实现教师的自我管理。

学校一直倡导让教师参与学校管理，提高管理透明度的工作思路。通过将校长办公桌与中层管理人员安排在一起的方式，在集体办公中增加沟通频率与合作基础，并通过MSN、Fetion等方式缩短管理层与教师之间的距离，呈现出以校长为中心的扁平式沟通和反馈，使中层管理人员和教师在合作沟通中各司其职，教师大量的课程建议也被管理者广泛吸纳，促进了课程的实施和变革。学校着力促使学校的民主管理工作制度化，坚持开展“金点子卡”工作机制，并提供了网上金点子等平台，为教师搭建了一个又一个“参政议政”的平台。每月评选“金点子”“银点子”“好点子”，每月评出当月优秀金点子，年末再评选年度十佳金点子。“课程领导例会”等会议协商制度为校长与中层管理者以及骨干教师的交流沟通开辟了渠道，从而鼓励教工参与民主管理。

三、制度为保障

学校制度管理是建立正常学习和工作秩序的基本保证。学校要把每一个成员的智慧和力量充分发挥并最优化地组织起来，就必须要有一整套规章制度，使学校一切工作和所有师生员工有章可循，有矩可蹈。我们在管理中建立起了符合教育规律，符合现代管理理念的行为规范和规章制度，如ISO9001制度、校本研修制度、教学管理制度、考核评价制度、师资队伍建设制度、学生管理制度、行政管理制度、财务管理制度、后勤保障制度，等等，使全体师生员工知道应该做什么、不应该做什么和应该怎样做、不该怎样做，以及对整个学校工作具有什么意义和作用。这样，就能把全校师生员工的工作积极性充分地调动起来，成为推动学校工作不断前进的巨大动力。实践证明，学校制度的完善和有效实施，形成了良好的运行秩序，有效地奠定了学校其他工作的基础。

ISO9001：2000质量管理体系将学校的产品定位于“服务”，从而确定了学校是为学生、家长及社会提供合格教育教学服务的办学指导思想，抓住了教育观念转变的核心问题。首先，强化了管理就是服务的意识。实际上，学校的任务就是为社会的需要和人的发展服务，所有的管理都是为了更好地服务。这个定位使学校与学生建起一种新型的教学互助、教学相长、平等和谐的关系，推动了学校整体工作向着更符合学生为主体的方向发展。ISO9001国际质量体系要求所有的工作程序必须文件化，强调“写应做、做所写、记所做”。2004年，我们根据学校发展的需要，开始并顺利通过ISO9001：2000质量管理体系的认证，确定了ISO9001管理者代表，编制了学校《质量手册》《程序文件》《管理制度》等一整套体系文件，而且要求日常工作必须依文件要求执行，并留下可追溯性记录。明确职责，强调过程管理及过程控制，使学校管理纳入法制化、规范化、科学化的轨道。这就使管理工作处在闭环运行的状态下，克服学校管理中的随意性、随机性、形式性，保障了学校工作的计划性、落实性和有效性，强化了“质量来自管理过程”的观念。

学校的管理者代表由校长根据 ISO9001：2000 标准的要求，从管理层中指定一名管理者，任命为管理者代表。管理者代表除了常规履行的工作职责外，还要按照 ISO9001：2000 标准的要求，负责组织学校质量管理体系的建立、实施、保持，领导内审以及纠正和预防措施的实施工作；向校长报告管理体系的运行情况，为管理评审提供信息；向校长提出管理体系改进建议，经校长同意后负责组织实施；负责学校程序文件的批准和发布；负责提高全校教职员工队伍的质量意识和满足顾客要求的意识；代表学校就质量管理体系有关事宜与外部进行联络。

四、需要为依据

需要为依据，指的是学校必须了解学生和教师的真实需要，引导和满足教工的需要，满足学生的安全和生存发展的需要。

为了解大龄智障学生就业环境，我们协同长宁区劳动局、残疾人联合会和长宁区辅读学校一起拟订并实施三份调查问卷，对长宁区 10 个街道镇、40 个居委会、50 家企事业单位和 50 位辅读学校七年级和八年级的学生家长进行调查，对上海市长宁区劳动力市场进行调研，明确大龄智障学生所适合的就业岗位，为支持式课程研究积累大量有价值资料和现实依据。

支持式课程开发要确定大龄智障学生需求，了解学生潜能、不足、缺陷及背景差异。1999 年 9 月，长宁初职招收的 16 个大龄智障学生经残联、街道和长宁区辅读学校的推荐被编入一个班。我们为进一步了解这批学生身心发展水平和学习能力包括学业水平，组织专家、教师对学生进行语言和言语能力评估、动手和反应能力评估，并运用根据辅读学校九年级语文、数学教材的双基要求编制的试卷对学生进行评估。同时，还请上海市心理咨询中心专家为这 16 位学生进行智商和社会适应行为两个方面测验，做到定量和定性相结合评估。这就为支持式课程在目标制定、内容选择和组织、学习经验选择和组织方面最终能够促进学生积极主动地与社会和谐互动奠定基础。在具体的教育教学实践中，我们根据每个学生的具体情况，通过制订扬长的个别化教育计划和补短的进步档案等个别化的教学措施，尽可能地满足学生的发展需求，促进学生的发展。

学校的核心功能是服务。学生与家长是学校的外部顾客，教师则是学校的内部顾客。学校的发展还要满足教师的发展需求。学校针对特殊教育的需要，把教师的发展目标分为四个方面：职业道德发展、心理素质发展、教育观念发展以及职业知识与职业技能发展。为了适应课程变革对教师群体发展提出的高要求，作为教师学习主要阵地的学校努力为教师发展提供充足的学习资源，引领教师从更多的专业视角出发，自主把握生长点。学校通过问卷调查，了解教师的发展需求，打破时空的限制，开发了一套较为系统的教师学习课程，包括师德修炼、心理修炼、观念修炼和技术修炼课程，尽可能地为教师提供充分的学习资源，促进教师的专业发展。

五、学习为主线

学习是人类发展的动力，是终身的过程。提供一种学习的机遇，创造一种学习的环境，是实施立体化管理的重要方面。长宁初职通过为全体教师订阅《教育文摘周报》《中国特殊教育》及《现代特殊教育》等报刊杂志，提供教师专业发展信息；学校积极搜集各类投稿、比赛、征文等相关信息在校园网上公示，鼓励教师参加职业资格考证，提供教师更多自主发展的途径；不定期组织教师外出参观学习，对外进行交流学习；课程领导例会，促进教师围绕教育教学中的困惑，集思广益，互相学习交流经验；主题性校本教研，促进教师不断在实践中进行反思，聚焦课堂，提高教育教学水平。通过大量的“走出去”和“请进来”，学校努力为教师创造许多动脑、动口和动笔的机会，促进教师不断学习，不断提高。

六、课题为形式

学校根据立体化管理和发展的需要，按照教育行政部门向学校提出的科研要求，一方面鼓励教师申请课题，另一方面将学校龙头课题进行分解，有些分解成子课题，有些分解成教研主题，促使教师积极参加教科研，积极思考，自主反思，主动迎接不断面临的课程变革挑战。2004—2006学年，围绕《大龄智障学生初职教育支持式课程的研究》和《特教学校课程领导中教师群体发展》等龙头课题，学校共形成校本教研主题60个（参见表6－3）。

七、创新为要求

创新是民族的灵魂。初职教育这一新生事物的发展需要创新精神和创造能力，创新是立体化管理的重要内涵。学校努力朝着创新的要求去探索，追求着“人无我有，人有我优，人优我特，人特我新”的目标。为了更好地研发、实施、评估、保障学校支持式学生课程，学校改革了“大教学小课程”观念指导下的教导处、总务处等中层管理机构设置，从“大课程小教学”视角出发，建立并完善课程研究开发室、课程实施管理室、课程质量评估室、课程资源保障室的领导机制，并在运作中不断强调领导机制的调试，以满足学校教育需要和资源变化。学校将课程研究开发室的功能定位于“决定学校与课程做什么”，并由校长兼任主任，从而明确了课程研究开发室作为课程领导的组织实施机构，在课程管理机构中凸显了课程领导的作用，发挥校长在课程领导者中的首席角色作用。建立课程发展委员会，举行每天中午的课程沟通例会、每月一次的课程领导例会以及不定期的信息技术工作会议等，加强课程四室的衔接合作，发挥最佳效果。特别安排相关人员完成衔接功能，由科研员与学科伙伴小组牵头人来衔接研发与实施室，由学科伙伴小组牵头人与评估员来衔接实施室与评估室，由评估员与师训员来衔接评估室与研发室，以做到无缝衔接，促进校本课程的不断变革与完善。家长是教育的重要力量。借鉴国外的先进经验，学校开展“教育支持者”工作，聘请家长来校参加课堂教学，担任主讲教师的助手，配合教师开展教学。在教工大会的民主机制基础上，学校进一步推进民主管理，通过“金点子”“精神文明积分卡”等措施不断增加管理的透明度，鼓励教工参与民主管理。在不断地创新探索中，学校努力寻求适合学生特点、社会需要和学校实际的教育方法。

八、学习型组织和研究型学校为目标

彼得·圣吉认为，学习型组织是某一组织或某一群体的主体成员在共同目标指引下注重学习、传播、创新知识的组织，是具备高度凝聚力、旺盛生命力的组织。这个组织是充分发挥每个员工的创造能力，努力形成一种弥漫于群体与组织中的学习气氛，凭借学习，个体价值得到实现，组织绩效得到大幅度提高。在世界的永恒变化之中，唯一不变的就是“变”。变革已经成为当今学校发展的一个主题，这就需要学校领导与教师团队随时应变，在学习之中适应变化，顺应变革的舞步。立体化管理的目标是建设学习型组织、研究型学校，促使每位教工自主地进行学习研究，通过全体教工不断地学习和研究，形成系统思考的能力，提高团队竞争力。

愿景是凝聚力量、引领组织持续发展的动力。学校的共同愿景则是发自每个教师内心深处的真实愿望和远大景象，是由个人愿景会聚而成的。在多年的办学实践中，学校以“每个孩子都是金子”的教育哲学思想为指导，形成了“努力过程，看淡得失，满怀感激”的阳光教师观，总结提炼了“生命共同体”的学校组织观，这是学校文化建设的核心，更是全体教师的共同愿景。围绕共同愿景，我们通过教工大会、教师代表座谈会等各种各样的会议，围绕学校发展话题引发教师头脑风暴，了解和梳理教师的不同意愿、设想，形成三年发展规划，并将规划分解成年度具体发展规划，使教师在一次次阶段目标的实现中享受成功的快乐，由此增强教师实现共同愿景的信心，为学校向更高目标迈进而凝聚力量。围绕学校共同愿景和发展规划，学校帮助每位教师根据个人特点，制定职业发展规划；建设以学科伙伴小组为形式的教师学习共同体，通过教师学习课程的学习，促使教师在知识的交流和分享中更新教育观念，提升教育教学技能，实现教师个体和群体的自我超越；通过主题性校本教研，促使教师群体或亚群体集思广益，并从中确立工作目标与研究任务，在集体合作的过程中获得成功的体验，促进教师个体和群体的共同成长。学校以研究为总揽，整体设计并布局体现学校发展的研修主题，规划学校发展过程，统领学校的发展，在管理、实践、教研、科研四个层面与学校发展战略匹配起来，使之发挥出最大的综合效应。这样一来，我们从教师个体和学校组织层面，着力建设学习型组织，释放组织中的巨大能量。

教育科研是促进学校变革和发展的第一生产力。与普通教育相比，特殊教育起步较晚，教育对象千差万别，特教教师还承担着课程教学、研发、改进的重任，迫切需要通过教科研攻关克坚。多年来，研究成为我校推进课程改革、提高学校教育教学质量、提升办学内涵的重要手段。我们提出教科研的“射靶”理念：教师教科研要瞄准课程教学的实质问题——立足于学生学习方法、立足于常规教学探索、立足于课程教学改革，大力发动一线教师，长期广泛地开展校本研究。面对基层学校开展教科研容易出现“一头热，两张皮”的普遍现象，我校建立了三级研究网络：以一线教师的个体研究为基础，以主题教研为主体，由学校课题统摄、协调主题教研。在长期的教科研实践中，我们逐步认识到，要真正提高教师的研究水平与专业素养，纯粹经验总结型的研究还不够。为此，学校对教师教科研特别注重研究方法的专业引领，邀请专家面授科学、规范的研究方法，审核研究方案，进行研究指导，为教师教科研把关。塑造教师教科研的文化，是永葆教科研生命常青的奥秘所在。为了提升教师发现问题、解决问题的能力，学校提倡“抓住问题的尾巴”，主动反思，和谐争鸣。每月一次的课程领导例会上，老师们相互提问，集思广益；教学研讨课，教师集体备课、说课、评课，献计献策，营造出合作和对话的研究氛围。一直以来，我们关注实践中的问题，促使教师不断突破自己的能力的上限，在研究中行动，在行动中研究，建设研究型学校，推动学校的变革发展。

第八章 基于问题的校长领导力

学校是教育变革的基本单位，校长是变革的规划者。学校教育创新需要强有力的具有创造性的领导。

1971 年出生的我毕业于行知艺术师范学校，在从事九年聋校美术教学与行政工作之后，1998 年开始就职于上海长宁区初级职业技术学校，担任美术教师，并作为副校长主持学校工作，2006 年担任校长。十几年来，我执著地研究和探索智障学生和随班就读学生的职业技术教育。我经常说道，“是‘问题’与‘研究’推动着我不断前行。”校长是学校文化建设的继承者、领导者、设计者、弘扬者和创新者。在学校变革文化建设中，校长要指导和引领教师和学生积极参与学校文化建设，并通过学校文化建设来实现学校文化在继承中发展，在发展中创新，在创新中提升，以促进学校的变革实践。在从事特教的征途上，我从残疾孩子身上感悟了“问题”的美；在复杂办学情境中“咬住问题的尾巴”；在课程领导理念下移植“问题思维”，共同破解难题，促进教师群体发展。在学校变革的背景下，我尤其重视学校文化的领导，注重通过价值观的引领来行使好学校文化领导权。

一、校长的问题思维

如果说“好学乐学与勤奋踏实”的个性品质使我在初入职场时崭露头角，那么我在一次又一次的成功体验中不断体悟和积淀而来的思维方式和时刻“咬住问题尾巴”的问题意识使我在职业生涯中跨过了一道又一道坎，破解了一个又一个难题。

（一）咬住问题的尾巴，提高解决问题的有效性

九年聋校美术教学中对研究的初步尝试及美术论文、学生作品的获奖让我有了很大的研究激情，这让我在面对后来工作中无数多难题时充满了勇气与自信。

以研究为总揽，走出办学困境。1998 年，由于上海聋校设点布局调整，学校将转办为对智障学生进行职业教育的初职校，27 岁的我奉

教育局之命，担任副校长并主持工作，而学校当时却连一本适合智障学生学习的课程教材都没有，师资队伍只剩下 18 个“老弱病残”……教育对象的急剧转变，工作职务的改变，教育资源的极度匮乏，学校前景顿时一片迷茫。但我并没有被困难吓倒，反而决定凭自己已有的经验尝试着为学校开辟一条新路。

于是，在华东师范大学汤盛钦教授的指导和参与下，立项了一个既基于现实问题，又可以总揽学校工作的区级重点课题《大龄弱智学生职业准备与课程结构的研究》。在学校转办初期，我带领老师以支持式课程研究为总揽，艰苦奋斗，破解了一个又一个难题。

教师不了解学生情况，我从外面聘请了有经验的老师、专家给全体教师讲此类学生的特点；学校没有教材，我又带领全体教师作环境分析、研究课程结构，在摸索中编写一册册教材；面对教来教去都不见成效的学生，我为教师鼓劲，树立信心，提出“每个孩子都是金子”的学校教育哲学思想；转换学生评价观念，提出“让我们孩子有点滴进步，就是我们老师的成功”；改进教育教学方法，倡导运用工作分析教学法进行专业技术课程的教学，以满足智障学生技能学习的需要，同时推动分层分组教学，并鼓励教师开发数学小步教学程序软件，以解决班级授课制中个体差异性大的问题……

就这样，我与老师们一起艰苦奋斗，通过解决现实工作中遇到的一个又一个问题，不断“咬住问题的尾巴”，仅两年，全体教师就为开发教材奉献了 27388 小时，逐步形成了“学生学习进步档案”“家校你我他合同”“快乐考试”“色彩心情调色板”等一系列富有特色的学校工作载体。学校渐渐走出了困境，学生也获得了实实在在的发展。

“咬住问题的尾巴”问题思维的获得，源于最直接的迫切要解决现实问题的意愿。面对自己职务和学校转型所带来的问题，多年认真与不服输的个性使我“赶快解决问题”的想法异常清晰。正是“赶快解决问题”的意愿，让我在不断尝试中渐渐养成了一种思维习惯：遇到问题积极回应，努力解决。

“咬住问题的尾巴”问题思维的精髓在于环环相扣，循序渐进。无数次基于对现实问题的积极回应，让我对“咬住问题的尾巴”这一问题思维的理解渐渐清晰起来。正如钟启泉教授所说，教育革命要求根本性的结构性的变化，它绝非是一场一蹴而就的革命，所以往往在解决了一个问题之后会引发更多的问题。如果我们在解决了一个问题之后就就此罢手，自以为已经解决了全部，那工作永远得不到推进。

每个人的职业生涯中都会遇到问题与困难，都会遇到发展的瓶颈，面对问题时的积极态度是解决问题的基础，而运用科学的方法是解决问题的关键。“咬住问题的尾巴”的问题思维是一种解决问题、推进工作、发展能力的有效方法，它是“赶快解决问题”的最直接的意愿，更需要咬住问题尾巴不放，环环相扣，循序渐进的耐力与毅力。

（二）视问题为资源，挖掘反思与发展的深度

通常人们都害怕问题，因为问题会给他们带来挫败感，然而我却将问题当做推进工作的动力。我认为：“有问题是正常的，没有问题才是不正常的”、“问题是资源”。正是如此对待问题的态度，使得我对问题越来越敏感，反思越来越深入，无形中，事业发展的机会与思维发展的深度也被大大拓展了。

让问题成为资源。将研究的思路融入工作，积极应对转办过程中存在的各种问题，让学校走出了困境。通过几年的努力，学校逐渐形成了由24个国家、市、区级课题组成的“支持式课程”研究课题群。学校由原先的无一本教材，到拥有80册校本教材，同时还出版了7本专著，2本教育期刊专辑，毕业生职业技能资格证书连年累计通过率为98.51%，本区轻度智障毕业生就业率为100%，学校也获得了22项市级以上先进集体称号，家长满意度连年保持在97%、98%的水平，第一次三年督导评估中，学校就获得了“全优”的好成绩……

然而，肯定归肯定，督导评估报告还是提出了发展性建议：“在教职工的积极性被调动起来后，持续保护他们的积极性，即需要加强评价理论的学习，充分发挥评价的导向、诊断、改进、激励的功能”。喜欢与问题较真的我于是开始关注教师评价与职业状态的问题。

一次支持式课程汇报活动中，有位专家在一片赞扬声中提出质疑：为了更好地提供优质的教育服务，学校老师的确为学生做了大量的工作，老师们做个别化教育计划、学习进步档案、学生电子档案等一系列工作都需要花大量时间和精力，是不是太辛苦了？于是，我又进一步思考，教师在为学生全身心投入的同时，学校是否也需要更关注教师的心理发展？经过一段时间思索，我决定全面推进每月一次的教师心理沙龙活动，开展网上心理修炼课程的建设……

我就是把这些问题当做资源，认真对待专家提出的每一个问题，积极回应。在2006年的政府督导中，我的团队用实践一一回答了上一轮督导报告中所提出的建议和问题，并再一次获得督导评估“全优”的好成绩。

视问题为资源的态度，让我形成了认真对待别人提出的每一个问题的良好习惯，以此获得了不断的发展；而每一次问题化为发展资源的成功更加深了我对“问题是资源”的理解，也让我更重视问题。我除了认真对待专家领导提出的问题外，还通过“金点子平台”让教师呈现教育教学中发现的问题。不同人的思维与视角使问题更具全面性。正是如此对问题的态度，才没有使我在一片赞扬声中迷失方向，而依然保持着对问题的敏锐性与警觉性。正是如此，我们看到了一年又一年督导评估“全优”的好成绩。

问题在给我带来事业上成功的同时，也带来了思维意识的提升。我重视自己与别人认识的差异，积极反思，深挖造成冲突的原因。就是这样，不仅找到了解决冲突的办法，更重要的是在不断深入反思与思维冲撞中，我对事物的认知能力、反思能力与解决问题的能力再一次得到了提升。

（三）在“无问题”情境中发现问题，提高认识事物的预见性

遇到问题积极应对，这是有效破解难题的前提；在无问题情境中发现问题，这是让自己获得更多发展的关键，它需要敏锐的洞察力、丰富

的经验积累。多年来，我时刻“咬住问题的尾巴”开展工作的习惯和“视问题为资源”的态度已经让我拥有较强的洞察力、问题的把握能力与解决能力。渐渐地，我不再被动等待问题的出现，而是主动在“无问题”情境中发现问题，并在一次又一次“发现—假设—验证”的过程中慢慢提高了对事物发展的预见性。

用实践检验假设。在大陆的智障教育依旧沿用接受学习的行为训练方式，而且深受特教教师认同，甚至有特教专家认为“教育智障学生只需要反复的强化训练，他们根本没有探究能力”的背景下，我基于部分老师的日常实践，提出“智障学生也是活生生的人，也可以进行探究学习”的假设。如果智障学生能进行探究学习，那么他们的学习方式就可以更多样化，他们的思维可以变得比现在灵活，然而教师如何支持智障学生探究学习？于是，我牵头申报了课题《智障学生园艺探究学习中教师指导行为的研究》。一石激起千层浪，课题虽被立项为市特教课题，但也遭到质疑：“特殊学生不需要什么探究，只需要按部就班地接受知识就可以了。”到底行不行，用事实说话。

根据文献学习和老师们的实践经验，组织教师开展实践研究，在不断的尝试中，非但证明了智障学生同样能够进行探究学习，而且还进一步研究形成了一些教师指导学生进行探究学习的方法。一堂以采用“选择尝试”和“分段尝试”为指导方法的专业课获得上海市中青年教师教学评优一等奖。

如今，对智障学生能否探究学习这一命题的讨论已无太大争议。正如昝飞博士所说：“探究学习是每个人所拥有的学习方式。”上海特教二期课改也认同了智障学生能进行探究学习的观点。

实证与现实背景的不相一致是问题产生的前提，但大胆、敏锐、细致的个性与不受常规做法束缚的思维却是问题提出的必要条件。一个人如果拘泥于常规做法或迷信于权威，那么即使我发现了差异、矛盾，也无法提出问题。

多年从事艺术教育所形成的大胆、敏锐、细致的个性促使我突破传统的拘泥，基于实践，向专家和传统质疑，提出“智障学生也能进行探究学习”的假设。

科学的方法是求证假设、提高预见性的关键。当自己对某一事物有新的见解时，当自己的新见解受到质疑时，需要深入思考，用科学的方法来求证假设。有新异的想法，也许是对矛盾、差异的偶然的灵感迸发；但求证的过程却是用心、用智慧的艰辛历程。我没有停留于单纯的假设，而对此进行了深入思考，并通过寻找大量文献资料、立项课题等方式来验证假设，逐步提高认识事物的预见性。

（四）独特的关系图，不断促进思维的整体性和综合性

在教育科研的道路上，不管是寻找问题还是解决问题，都依赖于强烈的学习意识。从读书到现在，我始终保持着强烈的学习意识，孜孜不倦地徜徉在知识的海洋里。在学习过程中，我喜欢用独特的关系图来吸收知识、加工信息，这种独特的信息加工方式大大促进了我思维的整体性与综合性，增强了学习的效果。

关于“独特的关系图”，我（以下简称“夏”）曾接受过一次专题访谈。

访者：夏校长，我对您的关系图非常感兴趣，您能跟我说说怎么会想到画关系图的吗?

夏：可能与我多年学美术有关。我一向喜欢在纸上写写画画，在看书学习的时候也喜欢把一些重要的概念记下来，写在纸上；然后我试图将这些概念归类整理，寻找各自间的联系，用线条将这些概念串联成有结构的框架。这样的结构框架图就很像一张网络图，我把它称为“关系图”。时间长了，画关系图就成了我学习时的一种习惯。

访者：那您一般在哪些场合会画关系图?

夏：我也并不是每天每时每刻都会用到关系图。一般来说，在听报告、与老师对话、理论学习、处理复杂问题等情况下我会用到关系图。虽然画关系图所要经历的过程如前面所说的一样，但在每一种情况下也有各自的不同之处。在听报告时，我会将一些与自己工作相关的要素抽

离出来，然后通过分析、归纳、整理形成一张有利于自身工作的实践操作关系图；在与老师们就某一话题对话时，经过梳理，将有用的观点沉淀下来，再通过自己的思考，将这些观点建立一种新的联系，形成新的认识；在看书、看文献时，我通常找出自己觉得最重要的关键词，寻找各关键词之间的内在逻辑，并建构自己的理论框架图；在处理复杂情境问题时，通过画关系图来分析情境中的关键因素，抓住问题的核心，建立各因素之间的联系，寻找解决问题的可行方案。这就是我通常情况下画的关系图，各有不同，但总体一致。

访者：不同情境下的关系图各不相同，但总体一致，这又怎么理解？难道关系图中有哪些重要的要素是不可或缺的吗？

夏：你说的没错，关系图中还真有一些因素是不可缺少的。首先，画面构成前需要积累大量的发散信息点，比如关键概念、多元观点、关键因素等，这些点彼此之间可以有某种联系，也可以毫不相关，甚至是互相对立的；然后，在明确的目的或主题下，寻找各信息点之间的联系，再用逻辑关系将这些点串联，最终形成一张关系图。在这里，画关系图时比较重要的要素可能就是大量信息点的积累，信息点之间的关系搜索及最后将其串联成图的逻辑思维。

访者：看来，我们只要掌握了这三点要素，还是能学会用关系图这种独特的思考方式的。那么你觉得画关系图对工作和研究有帮助吗？

夏：我觉得帮助还是非常大的。通过画关系图不仅可以理清了一些思路，获得了一些新想法，解决了一些问题，一定程度上促进了工作。而且还在于它作为思维锻炼的一种方式，很大程度地提升了思维能力。画关系图时前期需要发散思维来汇集大量的发散点，而在后期整理归纳时更需要逻辑思维，将这些发散点串联起来。关系图使发散思维和逻辑思维都得到了锻炼，而且后期的整理归纳使逻辑思维变得更多维，弥补了逻辑思维通常是线性的不足。

独特的关系图，促进了思维的整体性和综合性。关系图产生于个体的思想与别人的思想进行充分对话时的多元观点和各种因素。在发散思维的前提下对搜索到的关键概念、知识点在纸上进行布局，而后再用逻辑思维的线索将发散点联系起来。多年的美术学习所形成的发散思维、同时关注整体与细节的习惯与形象思维，促成了独特关系图的形成。对照着关系图，在思考各因素对问题核心的影响时，我思考的视角就更具整体性了。

独特的关系图，具有生成性思维方式的特点。叶澜在《思维在断裂处穿行》一文中这样写道："要想从对实践的研究中获得精神的滋养，十分重要的是要形成一种透视生动实践，学会一种生成性的思维方式。"面对生动、综合实践的综合抽象能力需要有一种既能析出元素，又能把握关系的思维。而他的关系图正是在析出元素，把握关系中不断捕捉变革中涌现的事物，敏锐批判地不断修正原有的理论框架，建构并形成自己的知识框架。

二、服务型领导的校长角色定位

服务型领导（servant leadership）又称之为仆人型领导。所谓"服务型领导者"，就是那些能把他人的需求、愿望和利益放在自身利益之上的领导者，是那些首要动机是服务他人而不是领导和控制他人的领导者。服务型领导的目的在于使得他们的追随者变得更加健康、更加明智、更加自由、更加善于自我管理，更愿意把他们自身也变成一个服务者①。领导者要把"领导"与"服务"的责任同时放在心中，实现两者的统整，从而，把"服务型领导"具体理解为"领导即仆人""以服务为宗旨的领导"等内涵。

教育本身就是一种社会服务，特殊教育所服务的对象是社会最底层的残疾人，他们需要爱与关怀。特殊教育需要服务型领导理论的指导，要把忠诚、爱心与合作作为特殊教育服务的关键要素。特殊教育学校的校长要成为"服务型领导者"，并努力把教师群体打造成"服务型领导

① 杨廷钫，凌文辁．服务型领导理论综述［J］．科技管理研究，2008（3）．

群体”，急特殊学生之所急，以满足他们与相关利益者需要为己任。

（一）特教学校服务型领导的模型

传统领导模型与服务型领导最显著的表现在于：组织运作模式从原来的金字塔形转变为倒金字塔形[①]。一般来讲，校长习惯于自上而下地提出工作要求，再对工作要求的执行情况进行严格监控，以期达到学校的预设目标。这样的领导方式容易导致学校文化趋于保守，内部气氛比较紧张，教师整体满意度也会比较低。由于缺乏必要的自下而上的沟通渠道，校长不容易获得基层教师的意见和信息，以及学生与家长的诉求，容易导致信息阻碍，最终使教育服务质量降低。而在服务型领导模型中，校长以一种服务提供者的姿态处于学校的最底层，对整个学校运作起到了支撑和服务作用。学校教师、学生与家长能够享有更充分的主动性，参与性与创造性也能得到更好发挥。这样，学校上下沟通渠道得以通畅，信息在流动过程中也较少失真，有利于校长作出更加正确有效的决策，学校文化也会比较活跃，团队协作氛围也比较浓郁，教育服务质量也会逐步提高。

坚持民本思想的服务型领导者，需要关注人的价值、权益和自由，关注人的生活质量，最终为了实现人的全面发展，保障人民的生存权和发展权。特殊教育就是保障残疾人生存与发展权利的教育服务，要把这种对残疾人的“近”化为真正的教育服务，真心诚意地去关心他们，帮助他们，让他们有尊严并幸福地生活。同时要服务好与学生利益相关的家长与教师。所以，特殊教育学校校长不但要从使命愿景的立意与战略决策上服务好学生、家长与教师，做服务型领导者，而且更需要先服务好教师，以支持教师群体成为“服务型领导群体”，让服务与仆人的思想能够转化为每个学生都能够感受到的服务行为，所以，特殊教育学校的校长要逐层提供“两级服务”：一级服务是指校长直接服务教师，

---

① “Mr Buffalo's Blog”，http://cnabuffalo.blog.hexun.com/3923858_d.html，2006－05－30上传，2008－08－26下载。

二级服务是指校长通过教师群体服务学生与家长，这样校长才能使学校成为服务型的特教学校。当然，服务学生是服务型学校最重要的服务对象，也是学校教育的宗旨。

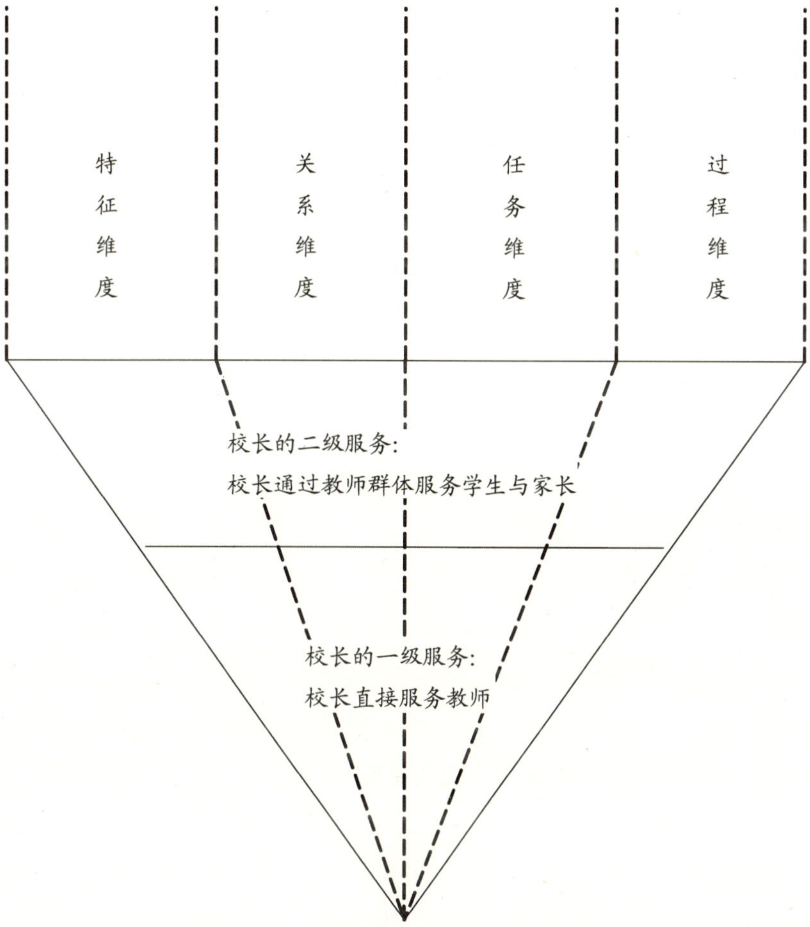

图 8－1　特殊教育学校服务型领导模型

校长服务并影响教师是整个学校教育服务的关键环节，因为育生必先育师，校长服务学生与家长也必先服务教师群体。校长在服务教师群体的过程中，要特别关注“四维服务”。每个维度又分别有三个要点，共十二个要点（详见表 8－1）。

表 8－1　校长提供的“四维服务”

服务维度		服务实践要点
特征维度	指校长具有服务意识、正直的品格以及服务他人的承诺	正直（Integrity） 谦卑（Humility） 服务（Servanthood）
关系维度	指校长通过向他人提供帮助和服务获得他人的信任，从而与追随者之间建立良好的人际关系以形成领导力	关照他人（Carring for others） 向他人授权（Empowerment of others） 发展他人（Developing others）
任务维度	指完成校长的工作职责，如制定未来愿景规划、作出重要决策等	愿景（Visioning） 目标设置（Goal-setting） 领导（Leading）
过程维度	指提高学校的程序，如团队建设、树立榜样等	榜样（Modeling） 团队建设（Team building） 分享决策权（Shared decision-making）

服务型领导理论的积极推动者诺伊歇尔认为：“领导的最高使命是为了那些被领导者的利益而进行领导。”① 基于所构建的“两级、四维、十二要点”的服务型领导模型，服务型领导的角色定位是“学校文化的领导者、学校发展的规划者、师生成长的促进者、学习研究的带头者、重大工作的管理者”。

（二）校长是学校文化的领导者

学校文化如同“学校空气”，是学校全体成员或部分成员习得且共同具有的思想观念和行为方式等，是凝聚教师队伍、发展学校内涵的重要力量。每个孩子都是金子，我们的教师都是好人，我们是好人堆，我们的教师都是钻石，都有闪光的一面。这是我常常挂在嘴边并指导管理行为的基本认识。为此，这些年来，我精心设计工作项目，如阳光教师奖章、师德征文等，努力让更多的教师学会去发现别人的优点，让学校

① 罗伯特·P. 诺伊歇尔．服务型领导——有效释放员工能量［M］．毕香玲，译．中国铁道出版社，2006.

有更多的光源，也有更多的发光体，相互折射，异彩纷呈。学校持续推动着的一件事就是让老师们相互欣赏，相互发现彼此的优点，促进教师在专业生活中的参与和投入。于是，学校拥有了一个对每位教师都具有心理支持功能的人文环境，一个欣赏与被欣赏的文化场，“生命共同体”的组织价值观逐步深入人心，成为弥散在空气中的氧分子，影响着教师群体的观念、意识与行为。

（三）校长是学校发展的规划者

在复杂多变的学校教育情境中，校长要组织全体教师合作制定学校发展规划，提出学校发展愿景，这是校长作为服务型领导者最重要的工作，也是校长创造价值和分享价值的起点。明确愿景、价值观与目标，能够帮助教师了解学校的未来发展图景，这为学校教师群体共同领导、共同管理和自我管理提供了方向。推动愿景与规划是服务型校长引领学校发展的最主要服务内容。1998 年以来，我经常通过教工大会、教师代表座谈会、行政会议等各种各样的会议，围绕学校发展话题引发教师头脑风暴，了解教师的不同意愿、设想，交流学校发展问题，使全体教工形成共同愿景，从而能够有效地处理自己所面对的主要课题和工作，形成共识与合力，使愿景与规划成为校长的重大替身。作为规划的主要编制者，我曾用激情点燃教师的工作热情，我的执著而坚韧也使教师们折服，也使学校从一所即将被拆并的薄弱学校跃出低谷，从艰难困苦中走向辉煌。

（四）校长是师生成长的促进者

师生是学校工作的主人，校长应服务于教师和学生的成长。与其他类型的特殊教育一样，学生学习存在智障、差异过大是影响教学绩效的重大问题。为了让每位学生都能有所学、有所得，学校要求教师把学生当做教科书，认真研究学生，尽量满足每一位学生的学习需求，使不同层次的学生在原有基础上获得最大程度发展。为此，我牵头在国内教育领域较早引入 ISO9001 质量管理体系，创新性地建立起适应于教育领域、适合于本校情况的学校管理体系，较好实现了“凡事有准则、凡事有程序、凡事有监督”的制度建设。在此基础上，学校进行了精细规范的课程教学管理：教师日常教学行为规范的漫步管理、各项课程教学工作的质量评估、个别教育计划验收、进步档案验收、校本教研评估……为擦亮每一块“金子”，长宁初职的老师们还从学习用具、学习方式、教学组织形式、教学方法、教学评价手段等方面开展研究，不断探索智障学生学习的奥妙，以切合支持式课程的内涵本质，求得最佳的教学绩效。

在学校，绝大多数的老师都是年轻的教师，平均年龄还不到30岁，教师发展呈现出较不均衡的状态。作为教师学习主要阵地的学校必须要为教师发展提供充足的学习资源，搭设平台，热忱地为教师创造良好的工作条件和成功的机会，引领教师从更多的专业视角出发，适应学校不断发展和变革学校课程与教学，实现专业化成长。为了丰富教师的特殊教育知识，提高教学实践水平，我以金点子的形式建议挖掘“教育专家资源”，聘请高校和专门的教师培训机构的资深教育专家通过研究生课程班、专家带教、专家讲座等形式，向教师讲授新理论、新知识、新技术；创建“校长工作室”，吸收学校各学科中的骨干教师，参与课题研究，进一步培养教师的教育、教学、研究能力；设计师德、观念、技术、心理方面的网络修炼课程，以期提高教师的政治理论素养、职业道德、教育教学管理能力等。这一切都增加了教师的凝聚力和职业认同度，同时也大大促进了学校教师群体的成长与发展。

（五）校长是学习研究的带头者

科研兴校是长宁初职的实践总结。为了实现学校发展的共同愿景，校长要善于学习，勤于钻研乐于笔耕，不断提高自己的科研水平，成为研究型校长。最终，在学校队伍建设中，成为学习研究的带头人。

1998年以来，立足于学校各发展阶段的关键问题，我设计了区重点课题《大龄智障学生职业准备与校本课程结构的研究》、上海市教育科研项目《初职教育支持式课程的研究》、上海市教育科研重点课题

《特教学校课程领导中教师群体发展的研究》和《全纳教育视野下特教学校变革的行动研究》等学校龙头课题，围绕课题研究的需要来设计德育、教学、师训等各方面的工作，使师生不知不觉地成为课题研究的实践者，实实在在促进了学生、教师、课程与学校的协调发展。此外，我还主持了教育部基础教育司特殊教育“十五”课题、全国家庭教育“十五”课题、全国教育技术“十一五”重点课题，上海市名师名校长工程专项课题，带领着老师们集中力量，攻破学校发展中的一个个难关。我还把教育科研方法移植到校本教研之中，每个教研组都将智障学生放在学校课程发展与变革的中心位置，以课程实践的问题为出发点，开展主题性校本研修活动。就这样，实践问题被不断地破解。老师们发现问题、研究问题与实践改进的能力也越来越强。我还充分发挥自己看得多、听得多的优势，推荐学习材料引导教师进行有效阅读，深入研究第一线，把握研究现状，了解新情况，解决新问题。

（六）校长是重大工作的管理者

校长负责制下，作为一所学校的校长，应该是学校重大工作的管理者，校长要依据教育方针、政策、法规实施学校教育的管理、所属职员的管理、学校设施的管理和学校事务的管理。立体化管理的特质是柔性与刚性的结合，柔于民主管理，刚于制度管理。在制度和法规的大框架下，立体化管理让教工充分享受民主参与管理的权利。立体化管理是分层管理和扁平管理的统一，在重大工作中，校长需要把握方向，有效地处理各项事务，保证学校的持续发展。在长宁初职的立体化管理中，校长不仅统筹安排学校的机构、人事、财经、校产等资源，参与学校课程的规划、实施、修订和评价，主持并参与学校规章制度的制定、修改和完善，并保障其有效落实，而且通过教工大会等形式向全体教师明确各项重大工作的要求，以身作则，实现各项工作的规范化和科学化。

三、注重学校文化的校长领导

校长是学校文化建设的继承者、领导者、设计者、弘扬者和创新者。在学校变革文化建设中，校长要指导和引领教师和学生积极参与学校文化建设，并通过学校文化建设来实现学校文化在继承中发展，在发展中创新，在创新中提升，以促进学校的变革实践。

（一）学校组织价值观的建设

作为一所承载着特殊使命的特殊教育学校，长宁初职全体教职员工始终孜孜不倦于为生活在社会最底层的弱势群体默默奉献。在教育竞争日益激烈，教育发展日新月异的背景下，面临学校即将被拆并、没有可供利用的教材的困境，每一位教职工又一次产生了强烈的生存危机，与此同时也激发了全体初职人与学校同甘苦、共命运的朴实情感。只有当人们认识到大家命运相息的时候，才会将利益的共赢作为自己各自发展的一种共同追求，形成“利益共同体”。进而当人们为共同利益而努力的时候，才需要在共同愿景下，通过共同学习获得各自的成长，形成“学习共同体”。于是，每个人的独立价值开始彰显，这时候，人们不同的价值观需要进一步在沟通中相融，形成“价值共同体”。在得到他人的理解与认同之后，自我实现才能够无限接近最大化，“生命共同体”才会上升为最高境界——幸福相生，形成“幸福共同体”。学校“生命共同体”建设直接关注学校及学校相关人群的生命需要，关注各生命体之间的命运相息、利益相系、学习相长、价值相融和幸福相生。“每个孩子都是金子”，“每一位教师都是好人、钻石”，“每一位家长都是待开发的宝藏”，我们以此来给予学生、家长、教师高期待和高认同。学校有愿景，才有发展方向。多年来，长宁初职校的“生命共同体”理念，结合实践境遇，不断发展，不断与周围环境达到一种和谐共生，积淀了优秀的学校文化，引领学校变革发展。

（二）校长文化领导的实践

基于五个共同体的学校组织观建设的思考，我通过打造“生命共同体”使学校和谐、引领价值观行使好文化领导权、分享权力实现教师的自我领导探索文化领导的实践，促进教师齐心协力投入学校变革实践。

1. 打造“生命共同体”使学校和谐

萨乔万尼把“共同体”定义为人们由于自然的意愿而结合的，对一套共享的价值观和理念承担义务的个人的集合体，这种团结和紧密约束的关系足以使每个人从一种“我”的集合体改造成集体的“我们”。这个“我们”通常共享一个公共场所，随着时间的推移，“我们”拥有共同的思想情操以及持久的传统。我校的“生命共同体”是指“学生、家长、教师与学校是命运的共同体、利益的共同体，也是学习的共同体、价值的共同体，更是幸福的共同体”。我和教工们把“生命共同体”理念作为学校的组织价值观，统领着众多的价值观念，提出了“双育人”的思想，促进学生与教师的共同发展，倡导价值与情感、责任与义务、自我牺牲与服务奉献的重要性，努力打造道德的学校“生命共同体”，让校园和谐。

“充满关怀的人文管理”是我特别重视的一项任务，通过家访、慰问、培养、激励，以及教工相互表扬等一系列方法，在学校建立了关怀的共同体。这种“生命共同体”不光是校长对教工的关怀，更重要的是建立起教工们之间的“同事情意”。如教师学习课程中的“教师精神”就是让教工相互鼓励、相互感谢的空间，成为了最热的学习平台与教工情感纽带。这在很大程度上消解了学校追求工作高效与有效给教工带来的压力。

在“生命共同体”中，教师把“每个孩子都是金子”与先进学生观作为自己的信念，努力“关爱学生并善于发现闪光点”。对于相貌难看、行为怪异、有攻击性的特殊学生，教工们也乐意接受与耐心帮助，挚爱孩子成为学校“生命共同体”成员的共同生活方式。诸如，教师深夜帮助家长寻找从家中走失的孩子；家长与孩子深夜有了纠纷与矛盾，第一想到的就是打电话给班主任，班主任也会在子夜时分赶往学生家中……学校教师与学生、家长共同谱写了师爱与合作的凯歌，家长满意度连续保持在97%、98%的水平。

在萨乔万尼看来，“共同体”的本质既有囊括性，也有排他性，它有悖于西方民主社会的价值基础——个人主义的价值观，而公民道德的价值观要求教工们愿意牺牲自我而去谋求共同利益。“生命共同体”的各种关系应该是紧密的，教工个体受到重视，并愿意为“共同体”利益牺牲个人利益。学校很好地处理了个人利益与集体利益之间的关系，为了学校愿景与使命，教工个人自我牺牲已经成为了大家的生活方式。如教师为了让其他教师能够增资，而连续数年数次放弃加工资的机会；许多教师自己掏钱为学生买训练材料费，帮忙他们提高技能；为了学生的有效学习，教工们经常放弃休息、废寝忘食、挑灯夜战、不顾小家顾大家地精心准备教学活动……诸如这样的牺牲自我的感人事迹，在学校已经是很常见的现象，这就是学校“学校变革文化”的力量源泉。

2. 引领价值观行使好文化领导权

经过了经验领导与科学领导的时代，文化领导正成为领导学发展的一个方向。学校校长更重视学校文化的领导，注重通过价值观的引领来行使好学校文化领导权。学校多年来一直强调的“以人为本、学习研究、民主共进、团队自律、宽松和谐、积极向上”的学校文化特色。在领导学中，文化是一种具有渗透性的软领导力，它的影响是一个“分子”过程，潜移默化地改变着被领导者的思维模式，使其自觉自愿地同化自己，接受学校文化①。领导“学校变革文化”就是以“学校变革文化”的核心理念与价值为中心内容开展学校领导活动。校长与教工之间是以价值观为基础的关系，校长通过明确表达愿景，向学校和教工注入

① 周银松. 领导模式新趋向文化领导［N］. 学习时报，2007-10-09.

价值观，使学校全体教工在共同的价值观和情感下产生共鸣，从而认同学校变革愿景，投身变革创新实践。

以下叙事呈现的是校长像陶匠般耐心地塑造组织文化，将共享的价值观和信仰融入文化的每一个方面。

案例 8-1　我为学校文化找 100 个理由——在学校变革的当口

案例的背景：

2006 年 2 月，夏校长敏锐地预感到这次转型性的变革，开始与行政管理人员一起思考和孕育学校转型性变革问题。

11 月 18 日，夏校长结合学校新一轮三年规划制订工作，在学校全体教工大会上正式拉开了这场转型性变革的序幕。当教师们第一次获悉校长关于变革的思考时，教师们参与学校规划讨论后出现了以下这些想法。

➢“听了你的话和小组讨论，我觉得教师讨论氛围、士气情绪都不错，我再次深刻感受到我校团结合作的氛围，大家就是一个生命共同体！”

➢“听了后更能感受校长的压力，体会到你对老师和学校的感情，惭愧不能分担什么。老师们都很团结，真心在考虑如何顺利变革。”

➢“心情是有些沉重的，学校的前途也不太明确，但是大家都相信不管是哪种情况，学校一定能继续发展下去，而我们也都会继续努力的！有“头”在，有担忧但不是太担忧！所以，要‘革命’一定要注意身体啊！大家对你的健康也很担忧，请保重！”

➢“我们感到压力和动力并存，心有愿景，就有希望。努力做好本职。不盲目乐观，更不灰心，一起克服困难。”

➢“大家都出主意想办法，很快进入今后学校转型的角色。应该说，大家都在心往一处想，劲往一处使，朝着今后的目标共同努力！同时也能体会压在校长身上的重重压力。”

➢“大家讨论氛围还是挺热烈的，都想为学校转型献计献策，但又苦于想不出有建设性的好主意，而且又觉得在这个过程中我们能做的很有限，来自上面的因素更有决定性。”

➢“教师们情绪稳定，士气高涨，丝毫没有受到学校转型过程中困难的影响。讨论学校事情就像讨论家里事情，个个出谋划策，气氛热烈。同时大家也注意到了学校转型存在具体的一些困难，但令人高兴的是大家能直面这些困难，没有任何的消极应对，而是积极思考，寻找办法。大家准备进一步做好本职工作，迎接转型对我们提出的更高要求。”

正因为这样，教师们其实非常清楚学校所遇到的由生源原因而引发的各种问题，教师们多少有些无奈但又比较积极。在之后近一年的时间里，学校又组织教师多次参与学校规划制订的讨论，许多涉及变革的工作陆续推进，诸如科研课题设计与立项、“中国随班就读网”开发与建设、巡回指导教师安排与实践、资源教师推荐与安排等，也都在不同程度上取得了一定进展，但同时面临着更多需要解决的难题，教师们也被许多实实在在的问题困扰着。

2007年9月，经过将近一年的推进，由于学校需要教师更多思考自身参与变革的问题，教师们的心态也慢慢出现了一些微妙的变化。虽然教师们保持了一贯的良好的精神面貌，在许多工作中都有出色的表现。但是，回溯历程，深入变革现场，还是能听到教师的内心冲突：

➢“学校没有生源，办不下去，我怎么办？”

➢“随班就读质量不好，为什么不让他们到我们学校来读书?!”

➢“我代表不了学校形象，我爱我们学校，我不愿意去做资源教师!”

➢“我们课时足，目前还没有上康复训练课，这工作和我们关系不大!”

➢“我们是搞学科教学（专业技术/艺术）的，搞什么康复训练啊!”

➢“我没有这些康复与评估的知识，能力不足，做不来的!”

面对这样的变革情境，学校决定将每学期两次的征文活动主题确定为《我为学校文化找100个理由——在学校变革的当口》，其实活动主要目的不在为学校文化找理由，而是要通过学校文化的力量来调整或解决一些教师心态与观念的问题，使之心态更积极，认同度更高，为让教师能够全员性融入变革奠定思想基础与群体舆论氛围。

案例的过程：

本次征文活动过程可以分为几个环节：第一环节，校长布置征文；第二环节，教师撰写征文；第三环节，教师征文交流；第四环节，工会讨论提炼。

第一环节：校长布置征文

2007 年 10 月 31 日政治学习，夏校长以《认知冲突与认同全纳》为题，布置了 2007 学年度第一学期第一篇师德征文。其中，夏校长围绕以下 15 页 PPT 内容进行了演讲。

夏校长 2007 年 10 月 31 日演讲提纲

P1：热场：我们学校文化中有哪些要素或内容？

P2：面对变革，我们需要在学校文化中植入哪些新的观念？

P3：面对变革，我们学校会发生哪些认知冲突？

P4：我们的认知是这样变化着……

P5：基于这些认知冲突，我们有哪些感受、体验与思辨？

P6：面对变革，我们主要缺什么？

P7：面对变革，需要学校提供了哪些支持？

P8：学校支持的第一层面：学校如何自主争取支持 2006/2……

P9：学校支持的第二层面：学校如何支持骨干教师 2006/9……

P10：学校支持的第三层面：学校如何支持教师主体 2007/9……

P11：面对变革，学校还需要提供哪些支持？

P12：我们该如何面对认知冲突才能使自己快乐与积极？

P13：我们该为新观念植入学校文化找哪些理由？

P14：题目：《我为学校文化找 100 条理由——在学校变革的当口》

P15：结语：期待您的创见！期待您的精彩！

第二环节：教师撰写征文

经过两个星期，全校教工完成了 64000 多字的征文……

第三环节：教师征文交流

为了呈现学校教师征文交流情况，下面节选周老师的一篇通讯报道《深化变革：为学校文化寻找理由》。从中可以感受到教师征文交流的热烈氛围与重要思想。

11 月 15 日星期四下午 4 点整，学校全体教工按时开始了政治学习，内容是进行本学期征文演讲比赛《我为学校文化找 100 个理由》。这次比赛老师们全员参与，气氛热烈，掌声迭起，每一位老师都上台演讲，一直到晚上 7 点多才结束。

老师们每人手拿评比表，认真地听上台老师的演讲，精彩处，时不时地爆发出热烈的掌声。

例如，沈老师的“有人把全纳教育比做共产主义，虽然美好但很难实现，需要几代人的持续努力。随班就读推行至今，一点好处都没有看到，看到的尽是一些缺点和问题，但是，我们并不能由此而放弃对理想的追求，也许在我们这一代很难看到全纳教育所带来的成果，但是，我们没有理由不为实现教育的共产主义而不懈努力……”

例如，李老师的“当学校变革越来越成为必需的时候，形成‘坚持变革和持续创新’的文化，也就越来越成为学校文化的重要组成部分。而我们教师既是学校文化的受影响者，又是创建学校文化的主体，应该发挥主体作用，带头在自己的工作中努力创新，为学校变革作出自己的贡献。”

还有资源教师的心声：“我原来已经轻车熟路的工作，完全被打乱，几乎全是从零开始。不过我把它看成是我人生中需要攀登的另一个山头，是对自我的又一次挑战，相信越过这个山头，我会看到更美的风景。”等等。

在这样全员参与的自我教育活动中，老师们被自己感动着，被身边的同事和领导感动着，那么学校老师们参与学校变革，为学校转型作出自己的贡献还需要理由吗？

第四环节：工会讨论提炼

在全校性全员性交流之后，工会又先后两次组织教师和工会委员组长讨论，大家都一致认为："喜欢长宁初职，因为这里是好人堆，大家都是好伙伴好同志，善良热情，营造了良好的学校人际氛围，这里有着和谐的人文环境。"在讨论中，"辛勤""努力""奋进""团结""幸福""阳光""和谐""合作""发展""学习""研究""实践""反思""敬业""谦和""勇敢""态度""创新""执著""无私"等成为了大家描述所感受到的学校文化的高频词。

第一次讨论后，工会以《师爱·使命·价值》为题目，以《善良而热情的人群》《温馨而团结的集体》《超前而现实的理念》《先进而科学的思想》《扎实而深厚的基础》《踌躇而昂扬的斗志》为小标题，完成了教师讨论的综述。在综述中，罗列了以下关于变革的话语。

➢ 问题就是资源、挑战就是机遇！

➢ 坚持变革和不断创新，机会是属于有准备的人！

➢ 荣誉属于过去，未来不可猜测，我们努力把握现在，使学校的每一个今天都精彩！

➢ 我们爱学生、爱学校，我们来学校就是共同从事一份美好的事业，共同开创自己的辉煌，学校荣我荣，学校事我事，我与学校共前进！

➢ 建设学校文化，有我一份责任；推动学校变革，我也积极参与：终身教育，伴随一生；全纳教育，消除歧视！

➢ 面对变革，我们选择转型，面对困惑，我们不畏艰险，面对挑战，我们迎难而上！

➢ 逆水行舟，不进则退，是勇敢让我们选择了变革。变字当头，勇挑重担，是责任让我们选择了转型。命运关头，团结一致，是和谐让我们选择了共进！

第二次讨论之后，基础和专业工会小组分别完成了综述，下面也节选三句关键语句来反映教师参加征文活动后的心态与认识。

➢ 在学校变革的当口，我们应从我做起，从现在做起，从小事做起，为整个学校的发展贡献自己的力量！

➢ 在学校变革的当口，我们应学习全纳教育思想来推动随班就读，每位教师都应做到一专多能，使自己有能力去进行康复训练。

➢ 在学校变革的当口，我们应具有积极心态，自强不息，厚德载物，接受挑战，大胆尝试，越挫越勇，锲而不舍。

（沈立老师提供）

从案例 8－1 中可以发现并把握教师在不同阶段所反映出的不同心态与想法。而教师观念可以在学校文化的群体认识中获得不断趋同。一种优秀健康的学校文化，一定能把个人与集体紧紧捆扎在一起，交融在一起。这是学校长期以来“生命共同体”① 建设的结果。而这种生命的交融感，有利于激发并形成教师参与变革的内在动机与动力。

长期以来，我不但努力勾勒学校前景，帮助教师开阔视野，而且以身作则地鼓励教工们超越个人利益，从而对教工产生了较大的精神影响力，积淀下了健康的“学校变革文化”。我和领导团队深知，学校的改善与变革始于“物物交换的领导②”，强调了“命运共同体”与“利益共同体”的建设，注重多方利益的整合，注重同呼吸共命运的“学校变革文化”的领导行动，对学校变革的启动与推动提供了强大的动力；再经过“建设型领导”“契约领导”，最后转向“储蓄式领导”，即以价值、以理念为本的领导，即“学习共同体”与“价值共同体”的建设。这样的变革领导行为能够使参与变革的教工们始终获得多方面支持与激励，使他们充满责任感与信心，从对领导者的从属转化为对理念的自觉追随，最终，帮助学校超越一般能力而成为卓越学校。

3. 分享权力实现教师的自我领导

2007 学年度，我求学南洋，学校由副校长主持工作。在副校长与学校领导团队的努力下，学校工作不但井然有序，而且有很大推进。为

---

① “生命共同体”是指“学生、家长、教师与学校是命运的共同体、利益的共同体，也是学习的共同体、价值的共同体，更是幸福的共同体”。

② 萨乔万尼提出的“四领导步骤”理论框架，即“物物交换的领导”“建设型领导”“契约领导”和“储蓄式领导”，几个步骤连动起来为推动学校改善搭建了台阶。

什么能够如此？因为学校长期以来通过“赋权”实现了权力分享，在民主的“金点子”“项目负责制”“决策咨询会议”等工作中实现了教工的共同领导。

领导的最终结果就是要实现教工的自我领导，也就是要把过去直接的、控制式的领导行为转化为间接的、以理念为本的领导行为。萨乔万尼围绕“领导的替身”① 这一主题，鼓励一种人人为学校尽责的趋向。他认为，教工对共享价值观的承诺、工作本身带来的愉悦感以及团结的工作群体等，都可以成为替代领导的重要因素，从而使原本在“控制”或“监督”意义上的领导失去价值。

我校早在20世纪末就提出了“生命共同体”的学校组织价值观，让学生、教师和家长通过共享的价值观与愿景维系在一起。这就发挥了学校校长的第一替身作用：共同体规范。学校“生命共同体”界定了共同体的规范，共同体规范是学校价值观的内核及其所阐发的一系列行动原则和信条。

学校“高效且有效的评估”活动是由全体教师共同参与的，每位老师既是运动员，又是裁判员，在“学习式的评估”中提高业务水平，这样就使教育教学活动提升到了教师自我发展与管理的层面。学校“良好的人际关系及团队合作精神”使老师们不仅关心个人的教育教学，而且要关心教育教学工作的本身，这意味着学校的教育教学活动已经从个体实践转化为群体实践，大家能够相互帮助，与他人一起分享。在萨乔万尼看来，这是“专业理想”替身中最为关键的部分。

萨乔万尼认为，工作安排能使教工体验成就感、工作挑战性与认同感，从而，教工能够成为自我激励者。学校特别重视让“教工有合适岗位，获得成功体验”，让学校变成拥有“一种充溢的工作状态”的场所，使教工有追求卓越的工作表现，体验创造性的乐趣。

当教工齐心协力向着共同目标努力时，“同行伦理”就成为校长的

① 萨乔万尼开掘了“四种领导替身”：第一，共同体规范；第二，专业理想；第三，工作本身；第四，同行伦理。这些“领导替身”把学校领导从管理、控制的层面发展到理念、愿景的层面。领导越是能够提供这种替身，教师和员工达到的自律水平越高。

又一替身。学校“充满关怀的人文管理”使学校拥有了“良好的人际关系及团队合作精神”，发挥了“同事情意”的替身作用：同事之间在专业上相互帮助、支持的一种责任心，它也是一种专业德行。正因为学校在积淀“学校变革文化”的同时，逐步培养了萨乔万尼认为领导的“四种替身”，使学校中强硬的、直接的监管不再必需。学校教工基本达到了自我领导、自主管理的境界，而我也便成为了“文化的象征”，不需要更多地进行行政领导和人力领导，从而，可以把更多精力用于创造条件使教工成为自我管理者。

四、关注变革与创新的校长领导

八十多年的发展表明，长宁初职要有所作为，唯有以变革求发展与创新求发展，而这一切首先需要一位勇于开拓创新的领导人，能够执著地带领广大教师共同追求学校变革愿景。长宁初职最近十多年的发展中，我敏锐地捕捉到学校变革的先机，以战略眼光规划学校的发展，思考并实践变革的原则，最终为学校变革创新积累了宝贵的经验，实现了学校的有效发展。

（一）校长的战略规划

2006 年《上海市教育委员会关于加强随班就读工作管理若干意见》的出台，区域全面推动随班就读，初职校原先招收的大量智障学生都要到普通中小学就读，学校生源持续减少，办学陷入困境，需要再造第二成长曲线，这对学校的优质管理和持续发展提出了严峻的挑战。

优质管理强调学校使命（Mission）、愿景（Vision）、核心价值（Values）和战略（Strategies）四个要素。在生源减少的背景下，学校面对新情况新问题，当务之急是加强学校发展战略的管理，要明确学校今后应该向什么方向发展，应该做哪些事情。所以，学校的优质管理必须解决学校发展的战略问题。需要从战略视角出发来推动学校管理变革，不但要开阔视野，洞察未来，而且要增强战略意识，提升战略管理能力，及时调整学校管理行为，再造发展新优势，以实现优质管理，在不断的创新中求得更大的发展。迈克尔·波特在《什么是战略》中，把战略定位、战略取舍、战略配称为战略思考的框架。他认为，“战略”是“创造一种独特、有利的定位”，是“在竞争中做出取舍，其实质就是选择不做哪些事情”，是“在企业的各项运营活动之间建立一种配称”。基于此，我具体从重新战略定位、战略取舍选择、战略整体配称三方面思考和规划了学校的发展，推动学校管理变革，以追求优质管理的新境界。

1. 重新战略定位

（1）情境分析

一直以来，学校以“追求一种与众不同的特殊”作为办学追求，崇尚“人无我有，人有我优，人有我特，人特我新”，学校工作创新意识比较强，开发了适合于轻度智障学生职业教育的支持式课程体系，编写了校本教材 70 册，形成了“家校你我他合同”“学习进步档案”等一系列个性化的教育服务品牌。该课程的研究与开发获得了上海市第八届教育科研优秀成果一等奖、教育部“十五”特殊教育 A 类科研成果，课程方案获得上海市学校课程方案评比一等奖。同时，学校形成了四大类的支持式教师学习课程，教师 100% 完成了特殊教育学研究生课程，硕士学历教师占 7.7%，教师团队合作学习、协作研究的意识与能力也很强，同时，学校还一直关注改善实践问题的行动研究，开展了几十项的课题研究与教研项目，不断推动着学校教育的持续变革与不断创新。但是，学校教育服务局限在智障学生职业教育上，学校服务的差异性还不足以解决区域随班就读对学校提出的新挑战，学校发展新的战略定位有待形成并聚焦。此外，学校持续变革与创新的学校文化还有待不断建设、巩固与完善，同时，面对区域随班就读的新情况、新挑战，教师群体的准备尚不充足，不足以满足教育服务对象与学校变革发展的需要。

（2）理性思考

战略管理的资源能力学派认为，战略目标是识别和开发难以模仿的组织能力，让组织以及组织提供的价值在消费者眼中显得别具一格。定位理论也强调，战略目标首先是要找到有别于竞争对手的独特定位，并且把战略定位的原点分为三类：以提供某行业的某种产品或服务为原点，以满足某一特定客户群的大部分或所有需求为原点，以不同接触途径的客户为原点①。波特在《竞争优势》中提出“总成本领先”“服务差异化”“业务聚焦”三大战略，也有人提出“卓越经营”“亲近客户”“产品领先”“培育和增强核心能力”等战略。特殊教育是社会公平的重要基石之一，是社会文明程度的重要标志之一，不以营利为目的，但对于学校而言，如何聚焦教育服务的新战略定位，如何增强学校管理运营能力，如何亲近学生与家长，如何使学校课程教学品质处于特教领域的领先地位等，都可以作为学校战略思考的重要问题。特别是学校如何提供差异化的特殊教育服务，如何提升学校核心能力，则显得格外重要。此外，近年来出现的动态能力学派则强调，组织最重要的能力是，否定与更新自己的能力，组织应该具有预见性，能够有意识地为未来的发展而培养能力。其实，动态能力就是学校核心能力的重要内涵之一。预测未来、与时俱进、坚持变革、不断创新的学校文化是一种动态能力。

（3）实际运用

面对区域推动随班就读，学校特别需要一支善于协作且具有凝聚力的教师团队、一支善于学习新知识、研究新问题的教师团队，而这已经是学校教师团队的优势所在。基于此，如何找到“与众不同”的差异化的特殊教育服务领域，如何提升学校核心能力与动态能力，是学校面对大变革时代获得永续的组织活力与生命力的关键所在。学校追求优质管理，特别需要通过服务差异化和核心能力两方面，来探讨学校战略的独特定位。

关注差异化学校教育服务。此次学校的变革最主要原因是区域推动随班就读，导致学校智障学生生源减少。所以，学校必须以满足特定客

① 迈克尔·波特．什么是战略［J］．哈佛商业评论（中文），2004.

户群需求为战略定位考量的原点，进一步思考如何满足随班就读学生的教育需求，拓展新的学校教育服务功能。学校需要根据区域特殊教育发展需求，加大对20所普通中小学随班就读学生及教师的专业支持，开展巡回指导、资源教室服务、康复训练、教师培训与教研、家长咨询服务等工作。基于此，学校已经建立了“中国随班就读网”，开展上海市教育学会重点课题《区域推动随班就读学生走向有效学习的研究》、上海市教育科学重点课题《全纳教育视野下特教学校变革的行动研究》、上海市青年教师教育教学课题《特教学校教师成长为资源教师的行动研究》、上海市教育学会课题《基于脑科学的初中随班就读学生成长的个案研究》等一系列课题研究，花大力气聚焦“做强随班就读”的战略，争取做强随班就读工作。

同时，学校还可以以提供某种特殊教育服务为原点，来思考智障学生生存与发展所遇到的各种需求与问题，并以不同于一般学校的途径为智障学生提供“与众不同”的特殊教育服务。应该说，对于这些智障学生而言，他们通过职业教育学习了烹饪、面点、插花、服务等专业技能，取得了很好成绩，然而踏上社会之后，他们还会遇到许多社会融合与职业适应的问题，需要特教学校提供更多的转衔教育服务，即学校的教育服务可以基于并结合社区教育，向智障学生终身教育服务延伸。基于此，学校正在申报《学校、社区推进智障人士终身教育的研究》《终身教育视野下智障学生转衔服务的研究》《智障学生个别化转衔服务计划的研究》《家校合作拓展轻度智障学生就业渠道的个案研究》《社区智障青少年教育资源整合的运作机制研究》《学校、社区合作推进智障学生家庭教育指导的研究》等一系列研究项目。

以上的思考路径，使学校找到了差异化的特殊教育服务：“做强随班就读”“做大终身教育”，加上保持现有职业教育的优势——“做精职业教育”，形成了学校变革的三大战略。于是，学校在新的战略蓝图上画了三个圈。

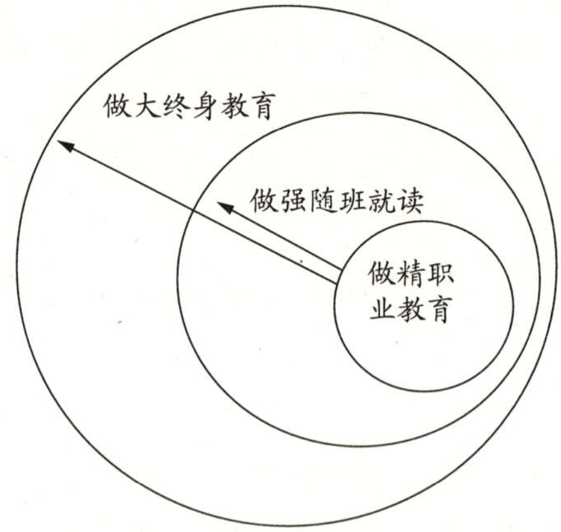

图 8-2 学校变革的三大战略

关注提升学校的核心能力。学校的存亡取决于是否具有核心能力，即是否具有独特的资源和能力，这种独特性具体表现为学校所拥有的资源是别人学不去、市场买不来、拆开就没用、主角带不走、长久溜不掉的。意思是：首先，学校要有别人难以模仿的服务品牌与学校文化，这是别人学也学不来的；其次，这个核心能力不能从市场上获得，起码引进的单个人才不能作为核心能力；再次，学校的资源与能力要有互补性，也就是说，拆开了就没用了，只有合起来才有价值，要发挥团队协作的合力。又次，这种核心能力要归学校组织所有，是整合学校所有资源形成的竞争力，是一个重量级人物带不走的学校技术与才能；最后，提高学校持久竞争力，校长就要预测未来、与时俱进、坚持变革、不断创新，使学校拥有的动态能力。而这种核心能力就是包括了动态能力在内的学校文化、学校凝聚力，以及教师团队合作进行前沿问题的专题学习与行动研究的能力。于是，提升学校的核心能力，就需要在学校文化再造、学校教师的凝聚力、学习力与研究力增强等方面下功夫。

目前，学校在“预测未来、与时俱进、坚持变革、不断创新”的学校文化建设中，已经开展了《我为学校文化找 100 个理由》《我为学校教育哲学思想找 100 个理由》《变革中的感动》《变革：创新与执行》四次征文与交流活动，教师相互学习，营建着共识。此外，学校还必须加强对未来社会发展需要、国际特殊教育发展趋势的把握与跟踪。在教师学习方面，全体教师不但完成了华东师范大学特殊教育学硕士课程班，并且还与华东师范大学一起合办了“全纳教育高级研修班”，与康复科医生一起开展智障学生医教结合的康复训练，与此同时开展了大量的课题研究，并于2008学年第一学期开始形成并发展“资源教师教研组”“语言康复训练教研组”“认知康复训练教研组”“心理康复训练教研组”“运动康复训练教研组”“作业康复训练教研组”，以此提升学校的核心能力。同时，学校要进一步发挥学校凝聚力工程的优势，继续“人文关怀，追求和谐；双向管理，强调民主；兼容个性，注重激励；搭设平台，助人成事”的发展凝聚的实践做法，在情和理中凝聚力量，促进成人和成事，实现教师、学生和学校的同步发展。

通过以上分析，学校在“差异化的学校教育服务”和“提升学校的核心能力”方面找到了自己独特的战略定位，从学校本身功能出发“做精职业教育”，与普通学校合作“做强随班就读”，与社区合作“做大终身教育”，从而，延伸出“与众不同”的特殊教育服务项目，最终，在学校文化、凝聚力、学习力、研究力的建设中，逐步实现学校在特殊教育领域的领先水平。

图8-3 学校发展凝聚模型

2. 战略取舍选择

（1）情境分析

长期以来，学校把追求卓越作为办学的努力方向，几乎在所有工作中都力争上游，争创一流的工作业绩，也取得全方位的好成绩。比如，在历次的政府督导评估中均取得“基础性指标”“发展性指标”“综合性指标”全部“优上”的好成绩。在德育、教学、科研、师资、信息技术、家庭教育指导等方面也都取得市级以上的荣誉称号与成绩，在艺术教育、特奥运动等方面也成绩斐然。由于学校所有工作都要求高品质，所以，学校一直存在着人力资源不足，时间成本过高，生命透支现象显现等问题。需要建立一种“有所为有所不为”的取舍思想。在特殊教育领域，职业教育越来越受到重视，随班就读工作正遇到巨大瓶颈，给学校变革带来了领跑的机会，终身教育也正式被纳入教育系统的管理范畴，正在开始深入推动，学校如能率先开展智障人士终身教育实践的话，也将产生重大社会作用与意义。但是，原本工作量就已经极大的学校，面对新拓展的教育服务功能，如何才能“做精职业教育”“做强随班就读”“做大终身教育”？所以，学校一定要借助相关分析工具，加强战略的取舍选择，要知道“有所不为，才能有所为”。同时，学校要好好挖掘学校无形资产，充分运用好教师缺编20余个这笔无形资产，增加支持“有所为”的资源投入。

（2）理性思考

有了明确的战略定位，如何取舍就显得非常重要。波特认为，一个有价值的定位，会被同行作为标杆来模仿，所以，好的战略定位并不能使组织保持持久的优势，除非组织作出一定的取舍。当学校的各种教育活动互不兼容、不能兼顾、难以变通的时候，取舍就显得很有必要。取舍意味着学校如果想在某方面多做一些，就必须在另一方面少做一些。事实上，当定位明确了，学校也就明确了内部管理协调各项工作的轻重缓急。事实上，这种轻重缓急的时间管理，就是一种战略取舍。取舍还可以避免阵线过长、人力资源短缺、时间成本过高、教师专业自主决策能力不足等问题，也可以避免现有工作项目与管理品质的降低，因为质量永远是需要成本来支撑的。在取舍中，最关键的是改进成本与差异性。钱·金和莫博涅在《蓝海战略》中，把如何取舍分解成四大问题与行动，即剔除、减少、增加、创造（见图 8－4）。根据这四个问题，学校就能够画出一条新的价值曲线，也能形象地描绘出新的战略定位。如果新的价值曲线与同类学校不同，那么学校很可能就找到了一片与众不同的“蓝海”。

剔　除 在视为理所当然的因素中，哪些应该被淘汰？	增　加 在视为理所当然的因素中，哪些因素的水准应当大幅度提高？
减　少 在视为理所当然的因素中，哪些因素的水准应该降低？	创　造 在视为理所当然的因素中，哪些因素应该从无到有地被创造出来？

图 8－4　“蓝海战略”的分析框架

（3）实际运用

在政府保证学校教育经费和教师收入不减少的情况下，学校采用“蓝海战略”的框架对学校进行分析，从而对相关因素及水准进行了取舍与调整。

增加：运用无形资产，引进专业教师。学校最重要的资源是教师。学校有不少空编，这是学校重要的无形资产之一。所以，为了聚焦“做强随班就读”“做大终身教育”的新战略定位，学校需要引进专业人才。截至 2008 年 6 月，学校正在办理 3 位特殊教育学与课程教学论的硕士、2 位社会工作者专业的本科学历教师的引进工作，以加强战略性人力资源的管理，重点聚焦并发展新领域、新项目，用专门人才做专业的事情，满足新服务对象数量增加、要求提高的需要，同时，进一步提升了学校的硕士占比，也相应地化解了教师时间成本过高的问题。通过引进，使学校原本就非常好的教师团队，进一步提升了软实力，在特殊教育领域乃至基础教育领域比较领先。

剔除、减少：剔减相关工作，便于战略聚焦。在学校原先的职业教育工作中，因为学校学生人数会减少，其需要的工作总量也会相应减少，这有助于将职业教育工作做精做透。但是，由于学校教师将被安排有侧重地从事三大战略的不同方面，许多教师将担当起随班就读、终身教育方面的工作，所以职业教育要做精，还必须审视原有的职业教育工作项目，对一些烦琐的、低价值的常规项目与文字工作进行评估，在全体教师集体审议后，对一些项目进行全部或部分剔除和删减，以便这些坚守职业教育的老师能够将工作做精致。同时，也便于配合学校聚焦新的战略定位。

创造：形成配套机制，积聚学校实力。在“做精职业教育”的同时，学校要“做强随班就读”和“做大终身教育”。这两大新战略项目需要重点聚焦，需要创造并形成配套的组织机构、教师安排、研究项目、教育课程、评估方法、教师培训与教育政策，从而使战略能够得以顺利实施，并体现出学校教育服务的差异性。目前，学校已经将原先的课程实施室分解成了三部：职业教育部、随班就读部、终身教育部。新战略重点项目还分别由校级领导挂帅，安排了专职教师，组成了专业服务团队，建立了教研组，开展了相关的课题研究与教研，还正开发着中小学随班就读学生康复训练课程与配套的课程本位评估量表……此外，学校在区域随班就读教研、培训与政策推动等方面也做了许多实质性的工作，正在“蓝海”中积聚着实力，最终实现学校在特殊教育领域中的领先水平。

根据“蓝海战略”，将实施新战略的学校、未实施新战略的学校、其他特教学校进行比较，绘制了学校蓝海战略布局图（见图8－5），从中可以发现学校的确找到了一片蓝海。总之，通过运用“蓝海战略”框架的分析，使学校的战略定位更加清晰，也更具体可行，这有助于实现优质管理目标。

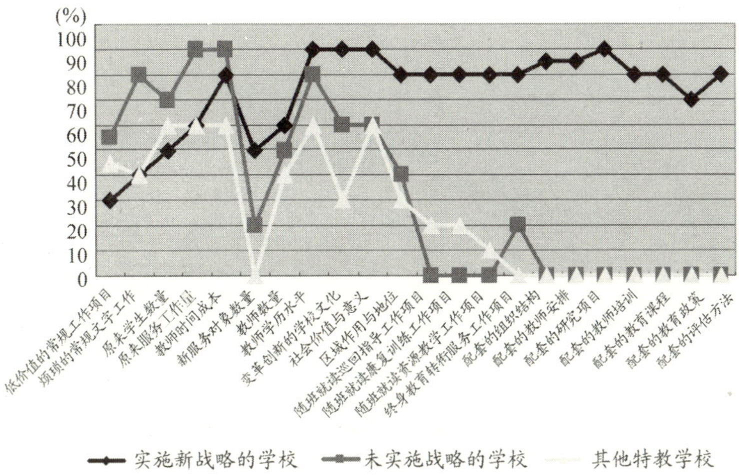

图 8-5　学校蓝海战略布局图

3. 战略整体配称

(1) 情境分析

在十年发展中，学校组织机构不断改进。目前，形成了以课程服务为核心的闭环式管理架构，即课程研究开发室、课程实施管理室、课程质量评估室、课程资源保障室。学校倡导并推动民主管理，进行扁平化管理和无边界管理，校长与中层管理人员在一个办公室集中办公，每天利用午餐时间进行信息沟通与协调，减少了信息阻隔，落实“手表定律”，建立了绩效评估系统，实现了协同式的跨界合力运转，通过了 ISO9001：2000 国际质量认证。同时，打造了一支协作意识与能力都比较强的管理干部队伍，实现了 1 +1 >2 的整体优化。但是，面对新的战略实施，学校也存在着不少新问题与新挑战，如管理人员中年轻女教师比较多，都面临或即将面临怀孕生育的问题，造成管理人员资源紧缺，更需要大家发挥一直以来的相互补位的精神，发挥管理团队的合力。同时，由于“做强随班就读”和“做大终身教育”新战略的实行，需要学校进一步考虑战略的整体配称，以加强优质管理，使新战略落实到位。

（2）理性思考

战略定位和取舍决定着学校该开展哪些活动，对相关要素投入多少资源，如何设计项目，等等。波特认为，创造竞争优势最核心的因素就是“战略配称”，并把配称理解为组织各项活动环环相扣的有机组合。波特的配称有三个层面：各个运营活动或各个职能部门与总体战略之间保持一致性；各项活动之间的相互加强；投入最优化，即尽量避免冗余，减少投入力量的浪费。其实，一是讲“手表效应”，学校领导与老师要对准手表，统一认识与行动；二是要有协同合力，使学校各部门工作与活动之间能够统筹协调，相互借力；三是强调通过各活动之间的协调和信息交换，降低学校、教师投入的成本。总之，整体配称比任何一个单独活动都来得重要，也更加有效。整体配称能将个别优势、关键资源、核心能力相互渗透与融合，可以大幅削减成本或增加差异性。在此基础上，卡普兰和诺顿的“平衡计分卡”从四个角度，即构建内部与外部、结果与驱动因素、长期与短期、定性与定量等多种平衡，建立了绩效管理和评估系统（见表 8－2），其呈现了一个目的明确、逐步分解、可以量化、指导行动的“平衡计分卡”样例。他们在《战略困扰你？把它绘成图》中还提出了“战略地图”概念，能够生动地将学校各项活动之间的因果关系和关联性展示出来。

表 8－2　“平衡计分卡”样例

角度	要回答的问题	目的评估指标	目标评估指标	目标值（具体数值）	计划采取的新行动（包括初始行动）
财务	股东如何看我们？	…	…	…	…
客户	客户如何看我们？	…	…	…	…
内部流程	我们必须擅长什么？	…	…	…	…
学习与成长	我们能够继续提高和创造价值吗？	…	…	…	…

（3）实际运用

运用平衡计分卡，促进高效运作。从平衡计分卡的四个层面来看，“财务角度”可以理解为：区域随班就读背景下政府、家长、社区、企业等相关单位对学校的期待与要求；“客户角度”可以理解为学生培养的理想状态，包括随班就读与转衔服务的对象；“内部流程角度”则可以理解为：为实现优质教育学校所需要提供的关键服务资源与管理运营，如可以表达为“差异化的学校教育服务”以及相关配套措施等；“学习与成长角度”可以理解为“提升学校的核心能力”，包括学校文化、凝聚力、学习力与研究力等。这样，教师群体发展与学校文化成为了学校内部流程高效运转的基石；学校高效的内部流程又将保证“做强随班就读”与“做大终身教育”新战略实施；最终提高学校的家长满意度、社区认同度、企业接纳度，并提升学校的社会价值、作用与贡献。

评估优秀推动者，关注变革绩效。学校发展的可持续性来自于整个系统，而不是某项或某些活动。在聚焦关键战略时，学校必须关注整个系统的建设，如加强组织结构再造、人力资源再开发、评估系统再完善等，为战略的实施提供支持与保障。基于前面的情境分析，学校在“内部流程角度”特别需要进行学校组织结构重新架构，挖掘无形资产，引进相关的专业人员，调整好相关的管理人员，加大专项的培训力度，发挥他们的优势与潜能。为此，在教师群体发展与学校文化促进学校内部流程高校运作的基础上，还要发挥评价的激励和导向功能，建立由“优秀变革推动者”评估等构成的整体绩效评估系统。通过对变革绩效的关注，激发教师群体投身变革的内在动力，促进教师不断优化变革实践，逐步实现“做强随班就读”“做大终身教育”和“做精职业教育”的目标。

（二）特教学校变革的原则

变则通，通则久。一个组织如果在巨大的外在环境变化面前无动于衷，必然要走向灭亡，但是，盲目地变革同样会使组织消亡，甚至消亡得更快。因而，必须要以科学的组织变革原则作为基础，使组织变革有准备、有计划地进行，使变革朝着提高组织核心能力的有利方向发展①。作为百经之首的《易经》，对后世的许多重要思想的产生有过重大的影响。《易经》革卦中“巳日乃革之，征吉”强调了变革要顺应天意，天时地利人和，审时度势，把握时机；“革言三就，有孚”强调了变革要合乎人心，充分沟通酝酿，体现民意，取信于民；“居贞吉”则强调变革要预警预防预动，建立机制，巩固成果，深化变革。至此，可以把握特教学校变革的要义：要以教师员工为本，顺天应人，革言三就来化解变革阻力、增强变革认同，要以制数度来巩固变革成效。

（1）顺天应人原则

革卦曰：“天地革而四时成，汤武革命，顺乎天而应乎人，革之时义大矣哉!”孔颖达疏：“殷汤周武，聪明睿智，上顺天命，下应人心。”后因以“顺天应人”谓顺应天命，合乎人心。其中值得推敲的关键字有“天”“地”“人”“时”“顺”“应”，而此六字构成了一个大系统，“天”“地”“时”是客体，“人”是主体，主客体相互作用，要成就大事业，就需要把握运用“顺”与“应”的互动关系。

世间万物的存在与发展、人类社会的沿革与兴替，都有具有一定规律的，不会因人而异，也没有人能超脱其外。一般来讲，成功的变革者应该是识真懂性、顺天应人的识时务者，是巧就天道、善得人意的楷模，是稔知天命、受任时命的人才。他们懂得借风借力，能够及时做到“顺乎天而应乎人”，既能审时度势、随时应势，又能把握机遇、顺势而为，这样就能趋利避害、抓住机遇，取得天时、地利、人和的变革优势，达到“天人合一”“主客合一”“物我合一”的境界，这就是变革的大道理、大原则和大智慧。

特教学校变革是一个系统，变革领导者要系统思考，遵循顺天应人原则，应把握“顺天”“应人”两方面的四个要点。

① 齐振宏．管理变革之道［M］．清华大学出版社，2004：42.

❁ 顺天维度

纵向　特教学校变革领导者要“与时偕行”[①]。学校变革要与时俱进，思想开放，舍得告别过去的观念与做法，要顺应教育政策法规、教育发展趋势、教育内在规律，同时领导者推动变革还要系统地、历史地、辩证地分析问题的来龙去脉与症状症结。

横向　特教学校变革领导者要“时发”[②]“顺动”[③]。学校变革要蓄势待发，并根据具体形势来把握时机，切不可妄动，同时要“以见天下之动，而观其会通。”[④]，善于分析变革具体情境的动因、动态、动力、动机，以便因势利导，顺势而动，顺天取势。

❁ 应人维度

对己　特教学校变革领导者要“自强不息”[⑤]。变革领导者要自觉努力，力求进步，刚健向上，发愤图强，要身先垂范，彰显变革的新观念与新行为，要以坚强意志来克服困难、化解矛盾与阻力，不气馁，不松懈，不停息，以使变革成功，事业兴旺强大。

对人　特教学校变革领导者要“亲诸侯”[⑥]“安民志”[⑦]。变革领导者要建立良好的沟通机制，与特教学校变革系统中校里校外、上级下属建立起亲和友善的关系，调适转化安定教师员工面对变革产生的各种心态，让大家有信心追随变革领导者追求共同愿景。

（2）革言三就原则

革卦第三爻曰：“九三：征凶，贞厉。革言三就，有孚。”意思是，当变革遇到困难的时候，需要加强讨论、商榷、宣传与培训，这样才能

---

① 《易经》第一卦，乾；第四十二卦，益。
② 《易经》第二卦，坤。
③ 《易经》第十六卦，豫。
④ 《易经・系辞上传》，第十二章。
⑤ 《易经》第一卦，乾。
⑥ 《易经》第八卦，比。
⑦ 《易经》第十卦，履。

化险为夷。"革言三就"是革卦"九三"爻中的关键词，其意为变革必须慎重，须经多次讨论才能行动。"言"即言论、讨论。"就"即合计、成就。"革言三就"既是一种变革决策前反复讨论与、执行中反复宣传与协调的做法，又是一种变革的民主观念、民本精神、人本文化。

人是变革中的关键因素。顺天应人原则已经谈到特教学校变革需要合乎人心。革言三就原则就是要通过民主来合乎民心，激发民智，加强学习型组织建设，使特教学校变革最终实现"成人"与"成事"的高度统一，在成人中成事，在成事中成人。变革领导者不但要海纳百川，广开言路，广纳贤言，一起设计变革的行动方案，而且还要以文化生态的方式提升全体教师员工的综合素质，广泛宣传与培训，消解变革阻力，充分调动大家积极参与、投入学校变革事宜，以使之深度融入学校变革，提高对变革的认同度，同时还要依据区域教育与特教学校的具体情境，在行动中研究，在研究中行动，循序渐进、顺势而为地推动变革。

以下从特教学校变革的"成人"与"成事"两方面来把握革言三就原则的四个操作要点。

成事维度

民主 特教学校变革领导者要"作事谋始"[①]。变革领导者要考虑学校情境与教工利益，发扬民主，形成变革愿景，与教工一起讨论商议变革，"拟之而后言，议之而后动，拟议而成其变化"[②]，并在组织学习与行动研究中不断调试变革策略与方法，形成的变革气势与态势。

权变 特教学校变革领导者要"循序渐进"[③]。变革领导者要根据具体变革情境而进退变化，"时止则止，时行则行"[④]，要在权衡与变通

---

① 《易经》第六卦，讼。
② 《易经·系辞上传》，第八章。
③ 《易经》第五十三卦，渐。
④ 《易经》第五十二卦，艮。

中，“刚柔相推而生变化”[①]，既自强不息、锲而不舍，又统筹兼顾、循序渐进地推动变革，不可图一时之快而失却大局与目标。

成人维度

修德　特教学校变革领导者要“厚德载物”[②]。变革领导者要勇于并善于发扬民主，发扬民主需要领导者有宽广的胸怀，对变革中的不同意见要有宽容的态度，这样才能听得进、容得下、做得好，才能真正做到集智纳谏，赢得人心，才能担负起变革的重任。

养贤　特教学校变革领导者要“圣人养贤”[③]。对于变革，领导者固然重要，但教工才是变革成功的关键。变革领导者要塑造有助于教师群体发展的学校文化，并赋权增能，在文化与用人中育人，让教师拥有专业判断与决策的权力，能依据情境灵活处置并推动变革。

（3）以制数度原则

《易经》第六十卦节卦曰：“节以制度”[④]“君子以制数度，议德行”[⑤]。其意思是，要以典章制度来节制，君子因此制定礼数法度为准则，详细考察道德行为从而任用得宜。也就是说，变革需要建立相应的“制度”来使变革成果保持下来，这里的“礼数制度”既包括职责流程制度，也包括更高层次的组织文化建设，最终以用文化的力量、群体的力量使个体约束自己，适应变革的新观念与新行为。

以下从特教学校变革的“制度”与“文化”两方面来把握以制数度原则的四个操作要点。

制度维度

建设　特教学校变革领导者要“正位凝命[⑥]”。变革领导者要恪守

① 《易经·系辞上传》，第二章。
② 《易经》第二卦，坤。
③ 《易经》第二十七卦，颐。
④ 《易经》第六十卦，节。
⑤ 《易经》第六十卦，节。
⑥ 《易经》第五十卦，鼎。

自己的使命，巩固已取得的变革成果，要使被证明有效的机构结构、岗位职责、运作机制、操作规程等固化保持下来，并形成相应的支持系统。同时着眼未来，制定出高于现时的新标准，以确立标杆引领发展。

运作 特教学校变革领导者要“变则通，通则久”[①]。变革领导者要确保变革上通下达，在变革的具体环节上要具有可操作性，能够使各机制、各机构、各部门、各任务的运作和谐顺达，流畅进行，并使其不断生长完善。在一个相对较长时间内稳步前进。

文化维度

应变 特教学校变革领导者要“恐惧修身”[②]“恐致福”[③]“思患而预防之”[④]。变革领导者要保持高度的危机意识，敢于直面不断变化的环境并不断应变，“唯变所适”[⑤]，建立起坚持变革的学校文化，以追求“可久则贤人之德，可大则贤人之业”[⑥] 的可持续发展境界。

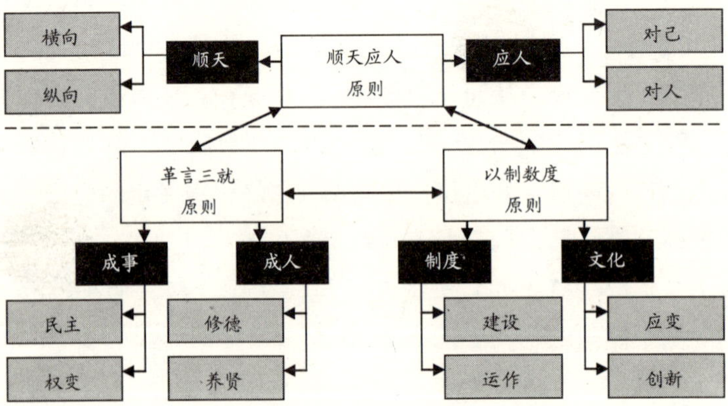

图 8－6 特教学校变革原则体系图

---

① 《易经·系辞下传》，第二章。
② 《易经》第五十一卦，震。
③ 《易经》第五十一卦，震。
④ 《易经》第六十三卦，未既。
⑤ 《易经·系辞下传》，第八章。
⑥ 《易经·系辞上传》，第一章。

创新　特教学校变革领导者要“革去故也，鼎取新也”①。变革领导者要拥有创新意识和创新能力，善于营造持续创新的学校文化，能将理论转化为实践，破解实践难题，形成一套适合变革外部环境的组织结构、运作机制、操作流程，同时也能够在实践基础上提炼概括，实现知识创新。

基于以上对《易经》革卦变革哲理的分析，我们形成了区域随班就读推进中特教学校变革原则体系（见图8－6），共三大原则，十二个操作要点，统领变革实践。

（三）学校变革与创新的经验

变革与创新八十多年来，学校面临发展的一个个十字路口，我们总是积极主动地寻找突破口，走出了一条变革与创新之路。在学校发展的“曲折”历程中，我们从教育服务理念、学校文化、民主管理、校本培训和办学资源方面形成了学校教育变革与创新的有效经验。②

1. 担当特教使命，以先进的教育服务理念引领教育变革与创新

理念是行动的先导。特殊学生是社会的弱势群体，需要社会的关注。从学校创办那一天起，我们始终如一地担当特教使命，为特殊学生服务。为了更好地造福残疾人士、促进残疾人士适应社会生活，福哑学校时期，除了对聋哑学生进行文化教育外，学校还开设了一些手工类课程，教聋哑学生学习绘画、修鞋等手工技能，为学生参与社会创造了良好的条件。智障教育的目的是使智障学生参与社区生活，享有应该享有的快乐和满足。初职校转办时期，我们秉承“每个孩子都是金子”的教育哲学思想，以智障学生现有的学习经验为基础，开发和实施支持式学生课程，注重学生的生活处理能力、独立生存能力、相应的道德行为习惯的培养，为智障学生最终成为“适应社会生活，自食其力的劳动

---

① 《易经·杂卦传》。

② 谢敬仁．特教学校的变革与创新［J］．现代特殊教育，2009（4）卷首语．

者”打下了基础。在“为残疾人服务”的理念下，我们积极回应环境，在“追求一种与众不同的特殊”中实现教育变革与创新。

2. 营建和谐文化，以美好的办学愿景激励教育变革与创新

学校于1998年招收第一届初职生以来，逐步形成了学校“生命共同体”的组织价值观，这是学校文化建设的核心，更是全体教师的共同愿景。为了使教师积极地认同、融入、内化和弘扬学校文化，以支持教师适应特殊教育岗位及学校工作。学校通过教工大会、教师代表座谈会、行政会议等各种各样的会议，围绕学校发展话题引发教师头脑风暴，了解教师的不同意愿、设想；通过对教师的不同意愿、设想的梳理，形成学校发展的共同愿景，制定和完善学校三年规划草案，每年将三年规划进行细化分解，交由教工大会民主讨论，并形成本年度具体发展规划，具体实施；根据各阶段目标的达成情况，对教师进行适当的物质和精神奖励，以此增强教师实现共同愿景的信心；每年度末，对照年度目标与三年规划，反思学校的发展情况，调整中长期愿景目标，以不断促进共同愿景的实现。经过十多年生聚与沉淀，十多年变革与创新，健康的学校文化受到教工们一致认同，学校文化成为了激励学校教育变革与创新的重要力量。

3. 精细民主管理，以刚柔并济的制度推动教育变革与创新

学校制度管理是建立正常学习和工作秩序的基本保证。学校要把每一个成员的智慧和力量充分发挥并最优化地组织起来，就必须要有一整套规章制度，使学校一切工作和所有师生员工有章可循，有矩可蹈。我们在多年的教育实践中积淀了一系列符合教育规律、符合现代管理理念的行为规范和规章制度，如校本教研制度、教学管理制度、考核评价制度等，使全体师生员工知道应该做什么、不应该做什么和应该怎样做、不该怎样做，以及对整个学校工作具有什么意义和作用。管理工作的核心是管人，管人的核心是管人心。在学校管理中，制度约束固然重要，要想使教师释放能量，制度的制定与执行还需刚柔并济。学校的规章制

度关系到每个人的切身权益，我们通过全体教职员工反复酝酿、讨论和修改，增强广大员工的主人翁意识，调动大家的管理积极性，使得传统“自上而下”的制度成为全体教工“自己的”制度，从而增强了制度执行的自觉性。学校召开各种座谈会，讨论学校的发展大计，为学校大事出谋献策，充分发挥教师参政议政、民主管理、民主监督、保驾护航的作用。学校财务收支情况、福利待遇以及职称评定、评先评优、选拔任用等涉及教职工权益的事项，坚持向教职工公开；学校的招生规定、收费项目和标准等事项，坚持向学生、家长和社会公开。学校不但运用网络、橱窗、会议、金点子、校长信箱等形式共享了大量信息，还推广实施了决策咨询会、听证会、教师巡视活动等民主管理形式，提高了管理透明度。在我们学校，教职工主动参与、献计献策，所办的事公开了，透明了，干群之间互相理解，心气顺畅了，营造了依法治校，民主治校的氛围，进一步增强了学校变革与发展的凝聚力。

4. 完善校本培训，以生态取向的教师课程支持教育变革与创新

只有教师获得了发展，才有学生的发展和学校的发展。面临生源的变化和新进教师占比的增多，教师的专业判断水平与课程领导能力亟待增强。作为教师学习主要阵地的学校必须要为教师发展提供充足的学习资源，为教师发展提供强有力的支持保障。校本培训是引导教师发展最常见、最有效的途径。我们整合学校内、外部的教育资源，开发了“两个层级的四大类课程”组成的支持式教师学习课程，拓宽了引领教师群体专业成长的在职培训渠道，整体考虑到学校教师来源差异性较大的特点，将差异视为资源，并着力于生态取向的校本培训模式，来回应不同教师类型的发展需求。一方面我们把教师群体发展置于个人发展与学校发展的中间层面进行研究，并行推进教师个人发展、群体发展与学校发展；另一方面，我们尤其关注共生型教师文化的营造，激励、引领教师间的合作对话，消解教师人际中的障碍或误解，使其更直接地了解相互的思想、观点、感受和解决问题的过程，激发教师的教学热情，通过对话生发教师专业的“潜能”，提升教师投身教育创新实践的能力。

5. 汇集各方资源，以最佳合力促成教育变革与创新

教育是不断创新的视野，学校教育变革与创新涉及的内容是多方面的，需要多方的合力。

为了帮助教师更好地投身于学校教育创新实践，我们定期聘请相关专家一起参加讨论教研主题的确立、教研成果的汇报，引领教师直面教育教学问题，在与专家的对话中不断反思自身的实践并积极吸取新的观念以指导实践。此外，我们还与华东师范大学特殊教育系等高校院系结成教师教育资源联盟，面向全体教师，丰富教师特殊教育领域的知识与理念。学校与华东师范大学合办了特殊教育研究生课程班，全体教师一起参与。在与专家教授们的对话交流中，教师的教育创新实践能力得以提升。

研究生课程班学习现场

家长是教育的重要力量。我们通过开展学校“教育支持者”工作，聘请家长参加课堂教学，担任主讲教师的助手，提高课堂教学效果。为了促进学生更好地参与社会，我们还充分挖掘社会资源，请南京路上的

好八连来校，每学期对学生军训并参与仪式教育活动。学校和上海医科大学、东华大学、上海第二工业大学、华东师范大学的大学生搞手拉手活动等，帮助学生在丰富的活动体验中获得成长。

在各方资源的合力下，我们学校获得了长足的发展。在 2005 年 12 月、2006 年 8 月与 12 月的三次全国特殊教育大会上，教育部领导三次表扬了学校师资队伍建设工作，认为“如果每一个学校都是这样，我们中国的特殊教育会向世界呈现出怎样的一个面貌”。2005 年，中国教育学会副会长、上海市总督学张民生主任、上海市教科院普教所傅禄建所长带领全体研究人员来校指导交流，张主任这样评价学校的教师团队：“这里的经验主要是，研究真实的问题，建设合作的团队，强调大家的分享，建设了研究型的文化团队”。

第九章 愿景展望中的特殊教育学校变革

80 多年来的创新实践使学生、教师和学校获得了很大发展。然而，2006 年出台的《上海市教育委员会关于加强随班就读工作管理若干意见》（以下简称《若干意见》）明确规定，随班就读学生必须在普校完成九年义务教育。于是，学校生源势必逐年减少，四年后仅剩两个班级，面临生存危机。2008 年，联合国教科文组织第 48 届国际教育大会以“全纳教育：未来之路”为主题，进行了全纳教育全球性的教育政策对话。国务委员刘延东在会上发表了讲话：“全纳教育的提出，体现了对所有人的尊重和对人权的保护，顺应了时代要求和未来趋势。”可见，全纳教育已受到世界性的关注。在全纳教育理念在中国不断实践的进程中，在区域全面推动随班就读的背景下，学校必须转型，迫切需要创新和变革，形成并聚焦新的战略定位。

一、特教学校变革的 SWOT 分析

面对学校变革的复杂情境，我们既不能草率行事，也不能故步自封，而是需要在多年的学校教育实践中逐步探索。通过 SWOT 分析，我们对学校功能转变的威胁、机会、劣势和优势进行了分析，作为学校变革实践的基础。

（一）特教学校变革的威胁

小学随班就读学生进入普通初中随班就读，直接结果是目前特教学校学生人数萎缩。与此同时，中等职业教育学校将招生对象扩展至随班就读学生，使得特教学校的生源危机更是“雪上加霜”，特教学校面临生源减少的生存危机。

1995 年，长宁区开始小学轻度弱智儿童的随班就读工作，但直到 2006 年 8 月，初中随班就读是一片空白，比其他区县晚了近十年。在其他各区县都已积累了一定的初中随班就读工作经验的情况下，长宁区初中随班就读工作面临起步晚、要求高的困难。2006 年，长宁区 73 位中小学随班就读教师的问卷调查显示，随班就读学校教师对随班就读的

认同度不高；面对巨大的升学压力，随班就读学校教师对随班就读学生难以顾及，随班就座、随班混读的现象比较多，随班就读的质量欠佳。特教学校随班就读巡回指导和研究辐射功能的拓展面临挑战。

随着社会的发展，近年来，专业技术职业资格考试的内容和模式均发生改变，要求更高，这对智障初职教育提出了新的要求。初职教育如何适应社会发展的需求，为智障学生提供有效的职业教育，是学校变革面临的现实问题。

（二）特教学校变革的机会

2006 年初，教育部基础教育司召开全国加强特殊教育学校建设与管理工作经验交流会，李天顺副司长在会议的主报告中指出，在推进随班就读的今天，特教学校不仅是一所对校内残疾学生进行教育的教育实体，而且已成为一个担负着推进区域特殊教育发展使命的教育机构。2006 年 4 月，上海市教育委员会颁布的《若干意见》提出，特教学校应该充分发挥设备、师资、信息等方面的资源优势，积极发挥其功能和作用，加强对随班就读工作的业务指导，充当区域内特殊教育指导服务中心的功能。可见，在随班就读工作推进中，特教学校应该发挥提高随班就读教育教学质量的骨干力量。为了落实《若干意见》，2006 年 9 月，长宁区小学随班就读学生进入初中随班就读，随班就读全面铺开。同时，区特殊教育康复指导中心迁入特教学校，指导特教学校合作开展随班就读工作，保障区域随班就读工作的推进。2007 年 9 月，上海市教委沈晓明主任在市特教工作会议上指出，上海的特殊教育要走医教结合之路，提高特教教师素养，努力使特殊教育成为上海的一张名片。国家、市区级层面对随班就读工作的关注为特教学校功能转变提供了机会和发展方向。

为了保障智障人士的平等权利，促进社会融合，上海市政府于 2005 年初开始实施“智障人士阳光行动”，依托社区，在每个街道、乡镇建立了以社会融合为理念的智障人士“阳光之家”，使具有一定劳动能力的智障人士提高生活自理能力、简单劳动能力和社会交往能力，逐步实现社会融合。历年来，特教学校所在的华阳社区一直致力于精神文明建设，关注弱势群体，是全国“凝聚力工程”的发源地。2005 年，社区响应上海市政府的号召，建设社区智障人士“阳光之家”，开展教育培训、简单劳动、康复训练和特奥活动，以提高智障人士的生活自理能力、社会交往能力和简单劳动能力，深受智障人士及其家庭的欢迎，得到社会各界的充分肯定。一直以来，特教学校与华阳社区保持良好的合作关系。特教学校和社区曾就社区运动会、校园向社区开放、社区智障青少年教育资源整合的运作机制研究等多次合作，良好的合作互动关系给智障终身教育服务的推进提供了平台。

职业教育是残疾人立足社会的根本所在，特殊教育学校不仅要教给学生基础的科学文化知识，更重要的是要教给学生赖以生存发展的职业技能。一直以来，国家都非常重视残疾人职业教育。《残疾人教育条例》第三条提出，发展残疾人教育事业，着重发展义务教育和职业教育。社会发展向特殊教育提出了严峻的挑战，同时也给特殊教育提供了前所未有的机会。

（三）特教学校变革的优势

作为一所为智障学生提供初职教育的特教学校，十多年来，学校始终以服务学生为本，紧紧抓住师资队伍建设、支持式学生课程开发等学校有效发展的关键问题，高度激发教师的自主发展与团结合作的精神，在轻度智障学生的教育教学实践和研究中不断探索，使其在原本薄弱的基础上办成了特色学校，积累了特教学校教育变革与创新的优秀经验。

首先，积淀了优秀的学校文化。学校注重营建富有特色的制度文化、学习文化与人际文化引领教师团队，共同编织出“生命共同体”①的美好办学愿景。在学校文化的浸染与美好愿景的激励下，教师团队热爱学校，将每个学生看做金子，将特殊教育视为一项造福社会、造福人

① “生命共同体”是指“学生、家长、教师与学校是命运的共同体、利益的共同体，也是学习的共同体、价值的共同体，更是幸福的共同体”。

类的使命与服务。

其次，教师团队专业化水平较高。对于学校而言，师资队伍是学校资源运作的核心。在特教学校的教师培训机会和专业支持明显不足的现实情况下，学校思考立足课堂与教学，运用各种形式的校本培训载体，切实提高教师教学实践能力，努力打造一支拥有敬业精神与专业素质的特教教师团队。通过特教学校课程领导实践，学校形成了促进教师群体发展的一些机制和做法，促进了教师群体的发展。2006 年 5 月，调查①显示，学校教师职业角色总认同度比全市中小学教师高出 53.3 个百分点；教师群体的教育研究能力比较强。2006 年教师教育科研成果获奖 184 项；教师的课程开发与实施能力比较强，2004 年 9 月至 2007 年 2 月，学校教师在教育教学层面获得国家级个人荣誉 1 项、市级个人荣誉 14 项、区级个人荣誉 31 项、集体荣誉 11 项。学校在原有 1 位区专业技术希望奖获得者和 1 位区优秀青年人才的基础上再增加区领军人才 1 名、区学科带头人 1 名、区级中青年骨干教师 10 名。

再次，学校形成了一套课程开发与建设的机制。课程是实施学校教育的主要载体。在学校课程教材缺少国家课程的具体指导的现实情况下，学校紧紧抓住支持式学生课程开发与课堂教学等学校有效发展的关键问题，高度激发教师的自主发展与团结合作的精神，努力挖掘教师队伍的课程开发和课题研究潜力，组织开展了全国特教课题、上海市科研项目《大龄智障学生初职教育支持式课程的研究》，进行了大龄智障学生支持式课程的开发。根据智障学生的特点，支持式课程把学生生活、环境、家长和教师本身均作为重要的课程资源，将个人生活能力、社区适应能力、职业适应能力等纳入课程内容，形成了完善的支持式学生课程体系。编写了整套可供选择的、适合大龄智障学生职业技术教育的教材和相关配套材料 80 余册，编制使用了《支持式课程学生发展手册》。

---

① 学校采用上海市教育科学研究院普通教育研究所心理教育研究室沈之菲主任关于教师角色认同的调查问卷，通过无记名方式，对 43 名教师进行问卷调查，占全校在职教师总人数的 97.73%。

（四）特教学校变革的劣势

一直以来，特教学校局限于智障初职教育。教师现有的专业知识难以适应学校功能拓展的需要。面对区域随班就读巡回指导、社区智障人士终身教育功能的拓展，先期进入变革领域的教师因为不熟悉而内心充满焦虑和困惑。教师是变革的最终和最有力的实施者，教师的心态决定教师的变革行动，决定变革的成败。《若干意见》引发了学校的变革，但学校的变革愿景和未来走向都不明确，教师内心充满着困惑，学校变革之路迷雾重重。

智障人士的社会融合很大程度上取决于其社会适应能力。而一般来说，能力的提高一是来自于实践，在实践中学习，积累经验和技能；二是来自于教育。虽然特教学校拥有专业化的师资队伍、系统化的智障教育课程和丰富的智障教育与研究经验，能够为智障学生提供良好的学习环境和优质的教育服务，促进智障学生的发展。但是，智障人士离开学校之后最终要回到社区，参与社区生活，智障人士知识运用和社会适应能力的提高还需要真实而丰富的实践环境，学校相对简单轻松的生活在促进智障学生的社会生活实践方面天生不足。学校变革背景下，特教学校需要根据服务对象的需求，开发相应的课程，探索相应的教育教学形式，以更好地实现功能拓展、服务区域随班就读学生和社区智障人士。

二、特教学校变革的愿景

面对区域推进随班就读带来的变革情境，特教学校在保持原有职业教育的基础上，还将为区域随班就读和学校之后的智障人士提供服务，服务的对象和时间都有所拓展，发挥区域内特殊教育指导服务中心和资源中心的功能。根据区域推进随班就读、智障人士终身发展以及精致职业教育的发展需要，特教学校应对功能拓展的优势和不足，我们勾画了学校的变革愿景：由一所相对比较封闭的特殊学校变革成为一所具有较强服务指导功能的新型特殊教育学校。

首先，学校功能由单一走向多元。学校在原有智障初职教育的基础上，还需承担区域随班就读的评估鉴定、巡回指导、康复训练、研究辐射、咨询培训等功能，拓展社区智障人士终身教育服务功能。学校功能由单一走向多元，服务于智障学生初职教育的同时，服务于区域随班就读和社区智障人士终身教育。其次，学校服务前移后续，走向一体化。学校将突破传统特教学校的教育服务功能的意义，率先将局限于特殊教育学校范畴的教育服务向两头延伸，不仅服务于智障学生职业教育，还服务于区域随班就读工作和智障人士的终身教育，学校服务前移后续，构建就业（社会融合）导向的智障学生一体化服务体系。再次，学校由相对封闭走向开放。变革过程中，学校将不断加强与其他学校、社区的互动联系，积聚变革的力量。如此一来，学校将打破围墙，学校从原有的一所较为封闭的特殊教育学校变革为一所具有较强服务指导功能的新型特教学校。

三、特教学校变革的战略

1998 年转办以来，学校致力于智障初职教育的研究实践，形成了一整套完善的课程体系和成熟的教育教学方法，主要培养智障学生的职业素养，使他们获得一定的专业技能，帮助他们将来能够踏入社会，胜任自己的工作岗位。目前，职业教育的课程和目标也在随着社会上专业劳动技能证书的要求不断调整，逐步实现标准化，与社会需求和要求接轨。因此，智障儿童的职业教育，作为初职校十年发展战略的一项重要内容保持并延续至今，逐步要求精致化。

虽然区域小学随班就读已有十几年的经验，但 2006 年，区域初中随班就读才刚刚起步，与其他区县差距较大，区域中小学随班就读整体情况不佳。根据区域随班就读推进的需要，学校主动承担中小学随班就读的巡回指导、康复训练、资源教学、研究辐射等功能，旨在从随班就读的软件、硬件方面增强服务的实力，增强教师服务区域随班就读的专业能力，加强区域随班就读推进的力度，提高区域随班就读质量，力争在全市的随班就读工作中脱颖而出。

为了促进智障学生从“学校人”到“社会人”的适应，早在2001年学校就开展了实习、就业学生的“职后跟踪”服务，取得了显著成效。变革情境下，学校终身教育服务功能，不再局限于职后跟踪，而是主动从实习、就业的智障学生拓展为社区智障人士以及校内在读学生，是一个从“小”到“大”的过程，即学校的教育服务基于并结合社区教育，不断向智障学生的终身教育服务延伸。因此，终身教育的目标是“大”。

因此，在目前随班就读质量不佳，智障人士终身教育体系尚未建立，学校职业教育相对成熟的现实情况下，“做强随班就读”“做大终身教育”，加上保持现有职业教育的优势——“做精职业教育”，成为实现学校变革愿景的三大战略，为此，学校的管理、师资队伍、课程与教学都要相应地进行变革。

围绕变革愿景，在今后的学校教育创新实践中，我们将采取相应的变革行动策略，开展特教学校变革战略的整体实施和分战略实施。

战略的整体实施：调整原有四室的中层机构，形成并不断完善匹配“做精职业教育”“做强随班就读”和“做大终身教育”的管理模式；发挥教师专长，盘整教师队伍，建设服务随班就读和终身教育的核心团队；以科研为引领，进一步聚焦三大发展战略。丰富和完善教师学习课程，提升教师适应学校变革发展的素养；结合绩效工资改革，修订评估方案，细化并形成与三大发展战略相匹配的评估指标，通过对变革绩效的关注，激发教师群体投身变革的内在动力，促进教师不断优化变革实践。

“做精职业教育”的战略实施：强调聚焦学生、教师、课堂和课程，开展精致化教学的探索；通过金职杯、艺术节、特奥等活动，提供学生展示平台，加强对学生的发展性评估和个别化教育，注重学生潜能开发；通过生命教育课内外体系的构建，关注生命教育，根据儿童的发展需要给予各方面的支持，促进生命成长。

“做强随班就读”的战略实施：以区特殊教育康复指导中心为依

托，以随班就读学校校长沙龙为载体，推动区域随班就读保障体系的构建；运用教育与医学等多种手段，为区域随班就读学生提供有针对性的教育与康复服务；充分发挥“中国随班就读网”的作用，构建随班就读交流分享的平台，为随班就读工作的进一步开展提供最新的研究和实践信息。

“做大终身教育”的战略实施：积极争取民政、残联的支持与合作，重点加强与区终身教育服务指导中心的联系沟通，形成学校、社区合作推进智障人士终身教育的机制；通过与社区、精神文明共建单位等资源整合和共享，进一步拓宽学生实习就业渠道和途径，为学生的职业生活提供支持；以课程为载体，构建智障人士终身教育服务体系，为在校和社区智障人士提供持续的可供选择的终身教育服务。

变革是学校发展的进程，创新是学校变革的要求，有效是学校变革的追求。在不断的变革中，学校不断创新，得以持续发展，走向有效。在学校创新文化的传承中，开展学校教育创新的本土实践，全纳教育视野下特教学校的变革一定会成功。

责任编辑　何　艺
版式设计　宗沅雅轩　杨玲玲
责任校对　曲凤玲
责任印制　曲凤玲

图书在版编目（CIP）数据

追求一种与众不同的特殊：上海市长宁区初级职业技术学校教育创新研究／夏峰等著．—北京：教育科学出版社，2010.11（2013.3 重印）
（"守望者的凝思：读懂学校、读懂校长"系列论丛／裴娣娜主编）
ISBN 978-7-5041-5345-6

Ⅰ.①教… Ⅱ.①夏… Ⅲ.①特殊教育：职业教育-教学研究-上海市 Ⅳ.①G769.2②G719.2

中国版本图书馆 CIP 数据核字（2010）第 218023 号

出版发行	教育科学出版社		
社　　址	北京·朝阳区安慧北里安园甲 9 号	市场部电话	010-64989009
邮　　编	100101	编辑部电话	010-64981167
传　　真	010-64891796	网　　址	http://www.esph.com.cn
经　　销	各地新华书店		
制　　作	北京金奥都图文制作中心		
印　　刷	保定市中画美凯印刷有限公司	版　　次	2010 年 11 月第 1 版
开　　本	169 毫米×239 毫米　16 开	印　　次	2013 年 3 月第 2 次印刷
印　　张	19.25	印　　数	3 001—4 000 册
字　　数	263 千	定　　价	46.90 元